JN074128

明日のための近代史

世界史と日本史が織りなす史実

増補新版

伊勢弘志

芙蓉書房出版

はじめに　なぜ歴史を学ぶのか？

「近代」は縮む

一九〇〇年、中国の仏教遺跡・莫高窟（ばっこうくつ）から文書が発見された。それは壁の中に封じられて隠されていた文書群で、一一世紀に西夏（せいか）によって制圧された敦煌（とんこう）において埋蔵されたものだった。この「敦煌文献」によって、失われていた言語や経典がいくつも復元された。そしてこのような遺跡はまだまだ眠っている可能性があると言う。

日本史でも新たな史料の発見が近年も度々報じられているが、失われていたはずの歴史が後世に復元されるということは現在なお繰り返されているわけである。考えてみれば、過去から遠ざかるほど見えてくる歴史があるのは面白いことであるが、それこそが歴史研究の前進であり、歴史に解釈が付されていくことである。

二〇二二年時点で、終戦の年の一九四五年から七七年が経った。その時間は、明治維新の年とされる一八六八年から終戦までの月日と同じ時間だということになる。つまり、維新以降の「戦前」と、「戦後」はちょうど同じ長さになったのであり、またこれからは「戦後」の時間の方が長くなることを意味している。この中で、例えば「近代」という歴史区分を一九二〇年代までに設定すると、近代は五〇年間くらいの時代になり、以後の「現代」は既に一〇〇年の歴史があるのである。そして現代はこれから毎年増えていくことになる。そうなると、古代から現代までの区分の中で、近代という時代だけがやけに短い時代となり、相対的にどんどん短くなっていくとすれば、まさに近代は縮んでいく。このことは、いつの日か必ず問題視され、時代区分の方法が問われることになるであろう。そうなった時に、今の私たちがどのように時代を区分したのかをしっかりと残しておくことは大切なことに思われる。

本書は、二〇二〇年に刊行した『明日のための近代史』の改訂増補版である。前著は「歴史総合」の学習に資するようにと執筆したものであったが、この間には全国の高校で実際に歴史総合が開始され、その教科書も登場した。そのため、新しい教科書に対応し、前著の足らざる内容を加筆するとともに、説明の不足や書き誤った箇所もあったため改訂した。またこの間に新たに登場した研究や論考も反映し、増補した次第である。「征韓論とは何であったか?」や「植民地はどのように拡大したか?」、また第一二章が新たな増補部分となるが、他にも幕府にとっての「富国強兵」や戊辰戦争の裏にあった国際情勢のほか、全般にわたり随所を加筆したので何卒ご覧いただきたい。

歴史を学ばないと、どうなるか?

もう過ぎ去った時＝「過去」をなぜ学ぶのか? それは未来を考えるためである。

私たちは明日のこともわからない。来年、あるいは一〇年後にどれほどのことが起きるのかを知ることはできない。しかし、それでも未来を考えずに生きていくことは困難である。では、明日のことも分からない私たちがどうやって未来を考えるのか? それは過去から考える他に方法はない。つまり、私たちが想う未来とは過去の中にこそあると言える。

また、未来の自分に何が必要で、何が役に立つのかということも今の自分には分からない。今の自分が

「必要なこと」を勝手に決めてしまって、知ろうとすらしないのでは未だ見ぬ価値を得ることがなくなってしまう。反対に、未来を考えないのであれば、過去を学ぶことに意義をもたせることが難しいことも指摘されよう。従って、未来を想うことなく過去を学ぶことはできないが、過去を学ぼうとしないことは、未来を想わないことと同じである。

歴史は個々人の過去であるとともに、社会の生い立ちそのものである。社会は私たち自身の環境であるのに、自分たちが立っている社会がどのようにできたのかを知らずに豊かな人生を築いていけるだろうか。その社会が何を目指してきたのかも分からずに、自分たちが何を目指せば幸せになるのか本当に考えることができるであろうか。過去から現在に何がもたらされているのかを知ることなく暮らしても、何の指針も得られず、確固とした根拠をもって行動することはできないのではなかろうか。

成果の見えにくい分野は「非実学」であるとして排斥される風潮があるようであるが、実学の成果にどのような意義があるのかを説明できるのは非実学なのであり、そもそも何が「実学」であるのかも時代によって変わってしまう。それも含めて、時代に合わないとして何かを処断する時、それは歴史から見て判断しているのであり、価値づけも処断も歴史が下していると言える。個々人の問題にせよ、社会の問題にせよ、歴史を知ることなく確固とした判断を下すことは難しい。また、過去に目を向けず、その実績にも関わろうとしない社会や人が、他からの信用を築くことはできないであろう。それに、こうした日々の中に根差す実践的な知恵を与える学問は普遍的な実学と言えるのではないだろうか。どんな分野にも歴史があり（この世のあらゆる知識が歴史だと言える）、それは私たち皆の財産であるが、それぞれの歴史からその「財産」を導き出す方法を身につけられるのが「歴史学」なのである。

「歴史総合」に臨んで―歴史学的思考法を考える

二〇二二年から高校の新しい科目として従来の「世界史」と「日本史」を総合した「歴史総合」が始まった。そこでは、近現代を中心に、各国の歴史が世界の動向と深く関わっていたことを学習することが目標とされている。グローバル化の時代にふさわしい歴史認識を育てることを掲げて、日本の過去と現在、そして未来を主体的・総合的に考えるための教育として位置づけられているようであるが、未来のために歴史を知ることが重要であるとの意識は本書の共有するところである。

但し、「歴史総合」は限られた時間の中で予定されるために、通史的学習ではなく、設定されたテーマ（問題群）を軸に学習するとのことで、その際には、歴史学の考え方を無視することがないように、現場となる教室で適切に扱われなければならなくなるであろう。そのことを考えるために、分かりやすく「年表」で一例を挙げたい。

〇〇年　一月一日　〇〇氏の邸宅の二階の床に穴が開いた
　　　　一月二日　同地域で記録的な豪雨が観測された
　　　　一月三日　〇〇氏の邸宅が浸水した

このような年表を見たら、どのように出来事を理解するであろうか。家に穴が開いたところに大雨が降ったので、屋内が水浸しになったことを想像するのが自然であろう。しかし実際に調べてみたら、浸水は天井裏の配管の破損が原因で、前日の大雨とは一切関係がなかったというような事象が往々にあり得る。そもそも穴が開いていたのは屋根ではなく床だと記されているのである。

言うならば、年表上の出来事は社会の表層的な現象であり、その背後にどのような変化や作用があったのかを調べて考察しなければ史実が得られないことの例えであるが、こうした虚構（誤った因果関係）は自然と作ってしまいがちであるし、それは歴史に限らず、未知の出来事を主体的に理解しようとするほどそうしたミスリードが起こりがちとなろう。同じように、結果を知っている私たちは何かと歴史の原因を今現在の理解に引き付けてこじつけやすい。それは結果から遡って因果関係をつくろうとしてしまうためであり、時間の不可逆性を破った考え方による陥穽(かんせい)である。

例えば、「どうして武田信玄は天下統一に至らなかったのか？」という問いを立ててしまったり、凄まじいものになるとユダヤ財閥の陰謀によって坂本龍馬が薩長同盟を成立させたり、列国の陰謀によって明治維新が行われていたりする。それらは、武田信玄の死後にほどなく天下統一がなされることを知っているから発想される問いであるし、龍馬がその後に薩長同盟を仲介することや、戊辰戦争がいつどのように起こるのかをあらかじめ知ってでもいなければ成り立たない考察である。歴史の当事者たちにしても、まさに「明日のことも予見できない」中でその時に向き合っていたのであり、先のことなど分からない中での努力や発意にこそ歴史の英知や教訓があるはずなのに、当時の認識を無視してしまって、有ろうはずもない問いを立てていることになる。

同様に、近代の日本政府の一部において帝国主義的な拡張を志向していても、台湾出兵の際に二〇年後の日清戦争が規定されたり、日清戦争終結の時点から九年後の日露戦争の開戦をめがけて行動することなどできようはずがない。むしろもともとの志向とはかけはなれた予想外のことが起きてしまい、その都度の状況判断によって行動していくのである。現代社会に置き換えて言えば、コロナ禍の自粛期間が却ってビジネスチャンスになった職種があっても、その業務は決してパンデミックを想定して準備などしていたわけではないであろうことと同じである。

授業において「問い」を立てようとする時にどのような間違いを誘いやすいのか、その危険については本書の続きとなる『明日のための現代史』〔上・下巻〕でもそれぞれ扱っているので、是非にもご参照いただけることを切に願うばかりであるが、講義や授業で学生に「想像力」を求めることが、史料読解や歴史学の考え方を妨げないように理解されねばならないし、そのためには、史料と「問い」を如何につなぐのか？が理解されていなければならない。

「歴史総合」は時代の流れに沿って進められるようにとの条件づけがあるが、「歴史総合」の上位科目とされる「日本史探究」・「世界史探究」よりも前に実施せねばならない規定から、通史を学習するより先にテーマ別学習として実施される可能性がある。それが決して時系列を無視した課題でないことは分かっているが、それでもやはり、時間に沿って変化を考察する歴史学的思考法が置き去りにされることがないようにするためには相当慎重に扱われなければならないであろう。こうしたミスリードを戒めて、歴史学的思考を学習できるか否かは、全て現場の授業に託されることになるのである。そして教員を育成する大学の社会的役割も問われるところである。

表層的な歴史事象の背後にあった原因や作用を史料に基づいて考察し、時間の経過を捉えて変化を説明するのが歴史学の考え方である。その考察は、人間の生き方や、社会の成り立ち・社会の中心的な関心に対する歴史的理解に必要な力となるが、偏ることのない判断や考え方を鍛え、広い視野に立って国際的・社会的な問題に向き合う姿勢も与えてくれる。「歴史総合」が目標とする「現実の問題について考える際に歴史を参照する姿勢を意識的に育成する」とはそうした学習であろうし、その学習を基礎に国際化の進む世界の中で、自分の考えを自分の言葉で発信していく力を身につけていくのが、グローバル化の中で求められる教育になるのではないだろうか。

歴史を学ぶことの意味は、その当時には理解できていなかったことを知ることであり、同じ事を繰り返すことにあるのではない。こうした「歴史を学ぶ」の意味は一般に多く誤解されているように見受けられる。その時に防げなかった過ちや災難への対処を学ぶべきであって、当時はできなかったこと、解らなかったことを学ぶことを言うのであり、「あの時と同じことが起きるのだ」と同じ事を繰り返そうとするのは歴史に学んでいない態度である。あくまで原因から未知の結果へ向けて思考せねばその時代の認識は理解できないのであり、まさに「因果」の文字の順が示すままに思考してみねば解らない。従って、時間の不可逆性や同時代認識は、テーマ別学習を行う際にも無視することはできない。各テーマの前後の脈絡・史的経緯を理解して、その時の問題を「どのように解決しなければならなかったのか？」を考えるために、通史的な理解はどうしても必要なのである。「その当時は何が解らなかったのか？」・「何を理解していなかったために、どんな結果が現れたのか？」という歴史的経験は人類が叡智を育むための共有財産である。そして議論をすることで、何がどう問題なのかを考え、同時代認識に迫ることで、その財産を得ることができる。

本書は、「見えない業務」・「名もなき業務」を厭わず教育に従事した果てに「歴総」に遭遇し、どうすれば「探究」と接続できるのかという課題に直面しているのではないかと思われる社会科教員の方々と、そうした課題を背負うことになった歴史教育の現場にこれから挑むことになる学生の勉強に資することを願って、以下に近代史を展望したい。

右の問題意識については「あとがき」にて続きをお話しする。

明日のための近代史　増補新版　目次

はじめに　なぜ歴史を学ぶのか？　1

「近代」は縮む　1

歴史を学ばないと、どうなるか？　1

「歴史総合」に臨んで―歴史学的思考法を考える　4

第1章　世界史との邂逅―近代の幕開け　15

1　「鎖国」とは何か？　15

2　黒船は脅威だったのか？　18

3　暴威の舞台―中東と中国での戦争　22

4　幕府は開国したのか？　26

第2章　岩倉使節団が学んだこと―バランス・オブ・パワー　33

1　「岩倉使節団」の派遣とビスマルクとの出会い　34

2　「普墺戦争」と「普仏戦争」―ドイツ帝国の誕生　39

①「普墺戦争」―ドイツ統一の布石／②「普仏戦争」―ドイツ帝国宰相の誕生

3　「勢力均衡論」―万国対峙の世界観　42

第3章 「万国公法」と「帝国主義」の同義性―東アジアの内部秩序 47
1 「徳治」と「法治」――「日清修好条規」の意義 48
2 台湾出兵の目的と影響―国際法の尺度 51
3 「帝国主義」と「万国公法」の基準 54
4 「江華島事件」――不平等の連鎖 55
★ 「征韓論」とは何であったか？ 58

第4章 近代日本の東アジア戦略―帝国主義の進路 61
1 「大日本帝国憲法」の性格―憲法調査と内閣制度 63
2 朝鮮王国の開化と挫折――「壬午軍乱」と「甲申事変」 65
3 列国の脅威―英・露・清の圧力 67
4 日本の東アジア戦略――「主権線・利益線」 69
❖ 「大使」と「公使」の違い 73
❖ 「条約・協約・協定・条規・同盟・協商」の違い 74

第5章 日清戦争と条約改正―力の政治 77
1 条約改正交渉―国内情勢の障壁 77
2 条約改正をめぐる国際環境と初期議会 81
3 清との対決に向けて―「日英通商航海条約」 86
4 日清戦争―力と法の二心性 91
5 「三国干渉」と東アジア情勢 95
6 独立した朝鮮で何が起きたか？ 99

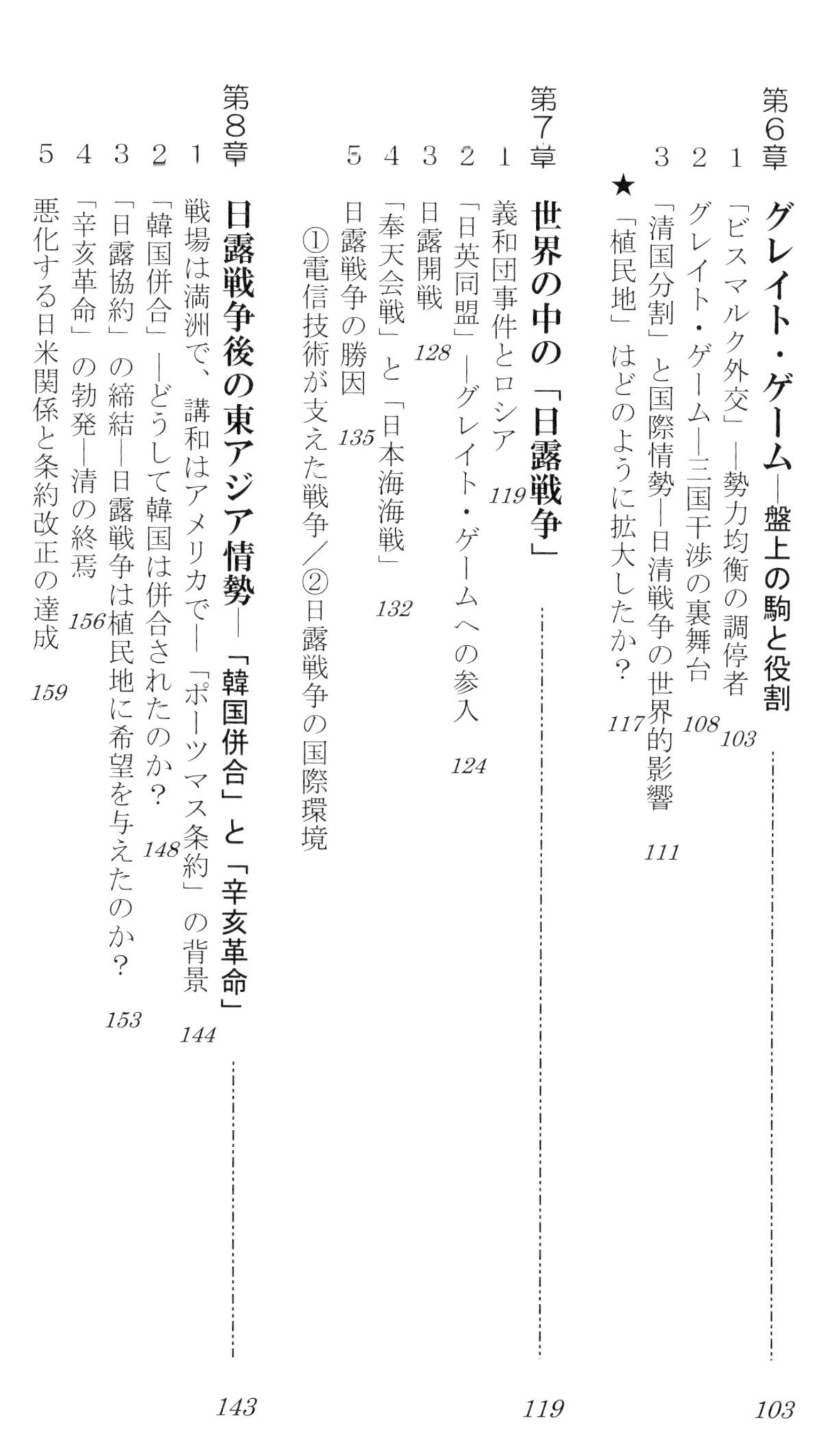

第6章 グレイト・ゲーム―盤上の駒と役割 103

1 「ビスマルク外交」―勢力均衡の調停者 103

2 グレイト・ゲーム―三国干渉の裏舞台 108

3 「清国分割」と国際情勢―日清戦争の世界的影響 111

★ 「植民地」はどのように拡大したか？ 117

第7章 世界の中の「日露戦争」 119

1 義和団事件とロシア 119

2 「日英同盟」―グレイト・ゲームへの参入 124

3 日露開戦 128

4 「奉天会戦」と「日本海海戦」 132

5 日露戦争の勝因 135

①電信技術が支えた戦争／②日露戦争の国際環境

第8章 日露戦争後の東アジア情勢―「韓国併合」と「辛亥革命」 143

1 戦場は満洲で、講和はアメリカで―「ポーツマス条約」の背景 144

2 「韓国併合」―どうして韓国は併合されたのか？ 148

3 「日露協約」の締結―日露戦争は植民地に希望を与えたのか？ 153

4 「辛亥革命」の勃発―清の終焉 156

5 悪化する日米関係と条約改正の達成 159

第9章 第一次世界大戦と日本の外交―「総力戦」と日米関係 163
1 世界の対立軸とドイツの戦略 164
2 対立焦点としてのバルカン半島 167
3 「第一次世界大戦」―連鎖する軍事同盟 170
①無計画な大規模戦争／②参戦各国それぞれの思惑と誤算／③「国家総力戦」と米国の参戦
4 日本の参戦―山東省と南洋諸島の奪取 179
5 「対華二十一カ条要求」―国恥と失態 183
6 中国の南北分裂―寺内内閣の対外戦略 188

第10章 国際連盟の創設と「理想主義」―国際秩序の転換 193
1 「ロシア革命」とシベリア情勢―「労働者にパンを！」 193
2 「日露協約」の残影 195
3 「シベリア出兵」―陸軍の独自外交と満洲戦略 198
4 パリ講和会議とヴェルサイユ体制 203
5 国際連盟の発足とその世界史的意義 206
6 日本と「新外交」―国際協調路線 209
★戦争違法化の国際的取り組み 213

第11章 「ワシントン体制」と戦争違法化の世界 215
1 「民族自決」とは誰の権利か？―パリ講和会議の裏側 216
①「三・一独立運動」（韓国）／②「五・四運動」（中国）／③大戦後の外交問題
2 「ワシントン体制」の形成―アメリカの日本封じ込め戦略 219

3　米の外交戦略から見た「ワシントン体制」　222
4　「ワシントン体制」への反対機軸―「国共合作」と「日ソ基本条約」　225
5　戦争違法化と国際協調の時代　229

第12章　「戦争違法化」の価値　233
1　もう一つの反対機軸―独ソ提携　233
2　「不戦条約」の成立背景　236

おわりに　日本はなぜ侵略国になったのか？　239
帝国主義の教科書　239
「大陸攻勢」から侵略へ　243

あとがき　改訂増補にあたって改めて未来に願う　247
主要参考文献　251

《本文に登場する国名の漢字表記》

米（亜米利加）	：アメリカ
英（英吉利）	：イギリス
露（露西亜）	：ロシア
蘭（阿蘭陀）	：オランダ
仏（仏蘭西）	：フランス
独（独逸・独乙・獨逸）	：ドイツ
普（普魯西）	：プロイセン
墺（墺太利）	：オーストリア（オーストリア - ハンガリーを含む）
土（土耳古）	：トルコ
伊（伊太利）	：イタリア
白（白耳義）	：ベルギー
西（西班牙）	：スペイン
墨（墨西哥）	：メキシコ
葡（葡萄牙）	：ポルトガル
丁（丁抹）	：デンマーク
瑞（瑞西）	：スイス
典（瑞典）	：スウェーデン
芬（芬蘭）	：フィンランド
比（比律賓）	：フィリピン
豪（豪州）	：オーストラリア
新（新西蘭）	：ニュージーランド
波（波蘭）	：ポーランド
羅（羅馬尼亜）	：ルーマニア
勃（勃爾瓦利・勃牙利）	：ブルガリア

第１章　世界史との邂逅
―近代の幕開け

本書は近代を対象とするが、ではその近代とはいつからいつのことを指すのであろうか。時代区分は、歴史に対する後世の理解や見方の表れであり、何に着目するかによって異なる。経済の制度に着目して都市の消費や定額の税制を基準とすれば、一六世紀から近代が始まっているとの考え方もあるし、一七世紀からの工業化こそが近代の開始であるとの見方もある。つまり、それは分析の手法に終始するのである。本書ではそれぞれの見方を否定するものではないが、近代を「帝国主義が世界を覆った時代」と見て、帝国主義の世界観が国際的な秩序になっていた時代を対象にする。それは同時に、その秩序が転換するまでを「近代」とし、それ以降を「現代」と見ることになるが、なぜその秩序が転換し、なぜ秩序が変われば「現代」へ区分し得るのかを確認することは「はじめに」に見た通り、本書の最も大切な課題の一つである。

１　「鎖国」とは何か？

江戸幕府は、海外との交流を断絶する鎖国体制をとっていた。そして鎖国は受け継がれるべき「祖法（そほう）」

として頑(かたく)なに守られ、そのため幕末には黒船の外圧を受けることになり、またそのために幕府は倒れた、とのイメージは未だ一般的なようである（「幕府」という呼称は幕末期に定着したもので、「公儀(こうぎ)」と呼ばれるのが一般的だった）。

　鎖国体制には例外としての「出島」が存在した。出島に設置されたオランダ商館による交易、隣国の明(ミン)・清(シン)による中華との貿易、朝鮮王国からの通信使・慶賀使の来航は、鎖国体制下の対外交流と言える。わずか三ヵ国との交流ではあるが、そもそも当時の世界には極東の日本まで船団を回航する航海技術や国力のある国などほとんどなかったことを思えば、幕府は随分と他国との連絡をとっていることになる。また薩摩を通じた琉球貿易や松前を通じた蝦夷・沿海州との交易も行われていた。鎖国はポルトガル（葡）によるキリスト教の伝教を嫌った幕府が行った政策であり、ポルトガルがインド洋での香料貿易を減退させていたことや、幕府の主要な貿易がオランダとの交易で代替(だいたい)可能になったことから実施されたものであった。即ち「鎖国」とはポルトガルとの国交断絶を意味した政策だったのである。

　その鎖国体制が問題となったのがアメリカ（米国）からの黒船来航である。一八四六年七月江戸湾浦賀沖に米国船二隻が急遽(きゅうきょ)来航した。艦船を率いたのは東インド艦隊司令官のビドル（James Biddle／東インド艦隊は米国の太平洋艦隊の名称）で日本の開国を求めた。清国との貿易を目的とした開国要求であった。幕府は鎖国を理由に退去を通達し、ビドルはやむなく再度の使節来航を予告して去っていった。

　米国は、ビドル来航と同時期に国境を接するメキシコ（墨西哥）との間にテキサス領有をめぐる戦争を起こしていた（「米墨戦争」／一八四六～四八年）。スペインの植民地であったメキシコは、一八〇八年から起きていた独立戦争を経たばかりだった。メキシコ領のテキサスに米国人が多く流入したことから領有問題が起こり、一時はテキサス共和国として独立したのだが、実際には米国人による占有が目立ち、テキサスは米国の付属地と化していた。そして、かねてからテキサス併合を強く主張するジェームス・ポークが第十一代の米大統領として登場すると、戦争が仕掛けられた。戦闘においては、米国海軍が海上からメキシコの沿岸都市を次々と陥落させ、陸上戦においても近代装備で圧倒した。

勝利した米国は、テキサスを併合した上にカリフォルニアも奪取した。カリフォルニアではほどなく金鉱が発見され、「ゴールドラッシュ」が起きた。これにより西部が開発されはじめた米国は、太平洋を越えて清国との貿易を興すことを企図し、その貿易や捕鯨船の寄港地として日本の開港を求めるようになった。その後の米国は領土拡張と連動した黒人奴隷問題を先鋭化させながら、一八六一年からは国内統一戦争としての南北戦争を開始することになる。要するに、米国が日本に開国を求めたのは、それまでに米国が太平洋に面する国家へと変貌していたことを背景にしているのである。

かくして一八五三年六月に米国東インド艦隊司令長官・ペリー（Mathew Perry）が開国を求める国書を携え、黒船を旗艦とする四隻の軍艦を率いて浦賀に来航した。「米墨戦争」で艦隊を指揮した軍人こそがこのペリーである。ペリーは軍事力を背景に強制的な外交を行う「砲艦外交」によって、清国との貿易や捕鯨漁に必要な燃料や水の供給を要求してきた。幕府は朝鮮・琉球以外の国からの国書は受領しないという従来の方針から、一年後までの回答遅延を要求した。

一年後の回答を待つとしたペリーは一度退去するも、その直後にロシア海軍のプチャーチン（Evfimiy Putyatin）が同じく開国を求めて日本に来航したことを知ると、ロシアに先を越されまいとして一年が経たぬうちの五四年二月に軍艦七隻を率いて再来航してきた。ペリーは幕府に対し軍事的な圧力をかけながら開国を要求し、その結果、下田

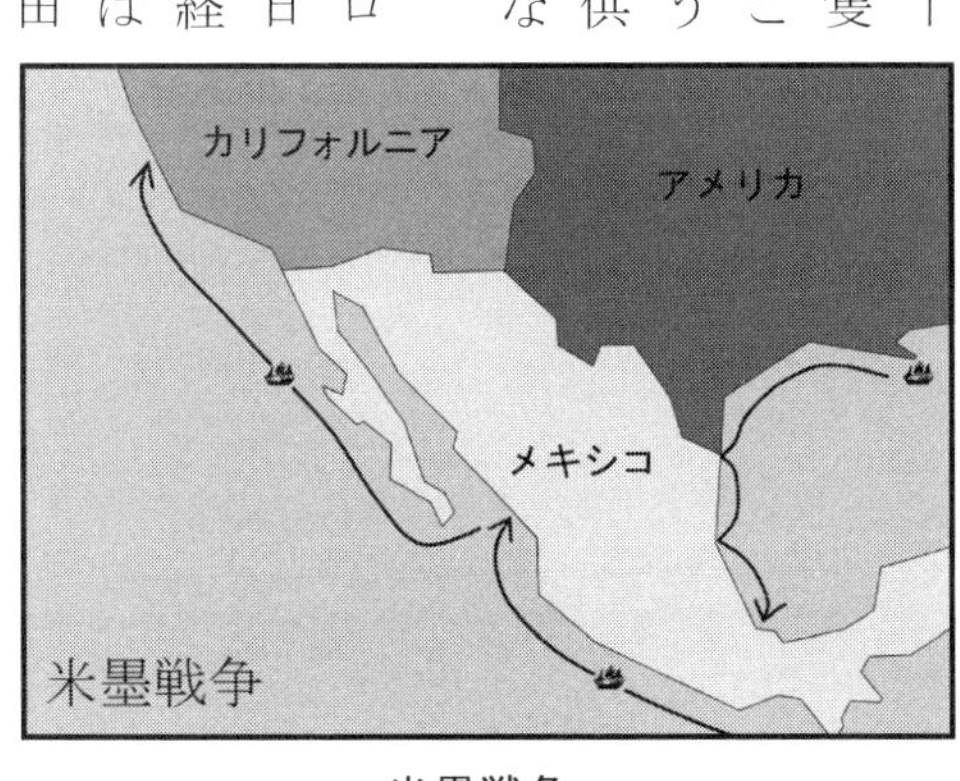

米墨戦争

・箱館の開港と最恵国待遇（第三国に何らかの外交条件を認めた場合に自動的に米国にもその条件が付与される）を認める「日米和親条約」が締結された。これを契機として、和親条約はイギリス（英）・ロシア（露）・オランダ（蘭）との間にも締結された。

さらに五八年には不平等条約の「日米修好通商条約」が結ばれ、幕府は同様の条約を蘭・露・英・仏（フランス）とも結ばねばならなくなった（「安政の五ヶ国条約」）。

ペリー

2　黒船は脅威だったのか？

さて、こうして鎖国が破られ、不平等条約が押し付けられたとの理解があるが、黒船は幕府にとって一体どれほど衝撃だったのだろうか。そもそも国交のない外国船の来航自体は以前から度々あった。例えば、一七七八年には仏国船が北海道に上陸したことがあり、一七八七年にも探検のために日本近海に来た。同船の仏海軍士官は翌八八年に、遭難によってカムチャツカに滞留していた大黒屋光太夫らに会っている。その大黒屋の一行を日本に送還した露国使節の代表はラクスマン陸軍中尉（Adam Laxman）で、その折には日本との通商交渉を求めていた。しかしそれを幕府が断ったため、一八〇四年には再度の露国からの使節として外交特使レザノフ（Nikolai Rezanov）が来日している。またその他に、琉球にも英仏の船が通商を求めて相次いで来航していた。これらも清国への寄港地を求めて日本の開国を望んだ使節であった。記録されているだけでも一〇〇件を超える異国船の接近があるのである。では、その中でペリー艦隊だけが脅威だったのであろうか。

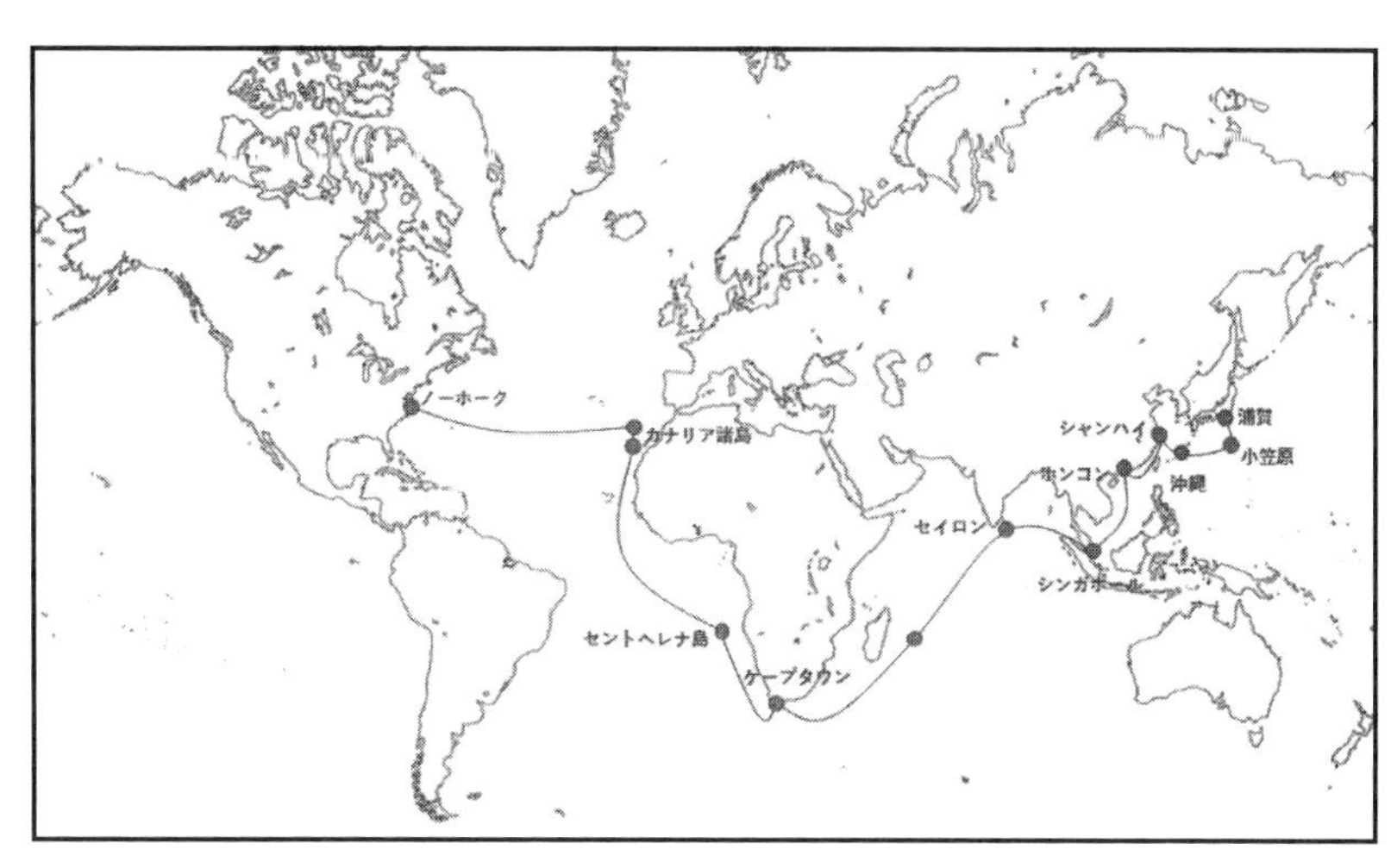

黒船のルート

当時の最新鋭艦であった黒船は、確かに驚異的な技術の枠に思われた。江戸時代には幕府の統制下で一〇〇トン程度の大きさの船しか建造されなかったが、それに比してペリー乗船のサスケハナ号は全長七八メートルの八〇〇トン級の船であった。しかしながら、黒船艦隊の乗組員は総員一千人に満たず、さらに補給においては英国に全面的に頼らなければ航海できないという深刻な問題を抱えていた。

戦争で勝利するためには最終的には敵地に上陸して重要拠点を占拠せねばならないが、いかに黒船に火力があろうと、わずか一千人では江戸への上陸作戦や江戸城攻略など実行できない。また、米国は極東への海上交通路を確保できておらず、石炭を独自に補給することもできなかった。ペリー艦隊は、英国が清国まで開拓していた航路を利用させてもらわねばならず、食糧や燃料も英国から購入せねばならなかった。そのため、艦隊は太平洋を渡って来たのではなく、大西洋を横断してヨーロッパからアフリカ大陸の南側を廻るインド洋ルートを通り、八ヵ月をかけて日本にやって来た。まるで世界を一周する航路である。つまりペリーは日本という隣国に派遣されたのであったが、それは米国から最も遠い国への大航海に挑むものであった。

さらにそれだけでなく、実はペリーは日本に対する発砲や交戦を大統領から禁止されていた。ペリーを派遣したのは第十三代大統領フィルモア（Millard Fillmore／ホイッグ党）であったが、当時の米国の議会は民主党が制しており、ホイッグ党政権は重要法案も満足に通せない状況であった。米国では他国との交戦には議会の承認が必要で、宣戦布告の権利も大統領ではなく議会が有す。大統領は交戦命令の議会承認を得ることが難しいとの判断から、ペリーに交戦しないように厳命した。そのためペリーは、日本との間に戦端を開くことなどできなかったし、そもそも戦争の準備などしてはいなかった。

一方、幕府側でも七年前のビドルの予告により使節の来航自体は分かりきっていた。それに加えて幕府はおよそ一年前にもペリー来航の情報を出島から得ていた。

出島の蘭の施設の最高責任者であるオランダ商館長（カピタン）には「風説書」と呼ばれる報告書を幕府に提出することが定められており、もともと幕府はここから定期的に海外の情報を得ていた。また一八四〇年からは、出島の風説書とは別途に緊要な情報を伝える「別段風説書」が蘭の植民地であるインドネシアの政庁からも臨時的に報告された。そして一八五二年七月の別段風説書では、米国が開国を求めて再度の使節派遣を予定しているとの報告が告げられた。そのため幕府は使節来航に備えて、浦賀に通訳を配置するなどの手配をしていたし、ペリーの二度目の来航時には艦隊の数まで事前に把握していた。

風説書はオランダ本国からの情報の他に、英米の新聞などを情報源として出島で作成されたもので、その中では、露国が日本の領土を狙っているとの情報や、植民地政策を展開する英国が清国を武力で圧迫しており、その脅威がやがて日本にも及ぶであろうことが語られた。そしてその脅威である英国との間では、蘭国が日本のために仲介役を果たし得ることと、英・露の両国に比べれば米国は未だ植民地もない新興国であるため、日本が交渉するのであれば米国が最も望ましい相手であると説明している。つまり英露の脅威が強調されるとともに、オランダ商館は日本に不利益がないように仲介役を果たせるのだと自らの存在価値をアピールしているのである。これは、蘭（オランダ共和国）が過去にフランス革命（一七八九年）を経た仏軍によって占領され、消滅させられていたことを背景にしていた。その後にナポレオンが欧州連合に敗退すると、蘭は新たな平和秩序「ウィーン体制」の下で一八一五年には再建国されていたが、その間も出島のオランダ商館は蘭の国旗を掲げて、あたかも本国が存続しているかのように装った。そうした経緯から、出島からの情報は、その後も彼らの存続や国益にとって都合よく操作されていたことが往々にしてあった（仏の支配下にあった蘭が、仏と敵対する英に警戒されたために英の軍艦が蘭船を拿捕しようと長崎に侵入したのが一八〇八年の「フェートン号」事件）。

ペリーの情報については、米国議会の状況や大統領命令の内容まで出島で把握できていたわけではなかったが、しかしそれでも事前に情報を得ていた幕府は、黒船来航が戦争目的ではなく通商のためであることを把握した上で黒船を迎え、非戦を前提に対応できた。そのため実際の交渉においても、ペリーが脅しとして戦争に訴える可能性を匂わせても、交渉を担当した林大学頭は日米間で戦争をする必要がどこにあるのかと反駁し、交易の要求もはね返した。結局ペリーは目的を果たせず退去することになる。十分な食料などがなかったため退散せざるを得なかったのである。

「上喜撰たった四はいで夜も眠れず」（上喜撰は或るお茶の銘柄）という、黒船（蒸気船）に動揺する江戸の様子を揶揄した狂歌が流行ったとされるが、実は慌てていたのは太平の世において武具甲冑を質入れしていた貧困層の下級武士たちが、急に下された江戸湾防備の命令のために質ぐさを取り戻さねばならず、その金策に慌てる様子だったとの説がある。そうした江戸の状況の中では庶民が黒船見物に沸き立っており、勝海舟・佐久間象山・吉田松陰なども見学に浦賀を訪れた。黒船そのものに対する脅威や緊張はさほど見て取れない。

3　暴威の舞台―中東と中国での戦争

それでは、幕府はどうして条約締結を容認するのであろうか。日本にとって脅威であったのは、やはり英国によるアジア侵略の情報であった。先の「ウィーン体制」によって欧州情勢が安定したため、英は極東に勢力を展開できるようになっていた。とりわけ一八四〇年の「アヘン戦争」は、英の攻撃を受けて屈服した清が不平等条約を強要されたことから、西洋列強の影響がアジアに強制的に及ぶ契機となり、それは次第に日本でも脅威認識を醸成していった。

英国は、清国から茶葉・薬品・香辛料を輸入した。ところが英には清に対して輸出する製品がなく、対清貿易は赤字になった。そのため、英国の「東インド会社」（アジア貿易の独占権および植民地統治権をもった世界初の株式会社／英・蘭・仏がそれぞれ設立した）は、赤字を埋めるために植民地のインド（印度）で栽培したアヘンを商品として清に輸出した。これにより英から綿製品を印へ、印からアヘンを清へ、そして清から銀を吸い上げる構造の英‐印‐清の三角貿易を形成し、次第に英清間の貿易収支は逆転していった。英にとってさらに重要だったのは、印から火薬の原料となる硝石を確保することだった。火薬には硫黄の他に多量の硝石と木灰が必要となるが、木灰は森林豊かな米国から輸入できた（独立後の米が英に輸出した品目の第一位が木灰＝炭酸カリウムである）。英のインド支配は一七五七年のプラッシーの戦いで仏の勢力を印から追放したことから始まるが（印のベンガル地方に商館を置いて交易を行っていた仏の東インド会社を駆逐した）、その後の英が覇権を握り、また仏が英に及ばなかったのは印の火薬の資源を理由にしていたのである。そして英はアヘン貿易でその構造の維持を図った。これに対して、事態を重く見た清が英国商人を排除しようとすると、英は最新鋭の艦隊をもって約一万人の兵力を派遣し、二年余りにわたる「アヘン戦争」に発展した。

清の海軍力は初戦において壊滅した。陸地では、清は南方の広州で迎え撃とうと兵力を集めたが、英艦隊は広州を避けて手薄な北方の海岸線を北上し、沿岸地域を占領しながら北京の外港である天津の沖に迫った（26頁地図参照）。東シナ海沿岸を守備するために幅広く兵力を展開せねばならない清軍に対し、英艦隊は海から局所的に狙い打つことができた。北京への攻撃を恐れた清が一時は和解を求めたが、折り合いがつかず戦闘は継続され、英艦隊が清の厦門（アモイ）・寧波（ニンポー）を封鎖して南京に迫ると、清はついに屈した。その結果、賠償金の支払いと、香港島とその対岸の九龍半島の割譲（かつじょう）のうえ、上海その他の五港の開港を定める「南京条約」が締結された。

アヘン戦争と清の敗北の情報は、出島の清や蘭の商船を通じて早くから日本にもたらされた。「別段風説書」が作成されるようになるのもこの戦争がきっかけである。一八四二年の別段風説書ではアヘン戦争の情報がまとめられ、それによれば英はこの後には日本に触手を伸ばし、幕府が通商要求を断るようなら戦争に訴えるつもりであるとのことが報告された。また、四四年に蘭から開国を勧告する国王の使節が来ると、その勧告の親書でも産業革命や欧州情勢を述べた上でアヘン戦争を分析しており、世界の動向が詳しく伝えられた。幕府は開国勧告は拒否しつつも、世界情勢を把握していった。

蘭からの情報の他にも、アヘン戦争後の清の状況などが記された地理書『海国図志』が輸入翻訳され、それによっても情報が伝わった。同書は清の捕虜となった英国兵の口述をもとに欧州の事情を記したもので、日本では幕末の志士らにも知られることになる。一八四三年まで行われていた「天保の改革」の末期には軍制改革が含まれるようになったのだが、それは幕府が英に敗れた清の惨状を知ったためで、また幕府は異国船は理由を問わず打ち払うとした従来の「無二念打払令（むにねんうちはらいれい）」から、外国船に便宜を図る方針転換も行った（薪水給与令）。清が大敗した情報は、当初は幕府が秘匿して公開しなかったが、次第に国内でも情報をまとめた著作が現れるなどして、武士層にも知られていった。

このように、清が蝕まれていく様が英に対する脅威認識を生み、そしてその英が日本にも通商要求のために軍艦を派遣するとの情報が出島からもたらされていたわけであるが、ペリー艦隊は、日本において英が脅威とされる中で、その英を差し置いて来航し、条約締結まで先駆けることができたと言える。そしてそれには米にとっての有利な状況があった。それは、英がこの時期に中東のクリミア半島において戦争を行っており、日本にまで手を伸ばす余裕がもてなかったことである。

「クリミア戦争」（一八五三〜五六年）は、トルコ領（オスマン帝国）をめぐって英仏と露の間で行われた戦争である。直接的な原因はキリスト教の聖地エルサレムの管理権をめぐる露仏間の争いであったが、その背景には英と露がそれぞれの世界政策を衝突させたことがあった。当時、世界の覇権は産業革命以来の工業力と自由貿易を背景に英が握っていたが、英に次いで競っていたのが露であった。但し露は英と競合するには圧倒的に不利な点があった。冬になると領土内のほとんどの港が凍結し使用できなくなることである。世界最大の海軍力を誇る英に及ばない弱点であった。そのため露は、凍らない港を求めて南に領土を拡張する南下政策を国是とした。そして、露は弱体化していたオスマン帝国から黒海に面したクリミア半島の港を奪おうと目論んだのである（当時露は黒海東岸の港を有したが、仏との対立を背景にさらに南下を図った）。

これに対して覇権の首位を守ろうとする英は、仏とともにオスマン帝国と同盟して露に対抗した。クリミア半島が地中海への要路であるため、交易ルートを露に奪われる可能性を懸念してのことである。「ウィーン体制」による平和的秩序は、このクリミア戦争によって破壊されることになった。

戦争が始まってみると露にはクリミアの正確な地図すらなく、武器弾薬も英仏軍が圧倒した。補給については英仏軍も困難であったため戦闘は長期化したが、当初は中立を宣言していたオーストリア（墺）が露に対峙する姿勢を示すと、露は決定的に孤立した。攻防戦の末に露が敗退し、黒海東岸も失った。

その後の英はクリミア戦争終結から約半年後、今度は清との間に「第二次アヘン戦争」（一八五六年～六〇年）を相次いで起こした。最初のアヘン戦争の後、清では英商人を主とした外国人への排斥運動が起こるようになり、次第に暴動化していった。英は商人の締め出しが「南京条約」に違反する行為であるとして清に責任を求めたが、その渦中に英のアヘン密輸船・アロー号が清の役人に検査を受ける事件が起きた。アロー号は英国の船籍と思われたが、実際には既に船籍期限が切れており、清国人所有の船となっていた。英国の領事（通商の保護・促進を行う職務者）は清との交渉途中で期限切れの事実に気づいたが、船に掲げられていた旗が英国旗であったことを口実にして、英国への侵害であると強引に清に責任を求めた。

英は仏のナポレオン三世に共同出兵を依頼し、英仏の連合軍として広州を攻撃・占領した（五七年一二月）。仏も植民地政策を展開しており、清との通商を拡大しようとしたために同調したのである（また五六年には仏国人の宣教師が広西省で殺害される事件も起きていた）。連合軍はさらに米・露も加えた四ヵ国の連名で「南京条約」の改正を要求した。清が改正に懸念を示すと英仏連合軍は戦闘を続け、北上して天津を占領した。一時は清が講和を締結すると見せかけて反撃に出たことから、連合軍は上海まで撤退するが、再び攻撃に転じると、ついには北京も占領するに及んだ。

戦争の終結においては、露が仲介役となることを清に申し入れた。清は露の仲裁を受け入れて降服したが、露はこれ以前から国境線をめぐって清とは対立しており、この仲介も領土拡大のきっかけを得ようとの画策であった。清は南京条約に続いてさらなる賠償金支払いと港の開港、各国の公使を北京に駐在させることを約束させられ、アヘン貿易は合法化された。露はその目論見の通りに沿海州の割譲を受けた。クリミアで南下に失敗した露は、これより沿海州のウラジオストック港を太平洋側での南下の拠点として開発し、太平洋艦隊を編成することになる。

一方、英はこの間に印度で反乱を起こされており、その鎮圧もせねばならなかった（インド大反乱）。英はこれらの事情から日本にまで手が回らず、その間にペリー艦隊が抜け駆けて来日したのであった。長らく日本に通商を求めていた英仏露に先んじて新興の米国が日本開国の主導性を手にしたのである。但し、その米にも日本に来る際の障害はあった。清における「太平天国の乱」である。アヘン戦争以降、清にはキリスト教も流入するようになり、そのうちのプロテスタントの教義に影響を受けた宗教結社・上帝教が組織された。指導者の洪秀全は農民に土地や財産の平等分配を約束する太平天国の創設を目指す独立運動を起こすと、民衆の支持を集めてその後の約一三年間にわたって運動を展開した。一八五三年には南京を占領して独立を宣言したが、南京には米国の居留民(きょりゅうみん)がいたために（居留民とは在外自国民のこと）、彼らと米国資産を保護する必要から、米艦隊の一部を清に廻さねばならなくなった。ペリーが最初の来日で率いた戦艦が四隻のみであったのはこのためだった。清政府は英仏の軍事力を借り、六三年に南京を奪回して乱を鎮圧した。黒船はこうした渦中に来航していたのである。

ロシア
沿海州
満洲
ウラジオストック
北京
天津
朝鮮
清
南京
上海
寧波
広西省
廈門
広州
台湾
香港

満洲・沿海州

4 幕府は開国したのか?

鎖国体制の変容を求められた幕府は、黒船来航の直後から改革に取り組んだ。先例を破って諸大名や幕臣に意見を求め、ペリーの再来航までに江戸湾には「お台場」（砲台）が築かれた。

ペリーは自身が来航した直後に露の使節が日本に来たことを知ると、約束の一年よりも早く再来航した。今度は七隻の艦船を率い（後から二隻加わり九隻となる）、強硬姿勢で幕府に開国を求めた。幕府は一ヵ月に渡る交渉においても通商は認めなかったが、下田・箱館（はこだて）の開港を認める和親条約を締結した。

このペリー再来航の一月半後、露のプチャーチンも再び来航し、下田で和親条約を締結した。露との交渉はクリミア戦争の渦中に行われており、この間にも英仏海軍の連合はカムチャッカ半島の露軍施設の攻略戦を行った。露は後にアラスカを米に売却するが、それはこの戦争に敗れ、維持できなくなったためである。プチャーチンは開戦前に出航しており、交渉過程で英仏軍の侵攻を知ると、英仏艦隊との遭遇の危険を抱えながらも幕府側にはその情報を秘匿して条約締結にこぎ着けた。プチャーチンはペリーとは対照的に軍事的威嚇などをすることもなく交渉し（戦力的に貧弱という実状もあったが）、下田・箱館のほか長崎の開港を得た。幕府はクリミア戦争の情報をつかまないまま露と交渉していたが、戦争の知らせは開戦後二カ月目には清にも届き、幕府にも露との条約締結直後に知らされることになる。

その後に露の艦隊が日本との交渉を行っているとの情報を得た英が、露の艦隊を拿捕（だほ）しようと長崎に来襲した。プチャーチンは既に去っていたため、英は諦めて幕府との条約締結の交渉に切り替え、日英和親条約を締結した。また幕府は蘭とも和親条約を結んだが、仏は一八五五年の段階で琉球との間に「琉仏修好条約」を締結していたことから、仏との和親条約は締結されなかった。仏は将来的に琉球を介した極東貿易や、ハワイおよび米国の西海岸‐清‐日本を結ぶ定期船を構想しており、その補給地点として琉球（りゅうきゅう）諸島を重視したこと、またクリミアでの対露戦争の最中であったことから幕府との和親条約に消極的だった。

かくして幕府は列強との国交を開いたのであったが、但し和親条約締結の段階で完全に開国したのかと言えば、そうではなかった。和親条約は「出島政策」の延長上に捉えられたもので、幕府はあくまで従来の体制の中で清・蘭以外にもいくつか交流国を増やすだけに留めようとしていた。そのため、幕府は列強に続いて条約締結を求めてきたドイツとの交渉などは拒否しており、鎖国体制を極力保持しようとしている。そうした幕府が開国へ傾斜していくのは、早くとも通商までをも認めるようになった「日米修好通商条約」締結より後のことである。では、なぜ幕府はついには開国方針を認めたのであろうか。それには蘭と米からの情報操作と誘導があった。

修好通商条約締結の段階までに、蘭は幕府との自由貿易を改めて求めるようになっていた。そのために英国の脅威を強調することで幕府に開国を迫ろうとした。アヘン戦争での清国を引き合いに出し、開国交渉に応じなければ英仏が日本に攻め込んでくるとの情報を流した。圧倒的軍事力を誇る英が今にも日本に迫り、開国を強要するであろうから、そうなる前に日本は蘭と有利な条件で条約を結ぶことが得策であると説得したのである。

また米国も同様の圧迫を幕府に与えた。和親条約に基づき、五六年からは下田に駐日総領事としてハリス（Townsend Harris）が赴任すると、強い姿勢で通商条約の締結を求めた。幕府側は鎖国体制を極力保持する方針で臨み、以後十五回に渡る交渉が行われることになる。ハリスは、覇権国である英が自由貿易を強要しており、今は第二次アヘン戦争とインド大反乱で手一杯になっているが、じきに終息すれば直ぐにも日本に迫ってくると主張した。実際には、この段階での英には日本への軍事侵攻の計画などはなかったが（無条件で英と交渉した場合には密貿易やアヘン流入の危険性はあったかもしれないが）、ハリスはあたかも英が侵攻してくるかのようにその脅威をことさらに強調し、だから日本は米と少しでも有利な条件で先に条約を結んでおくべきで、そうすれば英が貿易を強要してきても、ハリスが英を説得し、英の要求を日本が納得できる程度まで抑えてやることも可能だと説いた。

長引く交渉の過程で第二次アヘン戦争が終結すると、ハリスは英国船が日本に向かっているとの情報が入ったと述べ、早く通商条約に調印するように迫った。交渉を担当した老中首座・堀田正睦（ほったまさよし）は自由貿易を骨子とする条約締結を了承した。国内には条約締結への反対がなおも強くあったため、堀田は天皇から勅(ちょっ)許(きょ)を得ることで乗り切ろうと朝廷を頼った。ところが孝明天皇はこれを許可せず、勅許を得ようとしたことは却って条約の調印を困難にした。堀田はかねてより開国と通商の必要を認めていたのだが、他の老中からも幕府権威の低下を避けるために無勅許でも調印すべしとの主張が出てきた。

幕府において新たに外交の実務を担うことになった者の中には昌平坂学問所（昌平黌）の人材があったが、彼らの中には外国との交易を積極的に行うべきと考えた者もあった。外国船への無用な攻撃が却って侵略の口実を与えてしまうことや、交易で実利を上げるべきとの考えからである。堀田の下でハリスとの交渉にあたっていた岩瀬忠震(いわせただなり)（目付）なども通商によって経済・軍事力を増強する要を早くから認めていた。その主張は、後の明治政府による殖産興業を伴うような「富国強兵」の文脈（次章に見るウェストファリア体制の下での現実主義に基づく文脈）とは異なる認識だったが、世界では国家が法によって対等な関係を築いていることを認識しており、従来の華夷秩序の世界観から脱して、鎖国からの変容を求める主張であった。

かくして事態を打開すべく大老に就任した井伊直弼が条約調印に踏み切り、それが安政の大獄や桜田門外の変の原因となるが、井伊の就任以前より修好通商条約の締結は現場の岩瀬らによって既定路線化していた。堀田は失脚したが、その後も現場では岩瀬らが交渉を進めたのだった。そして、条約を強引に調印したとされてきた井伊は、むしろ調印に慎重であったことがわかっている。井伊は岩瀬らが積極的に交渉したことに対して動揺し、調印の後になっても朝廷に対して将来的には条約を破棄できるよう努めると述べていたほどだった。条約締結は現場の牽引(けんいん)によってなされ、井伊直弼が強引に進めたというのは、後世に井伊を顕彰する際に開国の功績を帰そうとした操作によるものだったのである。

締結された「日米修好通商条約」では、神奈川・長崎・新潟・兵庫の開港、江戸・大坂の開市、外国人居留地の設置と領事裁判権の承認などが定められた。自由貿易を目的としながらも、治外法権・領事裁判権を認め、日本側は輸入商品に対する関税を自らは決めることができないとの内容であった。それは不平等条約であったが、しかし実は幕府はこれらの不平等性を感じてはいなかった。幕府は関税自主権についてはどのような問題が起こり得るのかを正確には理解できていなかったし（実際の貿易不均衡が起こるのも六六年に改税約書を結んで以降のこと）、領事裁判権についても外国人の違反や不始末を自ら裁いたり、管理するのは負担であるとの考えがあった。つまり、幕府には修好通商条約が不平等条約を強要されたものとの意識はなかったのである。

一八五八年六月に米との条約が締結されると、七月に蘭・露・英と、九月には仏と同様の条約が結ばれた（安政五ヵ国条約）。この後一八六一～六五年の間に米が南北戦争を行うことから、対外関係は主として英仏との間での問題となる。

天皇の勅許のない開港は外国を排斥する攘夷運動を激化させた。そのため幕府は欧州に使節を派遣し、約束した開港・開市の延期を各国に求めた。即ち開国の延期である。将来的には貿易自由化を進めることを条件に開港・開市は五年間延期することになった。しかし、それでも国内の攘夷運動は天皇の意向を背景に続けられ、特に長州藩は馬関海峡（関門海峡）を封鎖して外国船の入国を拒否しようとした。これに対して、英・米・仏・蘭は兵庫沖に軍艦を侵入させて勅許を強要すると（兵庫開港要求事件）、一橋慶喜が天皇の説得に努めるなどしてついに勅許が下った。この間に国内の攘夷の急先鋒であった薩摩と長州は、それぞれ列強に軍事的敗北を喫して（薩英戦争・四国艦隊下関砲撃事件）攘夷を放棄したが、その段階においてもまだ日本は完全に開国したのではなかった。そして、開国の先送りは日本に権益を求める列強間の関係を複雑化させることになる。

長州藩が六四年夏に英・仏・米・蘭の連合軍に敗北した下関砲撃事件の責任は、幕府に求められ、幕府は賠償金を支払うことになるが、連合国側が幕府に責任を帰した背景には英の軍事作戦の存在があった。この時までに英では日本への侵攻作戦の計画が練られていたのである。大阪湾・江戸湾からの上陸作戦を展開し、京都と江戸とを軍事占領しようとの作戦であった。長州による海峡封鎖は、その計画を実行する口実になると思われた。かくして英の主導する一七隻もの連合艦隊が下関を攻撃したが、英がこの事件に続いて兵庫開港要求事件を引き起こしたのは、幕府との全面戦争を想定しての行動であった。日本との交渉において、米に先を越されてから約一〇年を経て、英は日本への本格的な軍事侵攻を計画していたのである。

日本侵攻を図る英に対して、幕府は蘭の協力を得て海軍力の増強を図った。最新鋭の軍艦（開陽丸）を購入し、軍事訓練も導入するなどした。幕府が軍備を強化すると、結果的に英は戦争計画を放棄した。軍事的な負担が増したことで、それに見合う成果が得られるか不確かになったためである（英においても予算は議会の承認が要る）。つまり、幕府の「強兵」政策が英との全面戦争を排したのであった。

翌六五年に米での南北戦争が終結すると、米国内では大量に余剰になった武器が現れた。そして高性能のライフル銃を主としたそれらの武器は日本に持ち込まれることになる。英の武器商人が日本に販売したからである。さらに英は倒幕勢力に加担することで維新に介入していく。他方、この後の幕府は仏の援助を得ることで打開を図った。仏は英との競合の観点からこれに協力した。連合国はそろって開国を求めながらも、それぞれが自国の利益を図り、決して一枚岩などではなかったのである。さらに一方では露が樺太の領有を図っていた。露仏の拡大を懸念した英は、日本政府の刷新を求めた。強い統一政権を誕生させることで他の列強の拡大を阻止しようと考え、幕府を見限ることにした。

英は、仏からの武器購入を進める幕府への融資を妨害した（幕府への融資はロンドンの銀行を通して行われることになっていた）。これによって武器購入ができなくなった幕府が大政奉還を行うことになる。そして英は、戊辰戦争に対しても諸外国に局外中立を呼びかけた。それは各国の自国民が日本の内乱に巻き込まれないようにするためとされたが、国際法に定められた局外中立の適用は、幕府と仏や他の列強との関係を寸断した（幕府は米からも軍艦の購入を予定していた）。英の中立の提案はむしろ倒幕への加担なのだった。

以上のように、幕府がハリスとの交渉に応じて開港を承認し、安政五ヵ国条約を立て続けに締結したのは、黒船自体が脅威だったのではなく、またペリーの恫喝に屈したのでもなく、米・蘭の説得の上で、交渉に応じることが得策であるとの判断を下すに至り、部分的開国に踏み切った結果であった。黒船来航の影響は、幕府の中で人材登用・政治参加の拡大をもたらしたことにこそあると評価できる。そして幕府は、六〇年には日米修好通商条約の批准書を交換するため（批准とは元首による裁可や議会承認を経て条約の正式な発効を表明する文書）、軍艦・咸臨丸で米に使節を派遣して太平洋を横断した。幕府はこれ以後にようやくポルトガル・プロイセン（ドイツ）・スイス・ベルギー・イタリア・デンマークの各国とも条約を結んだ（このうちポルトガルとの国交は二一五年ぶりの再開になった）。これら各国とも正式な関係を開くことになったのは、一部の国にのみ通商を許し、他に許可しないということは困難であるとの判断からであった。つまり、修好通商条約の締結が開国方針を容認するきっかけとなったが、その後に至るまで国際政治上の意味での「開国」（Open a country）をしたのではなかったと言えるのである。

第2章

岩倉使節団が学んだこと
―バランス・オブ・パワー―

欧米諸国が日本までを貿易市場にしたことで資本主義の経済圏は地球を一周することになった。その構造はアジアに対する不平等条約が支えたが、修好通商条約の不平等性は明治政府において問題視されるようになった。幕府が結んだ不平等条約を引き継ぐことは、明治政府が諸外国から承認されるための要件であったが、政府はかつての幕府外交が失策で、これを挽回するのが新政府の担う意義であるとして自らを価値づけた。

外務省は一八七〇年一〇月に条約改正掛を設置して改正に着手するが、しかし政府は当初から条約の全面的改正を意図したわけではなかった。条約の規定で七二年七月一日まで改正できないことになっていたこともあるが、国内制度が未整備のままで全面改正を求めた場合には列強から様々な条件を付されることになり、却って不利益が生じることになると予測されたためである。政府は国内の制度が発達する時期まであえて部分的改正のみを目指すことにした。そして、将来の条約改正に向けて西洋諸国の制度・文物を調査する岩倉使節団が派遣される。

一方、アジアに不平等条約を求めた列強にとっては、何が条約改正の要件だったのだろうか。列強の世界観では、当時の世界は「文明国」（欧米列強）、「半未開国」（トルコ・清国・日本・中南米諸国）、「未開国」＝「野蛮国」（アジア・アフリカ諸国）の三つに区分された。文明国たる列強は、文明国同士でのみ対等な関係を築くのであり、「未開」や「野蛮」な性格を残した未発達の国は平等には扱えないとの見方である。そのため明治政府はまずは欧米各国に「文明国」と認められねばならず、文化・制度・習慣などを欧米風に変えていく必要があると認識した。条約改正には列国の「公法」に準じる法を整備する必要があり、それ無しには不利な交渉にしかならない。よって使節団の派遣は、明治政府が「万国公法」（国際法）の導入と近代化の進路を選択したことを意味した。

1　「岩倉使節団」の派遣とビスマルクとの出会い

当時の国際法の存在は、米国人の宣教師マーチンが一八六四年に漢訳した『万国公法』（Elements of International Law）によって清で知られるようになり、翌年には幕府の開成所が翻刻して日本でも外交関係の基本書として認知されるようになった。

一八七一年、岩倉使節団は岩倉具視を全権大使に、木戸孝允・大久保利通・伊藤博文・山口尚芳（岩倉と交流の深い外務少輔‐少輔は次官に相当）の四名の副使を中心とした使節四六名と留学生四三名、通訳等の随員一八名で構成された。留学生には、中江兆民・金子堅太郎・平田東助・牧野伸顕・団琢磨などがいた。欧米各国にそれぞれ一〇年間の留学が予定されており、その内の五名は女性でいずれも若く、最年長の上田悌子が一六歳、最年少の津田梅子は六歳であった。

訪問国は順に、米、英、仏、白耳義（ベルギー）、蘭、独、露、丁抹（デンマーク）、瑞典（スウェーデ

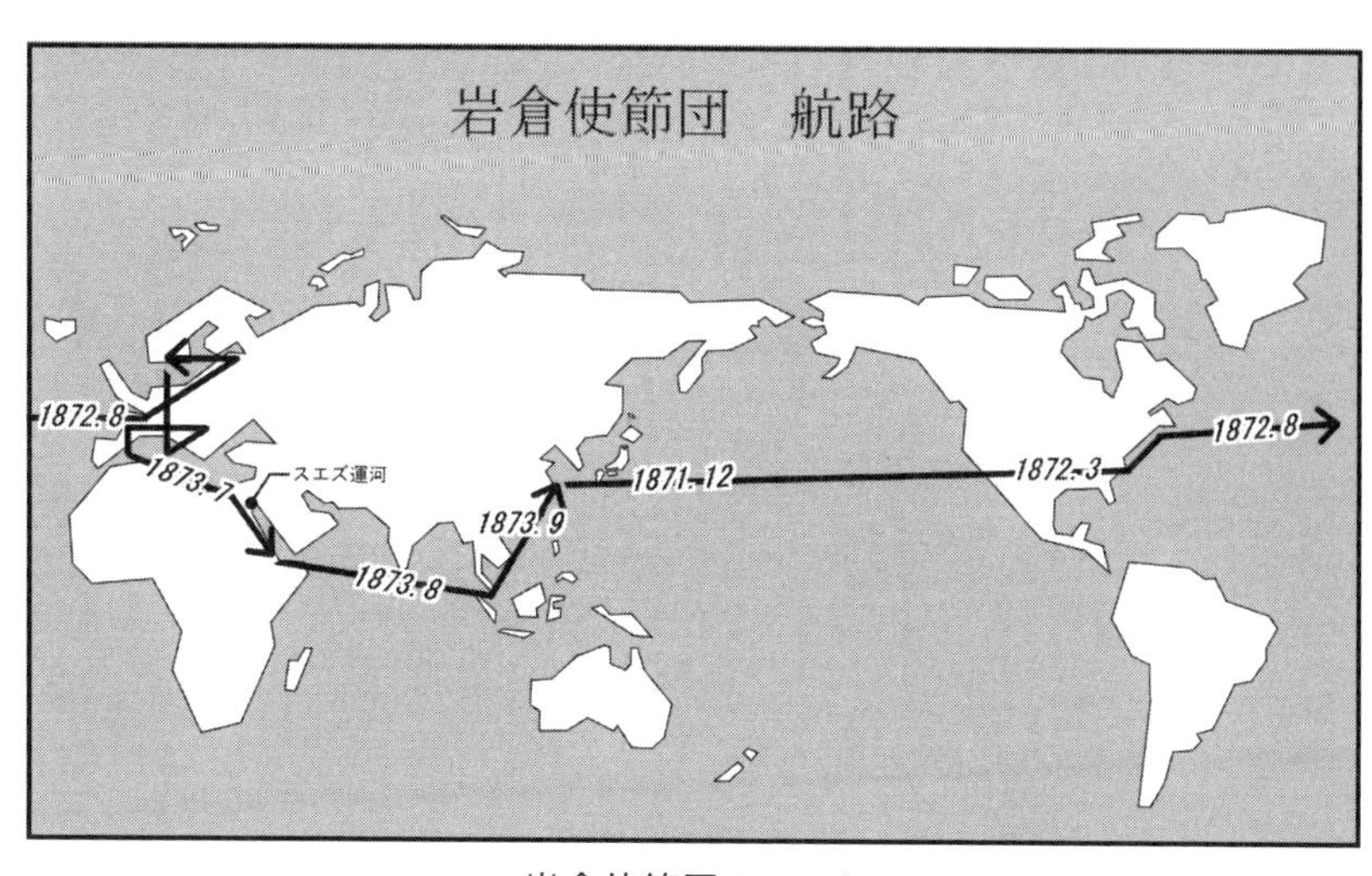

岩倉使節団のルート

ン）、伊太利（イタリア）、墺太利（オーストリア）、瑞西（スイス）、およびアジア各地の植民地であった。幕末または明治初期に修好通商条約を結んだ各国への訪問で、一八六九年に開通したスエズ運河を通り、七三年九月までの六三二日間にわたる世界一周の行程であった。

使節団が渡米した際、米国で条約改正交渉を試みたことはよく知られている。一行はサンフランシスコに上陸し、鉄道で東海岸へ向かった。ワシントンでは予想以上の歓待を受け、現地の新聞で連日報道された。その歓待ぶりを見た伊藤博文やワシントンに駐在した森有礼（代理公使）は条約改正が可能と見て、予定にないはずの交渉を試みたのであった。当然ながら交渉に必要な全権委任状の用意などは無かったため伊藤は大久保とともに一時帰国して委任状を用意した。しかし岩倉らは他国を差し置いて米と単独に交渉しても、必ずしも有利な改正に結び付かないとの判断から、委任状が届くより前に交渉を打ち切った。伊藤・大久保の予定外の一時帰国により米には七ヶ月余計に滞在することになった。

使節団の調査の対象は、各国の制度・法律・財政・産業・教育・軍事に及んだ。とりわけ、米では教育制度とその背景にある宗教の役割を、英では産業革命以来の工業力と国際競争力とを学習した。一方で、江戸期から畏れていた露に対しては大きくイメージが変わったようである。使節の見た露国とは、実際には文盲の人民が政府に隷属する貴族専制の国家に過ぎず、それまでの脅威認識は見直された。

使節団は、日本が差別されねばならないのは「東洋一種ノ国体風俗」に原因があると考えていたが、各国の見聞の過程で、欧州でも人民の全てが文明的なわけではなく、日本の立ち遅れは国際環境への対応の問題に過ぎないのであって、日本人が民族的に劣等だったわけではないとの認識を得た。但し、急激な欧米の制度の導入は避けるべきで、漸次発展させねば齟齬をきたすとの考えにも至った。つまり性急な条約改正を望んだのではなかったわけである。

岩倉遣欧使節団

使節団はドイツではビスマルクの招宴を受けた。ビスマルク（Otto von Bismarck）はプロイセン（普）の首相として、かつては諸邦に分裂割拠していたドイツ諸国を統一国家に導いた人物で、軍備拡張を強権的に進めたことから鉄血宰相と呼ばれた。統一の過程では、ドイツ連邦の盟主であったオーストリア（墺）を破り、その後に仏との戦争にも勝利したことで欧州でも名が通っていた。そのビスマルクは使節団に対し、ドイツ統一の過程を明治維新の戊辰戦争になぞらえて説明し、日本とドイツが同じ境遇にあると述べた。また英仏露の植民地政策を批判して、ドイツは植民地獲得による領土拡大には関心をもたないとした上で、岩倉らが学ぼうとする万国公法が信頼に足るものでないことを以下のように説明した。

万国公法は列国の権利を守ると言いながらも、列強は自国にとっての利があるうちは公法を守るだろうが、不利になれば武力に訴えるであろう。現に英仏は植民地を貪り、諸国はそれに苦しんでいる。欧州の親睦はいまだ信頼の置けぬものである。いま日本と親交を結ぼうという国は多いだろうが、国権自主を重んじる我がゲルマンこそが最も親交を結ぶのにふさわしい国である。ドイツは数十年かけてようやく列強と対等外交ができる地位を得た。だから今後の日本も万国公法を気にかけるより、富国強兵を行って独立を全うすることを考えるべきだと語った。ビスマルクは使節団に、世界各国は表向きは親睦礼儀をもって交流しているが、実際には強者の論理がまかり通っているのが実情であるとして国際環境の厳しさを突き付けたのだった。

列強は日本に対する不平等条約の改正要件として法整備を求めていたし、日本も列強から対等に扱われるために万国公法を教本のように考えていた。ところが、ビスマルクはそれを明確に否定して、帝国主義の世界が弱肉強食であり、単にルールを遵守しても力がなければ容易に利用される非情の世界を説いたのであった。使節団はビスマルクに強く感銘を受けた。なかでも大久保利通と伊藤博文は特にビスマルクの施政を高く評価したが、とりわけ大久保はビスマルクを「大先生」と崇めて富国強兵のための殖産興業を目指すようになるのであった。そしてドイツを手本にしようとすることは、弱肉強食の中で強兵の国を目指すことを意味していた。

ところで、ビスマルクが戊辰戦争の経緯を把握していたのは、当時のプロイセン（普）が蝦夷（北海道）に一大植民地を築こうとの計画をもっていたからである。普はジャガイモやトウモロコシを栽培できる蝦夷を北ドイツの気候に似た地域であるとして、一五〇万人規模の植民地化を目論んでいた。それは英が提案した局外中立によって仏が撤退した後、普の武器商人が個々人の商売として国際法をくぐり抜け、幕府側（奥羽越列藩同盟）へ武器の販売を行うことで進められようとしていた。

普の武器商人らは新潟港から列藩同盟勢力に武器を持ち込んだが、その武器とはやはり米の南北戦争で余剰となった武器である。その中には米で開発されたガトリング砲（連射可能の機関銃）も含まれた。そして蝦夷は、武器の代金の担保になった。つまり、普は蝦夷を得るために北海道の支配権を持つ列藩同盟側に接近したというわけである。

こうした普の介入に対し、倒幕運動に加担するようになっていた英が、普の武器商人の排除に動いた。新政府軍に対して新潟港の封鎖を示唆したのである。それまで新政府軍は、普の商人によっていくら武器が持ち込まれていても、条約で開港が定められている新潟港へ手を出すことをためらっていた。それに対して英は、海上封鎖が国際法で認められる権利であるとの解釈を授けた。実際に封鎖が実行されると、普による武器の持ち込みと蝦夷への計画は頓挫した。

ところがその後、列藩同盟が箱館（函館）に籠もる状況になると、英は局外中立を解除すべきだと態度を一変させた。その目的は、新政府軍を勝たせるために最新鋭の軍艦を提供するためだった。英は軍事援助を行うために、自ら提案したはずの中立を撤回したのである。普の代表（ブラント代理公使）は、内乱は終わっていないのだから未だ中立を解くべきではないと反対したが、英は徳川将軍が既に降伏している以上は新政府を承認するべきだと説いた。その結果、局外中立は解除され、英は新政府軍への軍事援助を開始した。そして、こうした英の利己的な動向の背景には、樺太に南下してきていた露への懸念があったのだった。

新潟港封鎖や軍事援助の開始など、相次ぐ干渉によって戊辰戦争は終結した。そしてその背後では普の植民地計画が途絶えていた。「列強は自国にとっての利があるうちは公法を守るだろうが、不利になれば武力に訴える」と語ったビスマルクには、まさに戊辰戦争をめぐって英と対抗した経験があったわけである。

２「普墺戦争」と「普仏戦争」―ドイツ帝国の誕生

ナポレオン戦争によって解体された神聖ローマは、ナポレオンが欧州連合に敗退した後には、三九の領邦からなるドイツ連邦となった。この中で二大勢力となったのはビスマルクの所属したプロイセン王国（普）と、オーストリア帝国（墺）であったが、当時の墺はハンガリー、チェコ、スロバキア、スロベニア、クロアチアなどを含む欧州中央から東欧にかけての広大な版図を築く大帝国で、ドイツ連邦の盟主になっており、普はそれに次ぐ地位でしかなかった。ビスマルクはこのドイツの覇権を奪取するために墺と対峙し、積極的に戦争に臨んだ。

①「普墺戦争」―ドイツ統一の布石

普墺戦争の端緒は、デンマークでの領地紛争をきっかけに、普軍が墺の領土を侵犯したことを契機としている。デンマーク王国（丁）には支配領内に居住するドイツ人がおり、彼らはプロイセンへの帰属を求めて丁王国から分離したがるようになった。丁王国はこれを認めずに弾圧し、その地域の併合を決定したが、直後に国王が死去したため、丁王国には王位継承問題が発生した。ビスマルクは王位継承問題にも介入しながら、現地のドイツ人を救済するとの口実から行動を起こした。そして、墺に共闘を求め、普墺連合として丁王国に侵攻した（デンマーク戦争／一八六四年）。

戦争の結果、勝利した普・墺の両国が紛争地を分割統治することになったが、ビスマルクはやはり同地はドイツ人が自治を行うべきだとの次なる口実から、今度は墺に戦争をしかけた（普墺戦争／一八六六年六～八月）。この普墺戦争は、実態としてはドイツ統一の主導権をめぐる戦争であり、ビスマルクはデンマーク戦争の当初から墺との戦争を誘発しようと狙っていた。ビスマルクは他国からの干渉を慎重に避けながら、墺との戦端を開けるように巧みに問題を誘導したのであった。

戦闘では、モルトケ参謀総長（Helmuth von Moltke）の作戦の下に、普軍が鉄道と電信を整備したことで迅速に進撃し、わずか七週間で完勝した。普はドイツの盟主となるとともに、統一ドイツの基礎を築いた。

大敗した墺はドイツ連邦から脱退させられ、盟主の地位から脱落したが、それだけではなく国内分裂の危機にまで晒（さら）された。墺はドイツ人を支配層としながらも多民族で構成された帝国であったが、敗戦により諸民族が自治を求めて支配層に反対するようになり、帝国内で民族問題が噴出したのである。ドイツ人支配層は墺国内の人口の二割を占めるハンガリー人を懐柔（かいじゅう）・宥和（ゆうわ）して国内分裂を防ごうとした。ハンガリー人によるハンガリー王国の独立を認めるが、墺の皇帝がハンガリーの王位を兼任するとの形で支配を保った。軍事・外交・財政については皇帝の下で統括され、その他は墺とハンガリーの二つの政府がそれぞれ独自に政治を行うとした連合国家の形態である。ここから墺は「オーストリア・ハンガリー二重帝国」となる。

②「普仏戦争」—ドイツ帝国宰相の誕生

普をドイツの盟主の地位に押し上げたビスマルクは、さらに仏との戦争に挑んだ。一八六八年九月に、スペイン（西班牙）で王の独裁政治に対するクーデターが起こり、王が仏に亡命する事件が起きた。これに対してビスマルクが、空位となったスペインの王位を自国のプロイセン王家によって継承させようとした。スペイン側も普の王室とは血縁関係があったことからこれを了承したが、仏のナポレオン三世がこの問題に介入し、ビスマルクに強く反対した。スペインの王室が普系となった場合には仏は地理的に普の勢力に挟まれることになるためである。ナポレオン三世は、普の皇帝ヴィルヘルム一世に働きかけ王位継承を阻止しようとした。両国は交渉に臨んだが一八七〇年七月に決裂すると、ビスマルクはナポレオン三世が交渉において普を恫喝したと大々的に宣伝することで故意に両国の国民の敵愾心（てきがいしん）を高揚させ、戦争を誘発させた。ビスマルクの挑発に対して仏は宣戦布告で応えた（普仏戦争／～七一年五月）。

戦闘では兵数においても銃砲の性能においても普が勝った。仏の宣戦布告は普王国にのみに向けられていたがドイツ諸邦が一致して戦い、九月にはナポレオン三世が普軍の捕虜となって仏の帝制は崩壊した。仏では新政府が成立し戦争を続けたが、一〇月にはほとんど勝敗が決した。この勝利によってさらに地位を高めた普は、諸邦が割拠（三五の領邦と四つの自由都市で構成）していたドイツを統一してドイツ帝国を誕生させた。普軍はパリのヴェルサイユ宮殿をも占拠し、七一年一月にヴィルヘルム一世を統一ドイツの皇帝にするための戴冠式を挙行した。パリ包囲戦が続く中であったが、ヴェルサイユ宮殿での儀式はかつてナポレオン戦争によって蹂躙されたドイツによる報復としての意味があった。ビスマルクは普の首相に留まらず、ドイツ帝国の宰相（皇帝が任命する唯一の行政長）となった。

一方、仏の新政権もパリ陥落により降伏し、改めて選挙による臨時政府を発足した（ティエール政権）。この臨時政府との停戦協定によってドイツは旧神聖ローマ帝国時代に領有していたアルザス・ロレーヌ地方を獲得した。アルザス・ロレーヌは鉄鉱石と石炭を産出する重要地域であったので、パリではそれを屈辱とした市民が臨時政府の責任を求めて暴動を起こした。労働者を中心とする市民がパリ市を掌握し、政府はヴェルサイユに逃れた。暴動は自然発生的に市民を集め、七一年三月に世界初の革命自治政府（コミューン）が成立した。

ところが、五月に臨時政府が態勢を整えて反攻に転じると、普軍は臨時政府側に協力して、コミューン弾圧のためにパリへ侵攻した。アルザス・ロレーヌをドイツに割譲するのは臨時政府であるため、ビスマルクはその政府が潰されてしまうことがないように政府側を支援したのであった。普軍の侵攻により「血の一週間」と呼ばれる虐殺が起こり、コミューンは崩壊した。ビスマルクはこの後においても、統一ドイツの安定を図るために、仏政府との協調を心がけていく。

このように、ビスマルクは普王国を中心にドイツ統一を進めるため、覇権国を巧みに戦争に誘い込んで矢継ぎ早に打ち破った辣腕（らつわん）の政治家だったわけである。このビスマルクとの会見により、岩倉使節団は「万国公法」を遵守しても国際社会では「力の政治」の影響から免れないことと、小国が自立する途は富強を目指す他にはあり得ないとの認識を得た。その認識は、ベルギー・オランダ・デンマーク・スイスなどを回った際に、それらの国が小国であっても自主を保っていられるのは、人民の勤勉さと強兵の育成によって他国の侵略を許さないからであると観察すると、一層強固な認識となった。

岩倉使節団の帰国後には、条約改正には国家の実力が伴わねばならず、富強を目指すべしとの方針が改めて強く求められていく。また、普仏戦争に勝利した普軍を高く評価して、普軍の兵制に倣（なら）った陸軍建設も実施されることになるのである。

3 「勢力均衡論」――万国対峙の世界観

ビスマルクが説いた弱肉強食の帝国主義世界とは、強者が収奪し、弱者が虐（しいた）げられる世界を指した。国家は軍事力による生存競争を行っており、そのため国家間関係も基本的には常に戦争状態にあるとの見方こそが帝国主義の世界観なのである。そして、この帝国主義思想を適者生存の論理によって正当化する潮流があった。

ダーウィンの「進化論」を転用した「社会進化論」が一九世紀後半に広まると、生物学での自然淘汰・優勝劣敗の考え方が国家間関係にも当てはめられた。それが弱肉強食を正当化する根拠に利用されるようになり、後の優生学の素地にもなるのだが、列強による植民地の獲得も自然の摂理に敵（かな）う行為とされた。

このように国家間関係を潜在的な戦争状態に求め、軍事力を中心とする世界観を「現実主義」＝「帝国主義」と言う。

そうした世界の中で自国が生き残るには、各国の軍事力とのバランスをとる戦略が必要になる。覇権国になるためには近隣諸国を凌駕（りょうが）する軍事力を保持せねばならないが、自国が軍備を拡大すれば競合国も対抗し、軍拡が中長期的に引き起こされることになり、第三国・第四国へと軍拡が連鎖する。あるいは競合国が第三国と同盟することで覇権国を凌駕しようと軍事同盟を締結するため、覇権国であっても味方になる同盟国が必要になる。この「現実主義」の世界では、軍事力が常に拮抗（きっこう）するように計算して同盟を築く必要があり、そのバランスが崩れた際に戦争が起こると考える。そのため、均衡を築くために同盟を連鎖させ、二大陣営化や鼎立（ていりつ）化、勢力四分割などを図るのが同盟戦略の要点となる。またその中では、軍拡を必要としながらも、自国のみが突出して軍拡すれば軍事バランスが崩れて戦争を勃発させることになり、単に軍拡することが必ずしも有利とは限らない。

他方、小国は覇権国にさえ取り入り「勝ち馬に乗る」戦略（バンドワゴン）をとっていられれば安泰なのかと言えばそれもまた違う。覇権国は敵対勢力がいる限りその小国を同盟国として扱ったとしても、敵対勢力を全て平定してしまえばその後には必ずその小国も併呑するであろう。従って、その場合には小国は覇権国に同盟を求めながらも、いつまでも覇権国が統一を果たさない方がよいことになる。

最も強い覇権国は優位に立つようであっても、諸国から敵視されがちで敵対的な同盟網を築かれ易いという点では、どの国よりも高い危険を抱えている場合があり、反対に小国であっても同盟網を主導すれば安全を確保できる。バランスを保つために時にはあえて自国の軍事力を抑制することが必要な場合もあれば、覇権をとることが安泰とも限らないので、安全保障上の負担は大国でも小国でも同じく負っていると言えるのである。このように、計算された各国の軍事力の配置によって不断の緊張関係を保つことで秩序を構築し（さらには軍事力の拮抗で絶え間ない膠着（こうちゃく）状態を創り出すことでしか戦争を避けられないとして）、自国の軍事力をその中に位置づけるバランス戦略を「勢力均衡」(Balance of power)という。

そして使節団の得た国際政治の要諦とは、このバランス・オブ・パワーそのものであった。だからこそ、世界の国々と対抗しつつも日本が自立できるようになるためには富強が必須と考えられ、またそのための欧化が国家目標になった。但し、日本の欧化は近隣の弱小国への圧迫を伴う進路になっていくのである。

さて、このバランス・オブ・パワーの原則が欧州で成立したのは、一六一八年から独で始まった「三〇年戦争」を機とする。この三〇年戦争とは、独での宗教戦争に欧州各国が介入したことで国際的な戦争となり、その結果、神聖ローマ帝国が解体され、普と墺が主権国家として形成された戦争である。当初はキリスト教のカトリックとプロテスタントとの対立であったが、仏とスペイン(西)がそれぞれ介入すると、仏の王族(ブルボン家)と墺の王族(西系のハプスブルク家)との国際的な対立に発展した。

ウェストファリア(Westphalia)は、この三十年戦争の講和会議が行われた独の都市の名で、講和条約として結ばれたウェストファリア条約は、六六ヵ国の署名を得た世界初の近代的な国際条約となった。条約は一六四五年から約四年間もの会議を経て成立した。その結果、プロテスタントがローマ・カトリックと対等の立場であることが認められ、神聖ローマ帝国の各領主に「主権」が認められることになった。また、スイス(瑞西)と蘭が独立し、仏はアルザス地方を獲得することになったのだった。

その後の国際秩序は、「主権国家」(国家権力が独立性を以って領土・領民を統治)・「国際法」(主権国家間での対等なルール)・「勢力均衡」(Balance of Power)の三要素からなるが、ウェストファリア条約によって、主権国家の相互不可侵の原理(領土とその領土内の法的主権の確立)が認められたことで以後の国際政治の根本原則が確立されたのである。ウェストファリア条約が、欧州各国のスタイルを中世の封建国家から主権国家へと転換させたと言える。こうした欧州の体制は、ナポレオン戦争(一八〇三~一八一五年)によって崩壊するが、以後も同条約を基礎とする国際法が国際秩序の根幹をなし、その基本概念は現在に至るまで継続している。

そして、アヘン戦争や黒船来航によって、主権国家同士は対等な関係との建て前（但し、主権のあり方が不確かな野蛮国は除外）がアジアに持ち込まれると、世界観の衝突を引き起こすのである。

第３章
「万国公法」と「帝国主義」の同義性
―東アジアの内部秩序

近代に至るまで、アジアでは世界の中心を意味する「中華」が周辺諸国を治めるとした「華夷秩序」が伝統的な世界観になっていた。それは、周辺諸国が中華へ貢物を差し出す「朝貢」と、その見返りに中華皇帝が諸国の国王の統治権を承認する「冊封」によって保たれる秩序である。皇帝は天から支配の正統性を与えられた天子として国家と周辺の蛮族（北狄・南蛮・西戎・東夷）を治める。政治・外交文書には中華の暦を使用するが、それは天に代わって時を司る皇帝の威徳を示している。周辺の国王（藩国）は使節を派遣して服属の儀礼を行い、中華は脅威のない限り他国間関係には干渉しない。

こうした華夷秩序は、皇帝が最高の徳によって世界を統治する「徳治」を基礎とするが、それは共通ルール（万国公法）に基づいて国家間関係を構築する近代西洋の「法治」の概念と衝突することになる。国際法の前提では、独立主権国家はいずれも平等の権利をもち、国家間は同等であって優劣はない。それを理解することも文明国の要件である。岩倉使節団の派遣の際にも木戸や伊藤は、万国公法を遵奉することで万国と並立することを目的に掲げていた。しかし、華夷秩序においては徳をもって生まれた皇帝が蛮族と対等であることなどあり得ない。中華思想では皇帝の威徳が届かない蛮族こそ野蛮となるが、法の概念では根拠の確かめようのない徳や格をもって上下関係を訴えることが野蛮となる。双方の文明が衝突したことで、野蛮観の衝突も起きたのである。

1 「徳治」と「法治」―「日清修好条規」の意義

岩倉使節団の外遊中には、三条実美（さんじょうさねとみ）や西郷隆盛（さいごうたかもり）らが中心となり政府を運営した。この間の対外政策は、岩倉に代わって外務卿に就任した副島種臣（そえじまたねおみ）によって担われたが、副島の外交は日本の国威を主張する「国権外交」の立場から行われた。

明治政府が発足した当初、朝鮮との関係を近代的に改めようと、朝鮮王国（李氏朝鮮）に開国を求めた。日本側は自らが列強の要求を受け入れて開国したので、朝鮮との国交も万国公法に則（のっと）った関係に再編すべきであり、それは朝鮮にとっても必要なはずであるとの意識があった。しかし朝鮮は清の属国として、万国公法よりも華夷秩序に従う意向で、朝鮮国王の実父である大院君（たいいんくん）が排外主義を主張するなどして、日本の求めを拒否した。そのため日本は朝鮮の宗主国（そうしゅこく）（監督権を行使する国）である清との対等な関係を樹立した上で、改めて朝鮮に開国を要求する方針に修正することにした。そして一八七一年九月（明治四年の当時は陰暦を使用していたため記録は七月）、清国との間に初の近代的な外交関係を結んだ「日清修好条規」を締結した。

この修好条規の内容は「治外法権」と「協定関税」を日清が相互に承認するもので、欧米から不平等に扱われている国同士が欧米のやり方に倣（なら）って結ぶ対等条約であった。つまり、列強から不平等に扱われている日本と清が、列強と結んでいる不平等条約を真似ながら締結したものである。お互いの治外法権を認める点では双方にとっての不平等を意味する「対等条約」であった。しかし清国との対等条約の締結は東アジアの歴史上ではじめて「華夷秩序」以外のルールで関係性が築かれた点において大きな意義をもった。華夷秩序の世界観においては、清が近代の外交形式にならって近隣国と文書を取り交わすこと自体が大きな変化であった。皇帝は信頼関係があるほど約束を文書になどしないのであり、それが威信でもあった（「大信不約」）。つまり、条約の締結は西洋の作法としての近代的な外交儀礼をアジアの中でも行った画期と言えるのである。

清国内では、従来は格下であったはずの日本との対等条約締結には反対の声があったが、外交を担った李鴻章（直隷総督・地方長官の筆頭／太平天国の乱の鎮圧で活躍し朝廷から信任された人物）は明治政府がもはや華夷秩序の序列の中にないことや、また西洋列強の圧力も考慮して、万国公法に則る新たな対日関係を承認したのである。

かくして清との関係は近代の国際的ルールによって再編されようとしたが、それではその後は無事に外交関係を進められたのかと言えば、そうではなかった。日清間において新たなルールが共有されたわけではなかったことが明らかとなる事件が起こる。それが「琉球漁民殺害事件」と、中華皇帝への謁見儀礼問題である。

一八七一年一一月に、台湾で琉球の宮古島の漁民が殺害される事件が起きた。難破により漁民六六人が台湾に漂着すると、そのうち五四人が現地で殺害された。生存した一二人は清国に保護され翌年に那覇に生還した。外務卿の副島は米国公使にも相談しながら外務省においてその対応を協議した。その結果、武力による台湾の征討が検討されたが、政府内で井上馨や大隈重信が反対したため、先ずは副島が先に締結された日清修好条規の批准書を交換するために清国に赴き、それと同時に事件についても問責することにした。

副島種臣

副島は七三年三月に清国へ渡航したが、政府はこの間の七二年一〇月に琉球王国を廃して日本領へ編入しようと「琉球藩」を設置した。これまで華夷秩序の下で清の冊封を受けつつ薩摩藩にも従属してきた琉球を完全に日本領にしようと図ったのである。琉球の編入は国境線に関わる対外的問題と、廃藩置県後の地租改正による徴税（ちょうぜい）の国内的問題の双方から求められた。廃藩置県後でありながらも、琉球を「藩」としたのは、日本による一方的な領土化が清国との衝突を招くため、清の藩属国としての性格を残した呼び名にしたものだった。つまり、清への従属性を否定するものではないかのように取り繕（つくろ）ったのである。また同時に、華夷秩序になぞらえることで琉球に日本の支配を受け入れさせようとする意味もあった。天皇が琉球王を冊封する形式に見せることで、従来通りの従属関係の延長線上にあるように見せて領土化を進めたのである。このように、政府は近代的ルールへの移行を意味する琉球の編入を華夷秩序に依拠して行おうとしたところがあった。それは当時の日本政府が、華夷秩序を否定するはずの近代的ルールへの改編を華夷秩序を以って行おうとする二重性をもたなければ、琉球支配を進めることができなかったことを示している。

かくして、日本は漁民殺害事件の後に琉球を属国化したのだが、編入を既成事実として、漁民殺害事件が「自国民」の殺害事件であるのだと、その補償を清に求めようとした。

副島が清に渡ると、皇帝に謁見する際にその前でひざまずく「跪拝（きはい）」が求められた。清はやはり近代の外交儀礼によるのではなく、華夷秩序の中の儀礼を求めたのである。しかし副島は自らの国権外交の姿勢からこれを断固拒否した。副島は自身が天皇の代理として訪れており、皇帝との関係は君臣関係ではないと主張して、立礼による謁見を求めた。そして副島はこの謁見形式の交渉の最中に、外務省の柳原前光（やなぎわらさきみつ）を総理衙門（そうりがもん）（清の外交官庁）へ向かわせて、漁民殺害の責任を問いただささせた。

清側は琉球の支配権が清にあるとしながらも、台湾は清の命令や感化（皇帝の威徳）の及ばない「化外（けがい）の地」であるとして、清が責任をとる必要を認めなかった。柳原は「化外の地」なのであれば、清は台湾に領有権をもたないものとして処置すると言い渡した。

万国公法では、近代国家は領土・領民・統治権力から成立し、そのうち一つでも欠ければ国家として認められない。そして、いずれの国家の領土にも含まれていない「無主の地」は先に占有した国家の領有となる（先占（せんせん）の法理）。副島らは清が台湾への統治能力を欠いているとの口実から、日本が台湾を領有しても構わないとの解釈をつくろうとした。そして、そうした解釈が通用するのかの問題を残したまま「日清修好条規」の批准書の交換は行われ、条規は七三年四月から発効されることになった。清での謁見儀礼については立礼が認められ、これ以後は各国の外交使節も立礼で謁見するようになった。

副島らの帰国後、台湾問題は岩倉使節団の帰国と「征韓論争」により一時的に棚上げされたが、朝鮮に対して武力で開国を迫る強硬論（征韓論）が政府内で抑え込まれると、「征韓派」の目を他へ向けるためにも台湾出兵が改めて再考された。そして七四年五月に、薩摩系士族を中心とする征韓派の不満を背景に指揮官に志願した西郷従道（さいごうつぐみち）が遠征軍を率いて台湾に侵攻し、軍事的に制圧した。

2　台湾出兵の目的と影響―国際法の尺度

台湾出兵は近代日本初の海外出兵となったが、政府はこの強硬策を清に駐在する米国の外交官であるデロング公使（C. DeLong）と、厦門（アモイ）の総領事リジェンドル（C. Le Gendre）に伺いを立てながら実施していた。彼らは日本の台湾領有は「先占の法理」において認められるだけでなく、米国としても友好国である日本が領土を拡張することはむしろ好ましいとまで述べ、日本の立場を後援した。それを見た副島と大久保利通はリジェンドルを外務省の顧問にして出兵計画を進めた（岩倉らと外遊していた大久保は五月に他よりも一足早く帰国していた）。当初の出兵目的には台湾の領有までは含まなかったのだが、リジェンドルが日本を支持すると、以前は出兵に反対していた大隈重信が出兵論に転じるなど、政府内では次第に台湾の領有を求めて、清との戦争も辞さないとする強硬論まで出てきた。かくして遠征軍が軍艦を率いて東京を出発する。

ところが、英の駐日公使パークス（Harry Parkes）は英国の権益の観点から日清間の紛争自体を好まず、出兵に強く抗議してきた。このパークスとは、戊辰戦争の際に局外中立を利己的に利用して日本に干渉し、またアロー号事件の際の清の領事として、英の国旗を口実にして清への攻撃を正当化した人物である（25・31・37〜38頁参照）。パークスは今回の日本の台湾出兵に対しては、日本が出兵計画をあらかじめ清へ通告していなかったことを取り上げ、出兵手続きの不備を理由として抗議した。

パークスの抗議は、日本の出兵を後援していた米の態度を変化させた。折しも、デロングに代わってビンガム（J.Bingham）という人物が新たに駐清公使となったのだが、彼は英の新聞報道によって日本に不公平な肩入れをしていると批判されると、パークスに同調して強く日本を批判するようになった。ビンガムもやはり日本の出兵が万国公法上の手続きを順当に経ていない点を批判した。

批判を受けた政府は出兵を中止しようとしたが、既に長崎まで移動していた遠征軍は中止命令を拒否して台湾に向かった。近代最初の海外派兵は、政府内で合意のないまま強行されたのであった。さらにそれは清との戦争になる可能性をもったため、政府は出兵の目的は殺害事件の懲罰であって戦争ではないことを主張し、それと同時に、万国公法上は政権の影響が及ばない土地は領土とは言えないとして台湾が清に帰属する土地ではないと訴えた。つまり、日本は英米の介入に対し、万国公法をもって反論しようとしたのであった。

台湾を制圧した後にも清との確執は続いたため、大久保が北京での直接談判に及んで戦争の回避を試みた（実際には当時の清は近代的な海軍力が未整備で戦争には踏み切れなかったと考えられる）。台湾が清の領土であるのかをめぐって談判は一度決裂したが、英の駐清公使ウェード（Thomas Wade）の仲介により妥協が成立し、清が日本側に五〇万両（テール）を支払い、日本の出兵が正当な処置であったと認めることで妥結した。

清は最後まで台湾が無主地であるとは認めなかったが、琉球人の殺害を日本人の被害事件として処理したことは琉球を日本に帰属させる根拠となり、日本の琉球支配を進めることになった。「琉球藩」の設置の際には華夷秩序になぞらえるようにしなければならなかったのが、台湾出兵によって独占的支配の段階へと進められるようになったのである。政府は琉球の所管を外務省から内務省に移し、七九年には沖縄県を設置した（琉球処分）。これに対して清は駐日公使を通して、琉球王国が清の「藩国」だったことを主張したが、編入を阻止することはできなかった。日本側は、領土問題や外交儀礼において常に万国公法に沿って処理しようと清に迫ったわけであるが、そうして外交ルールを先取的に書き換えようとする日本に対して、清は欧州のルールをアジアに適応させることは必ずしも理に沿わないと反対したのであった。結局、外交ルールの齟齬を抱えたまま日本は沖縄の領土編入を進めた。

台湾出兵について、日本が台湾の領有を目論んだとの見方が海外の学会などでなされることがあるが、日本政府が領有を計画したわけではない。台湾を領有すれば、それを防備するための海軍力を配備せねばならないが、当時の日本にはそのような軍備がなく、実現不可能だったからである。台湾出兵の目的は何より琉球の編入にあった。

3 「帝国主義」と「万国公法」の基準

清に対して、国権主義や万国公法を持ち出すことで日本側の主張を通そうとしたのが副島の外交であったが、副島の外務卿時代には日本が人道的見地から清国人を救済した事例もある。清国人の人権を保護するために、日本が南米のペルーに対し法的な強制措置を執行した「マリア・ルーズ号事件」である。

一八七二年七月にペルー船籍のマリア・ルーズ号が航海中の悪天候から帆先を破損し、修理のために横浜港に入港してきた。この船は清から労働力として雇った清国人をペルーに移送する途中であったが、乗船していた清国人の数名が船を脱走し、近くに停泊していた英の軍艦に助けを求めて逃げ込んだ。雇われた労働者は、実際には奴隷契約を結ばされており、十分な食事すら与えられずに虐待まで受けていたからである。逃げ込んできた清国人も栄養失調の状態であったという。英公使館はこの船を奴隷運搬船と判断し、それを日本政府に伝えると、副島が実態を把握するために横浜の神奈川県参事（現在の県知事に相当する）に命じて船内を調査させ、人身売買の実態を明らかにした。船底には監禁された清国人二三〇名が発見された。日本側は出港停止を命じた上、船長を特設裁判にかけ、人道の観点による措置として清国人を解放したのだが、問題はこれに終わらなかった。労働奴隷を奪われたペルーは日本の行為が不当な強制措置であるとして損害賠償を要求してきたのである。

交渉の結果、第三国に仲裁のための裁判を付託することになり、露が引き受けることになった。当時は国際仲裁裁判所が未だなかったため、第三国が仲裁することが慣例的にあったのである。露の皇帝アレクサンドル二世が裁判官となり、両国の主張が展開された結果、皇帝は日本の措置が国際法に照らして妥当な措置であったと判決した。これにより、事件は日本の奴隷解放事件として国際的に知られるようになった。同時に、日本が法治国家として再編されつつあることが認知されるきっかけにもなった。

これらに見たように、日本は国境の画定や外交上の懸案解決を万国公法に準拠しながら行っていった。近代国家への移行に必須な要件を満たそうと近代的な外交の手法を採ったわけである。但し、日本が方針化した万国公法に基づく領土の拡張・編入とはまさに帝国主義化することであり、万国公法に遵う選択は帝国主義外交を既定路線とする選択であったと言える。そしてそれは、日本が列強の視線でアジアに向き合っていくことも示していた。

４　「江華島事件」―不平等の連鎖

日本との間で琉球支配の問題を抱えた清は他方で露とも仏とも衝突した。露とは朝鮮の開港をめぐる条約交渉において、仏とはベトナム支配をめぐってである。また、米からも朝鮮に対する開国が要求され、一八八二年には米と朝鮮の間に「米朝修好条規」が結ばれることになるが、その際にもやはり清が朝鮮の独立を認めるか否かが焦点になった。これらに対して清は、列強に対しては万国公法に従った懸案処理（条約締結）を行いながらも、属国にしていた朝鮮やベトナムに対しては華夷秩序を保持しようとした。即ち、二重基準（ダブルスタンダード）によって乗り切ろうとしたのである。

日本が清との間に修好条規を結んだのは先述の通り朝鮮との新たな外交関係を求めてのことであった。また近隣の清・朝鮮とどのような外交関係を築くのかは、不平等条約の改正に関わることであった。そのため明治政府が成立して間もなく朝鮮王国との国交を求めたが、朝鮮側からは拒否された。朝鮮は日本の外交文書（書契（しょけい））に中華皇帝だけが使用するはずの「皇」や「勅」の文字が使用されていたことを許さず、それが旧慣を一方的に変更するものであり認められないとしたのであった。

翌年の一八六九年一二月にも政府は朝鮮との交渉を再度求めたが、交渉は失敗に終わった。これにより

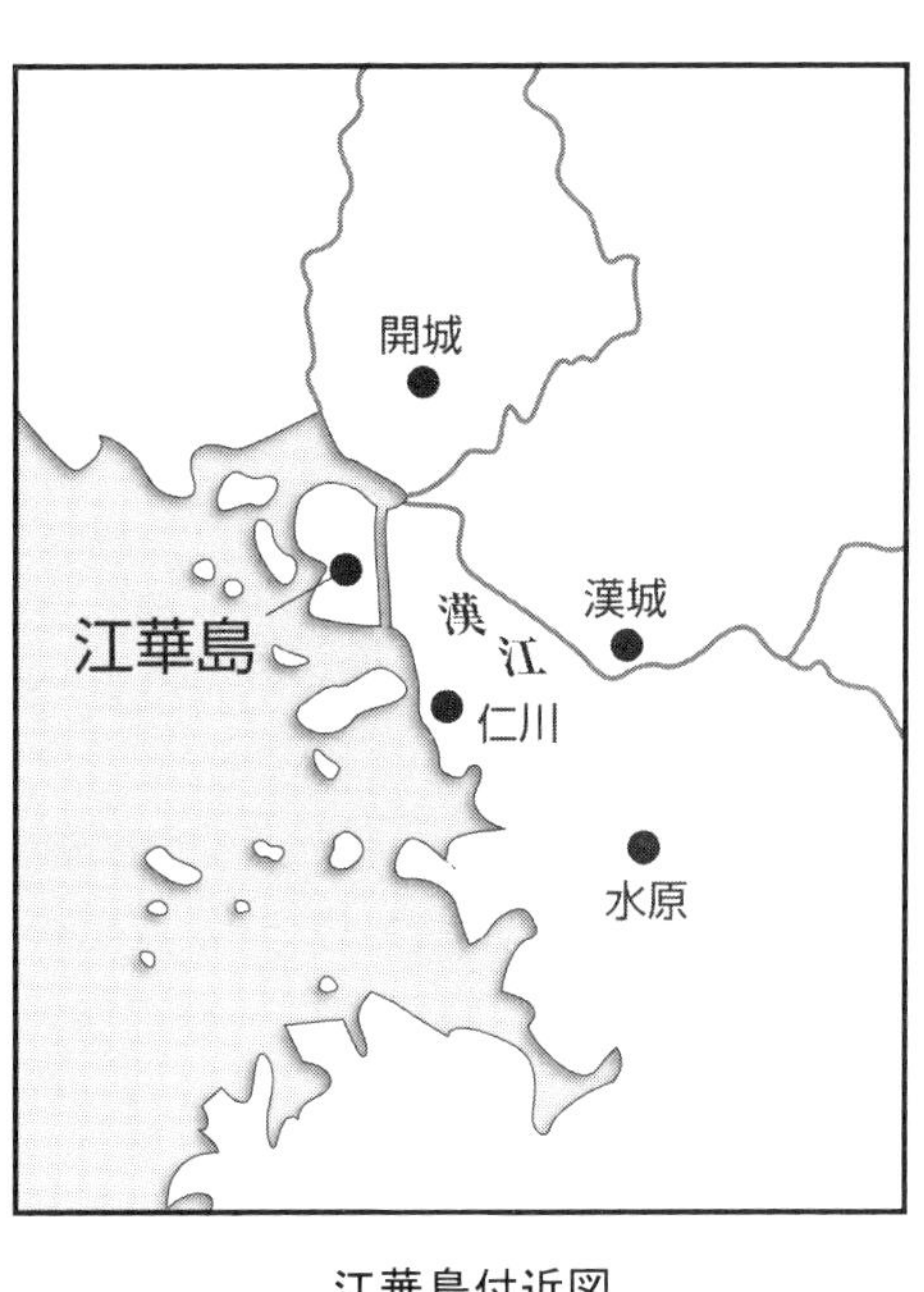

江華島付近図

国内では「征韓論」（対韓使節派遣問題）が浮上した。朝鮮ではそれ以前にも、六六年に仏の軍艦が江華島を攻撃してこれを撃退した事件が起きていた（丙寅洋擾）。七一年には米の商船を攻撃する事件も起こすと、報復のために米は艦隊を派遣して江華島の砲台を占領した。米軍の一方的な攻撃であったが、艦隊はその後に撤退したため朝鮮側は占領地を奪還し、名目上は朝鮮側の勝利であるとした（辛未洋擾）。これ以後、国父の大院君はますます強硬な排外政策を主張していく。

七二年、副島外務卿がそれまで対馬藩からの私信を通して行っていた朝鮮との連絡方法を全て政府の一括に改めたいと交渉を申し入れた。朝鮮側がこれも拒否すると、副島は朝鮮半島にいる日本人の引き揚げを行い、ここから日朝間は事実上の断絶状態となる。その後、「征韓論争」により副島は西郷隆盛や板垣退助らとともに下野し、外務卿には寺島宗則が就いた。

外務省は七五年に台湾問題の事後処理と同時に日朝交渉を再開させた。朝鮮では諸外国からの圧力に配慮して、排外主義に拘る独裁的な大院君を隠居させ、それに代わって国王の高宗の妻である閔妃（日本では「びんひ」と呼称。閔一族の姫を意味する名だが、朝鮮では歴史書に女性の名を記すことがないため閔妃の本名は幼名が伝わるのみで現在も不明である）とその一族が政権を担った。高宗と閔氏政権は日本との交渉には前向きではあったものの、儀礼における旧慣の変更には難色を示した。交渉を担った外交官員の森山茂は、朝鮮が因循(いんじゅん)で交渉に応じず文明国として扱うことはできないとして、政府に軍艦の派遣による示威行為を要請した。これを受けて政府は海路研究を名目に二度にわたって軍艦を派遣した。海軍力をもって測量調査を強行するのは列強の「砲艦外交」の模倣である。二度目の派遣で軍艦「雲揚」が江華島に侵入すると、朝鮮の砲台から砲撃を受けて交戦となった。雲揚は砲撃の後に陸戦部隊二二名を上陸させ砲台を占拠した。政府は軍艦派遣を示威行為に留める予定だったが、派遣命令を受けた海軍では当初から武力行使を考えており、朝鮮からの砲撃が絶好の口実となったのである。

　この江華島事件は局所的な軍事衝突でありながら、アジア情勢に少なからぬ影響を与えた。日本は朝鮮の宗主国としての清との関係を踏まえて処理する意向であったが、清は国内で起きていたムスリム教徒の反乱に対処せねばならなかったことから日朝間での平和的な当事者解決を望んだ。他方で、清への従属関係から自ら脱しようとしない朝鮮は、列強から厄介な存在に見られ、各国は近代的な外交関係への移行を図ろうとする日本の方を支援した。

　南下政策をとる露は朝鮮の開国を望んでいたものの、極東に勢力を展開できる段階ではなかったことから、日本への援助も辞さない態度を見せた。露の南下を警戒する英は、そもそもは清の宗主権が露の南下を阻止する限りそれを容認したのだが、露が朝鮮に影響力をもつのを避けられるのであれば、日本による朝鮮開国を支援して構わなかった。また、辛羊洋擾で朝鮮と衝突した米も台湾への通商航路を求めて日本を支持し、米と同様に朝鮮の開国に失敗した仏も日本を後押しした。台湾出兵とは異なり、日本の朝鮮への威圧が列強の支援を受けたのは、いずれの国も朝鮮の開国を達成していなかったためである。日本の行動は列強の利益を代表する意味があった。日本の朝鮮に対する恫喝(どうかつ)は、列強の利益を担保に正当化されたのである。

　日本は国際的支持を圧力として、七六年二月「日朝修好条規」を締結した。その内容は、朝鮮が自主の国であることを確認すること（清の宗主権の否定）。二つの港を開港し、朝鮮国内で日本の貨幣の流通を認めること。朝鮮の関税自主権を認めず日本の商品は無関税とすること。さらに治外法権を認めることであった。日本は列強に押し付けられたルールをほとんどそのまま朝鮮に押し付けたわけであるが、朝鮮はこれまた幕末の日本と同様で、条約締結による影響の理解が浅かったために、不平等な条件を強要されたとの意識はなかった。

朝鮮王国への威圧的なやり方と不平等条約の締結に対して、朝鮮側は不満を抱いたが、日本国内にも批判的な眼差しはあった。例えば、民権派による時事評論誌の『近時評論』では、幕末に日本が受けた四国艦隊下関砲撃事件と、今回の江華島事件のどこが違うのかと批判している。国内にもこのような日本の不正義を問う視点があったわけであるが、しかし朝鮮をめぐる国際環境の大勢においては万国公法を基準とした日本が列強に支援された。そして、これ以後の朝鮮は未熟な相手として扱われながら、列強からの開国要求を受け入れざるを得なくなっていく。帝国主義が押し付ける不平等は、欧州からアジアへ、そしてアジアの中で立場の弱い国へと連鎖した。日本もその連鎖構造の一部となったのである。

★「征韓論」とは何であったか？

台湾での漁民殺害をめぐって清との交渉過程であった七三年五月に、朝鮮で日本商人の密貿易が告発された。それを糾弾する公示には日本は無法の国なのだとの非難が記されていた。日本政府では軍を帯同して外交使節を派遣しようとの案が出されたが、西郷隆盛は副島外務卿の帰国を待ってから決定すると留保した。副島が帰国した直後の七月二九日時点では、西郷が板垣退助に宛てて即時出兵には大義名分がないと慰撫しているのだが、その後も政府では国家間問題として紛糾させることには慎重であった。特に留守政府を代表する三条実美は岩倉使節団の帰国まで問題を先延ばしにしたがった。

西郷は三条に対して、朝鮮への対処を先延ばしにすれば事態を悪化させ、また即時戦争をするようなつもりは無いながらも、かといって初めから武力行使の意思がないという態度では内外に示しがつかないと説得した。すると、閣議では西郷の朝鮮派遣が決定したが、しかし明治天皇に上奏すると、天皇は岩倉らの帰国を待って再評議するよう命じた。外国との紛争を避けようとの判断と見られる。

そして九月一三日に使節団は帰国した。西郷はすぐにも決定を求めたが、その後も朝鮮問題についての閣議はなかなか開催されなかった。西郷は自決までほのめかして閣議開催を迫った。西郷にして見れば一旦は決定した使節派遣は追認されるべきであった。

一〇月一四日にようやく開かれた閣議では、西郷のみが使節派遣を求め、他は皆が延期を求めた（出席者は三条・岩倉・西郷・板垣・大久保・副島・大隈・江藤新平・大木喬任・後藤象二郎）。結局、結論できずに閣議は散会した。派遣への反対はやはり朝鮮との戦争を危惧してのことである。即時交戦には大義名分が立たないとした西郷には交戦の意思はなかったが、西郷に意思がなくとも戦争回避は不確かに思われた。特に欧州で勢力均衡の考え方を学んできた立場からは危険視されたと思われる。西郷の真意が理解されなかったのではなく、有事に際して清国やロシアがいかに対応し、他の列強にまでどれほど影響を与えるかの対応策がないことが問題なのだった。

西郷は閣議をボイコットするようになり、三条が派遣を容認すようとすると、今度は大久保や木戸孝允が辞表を提出した。政府内の統制がとれなくなった三条はノイローゼとなり、執務不能に陥った。そのため岩倉が中心となり、西郷の派遣を見送らせると、西郷は辞表を提出して帰郷した。結局、「征韓論」とは国際政治を学習して世界認識や国家目標を改めようとする使節団メンバーと、留守政府とがその認識を共有できなかったことを理由とした対立と言えた。

第4章

近代日本の東アジア戦略
―帝国主義の進路

一八八一年に「国会開設の勅諭」が出され、一〇年後の国会開設が約束された。この年の三月に政府内では、立憲政体（憲法に基づく統治・権力が憲法の下に制約される制度）に関する意見聴取を行うと、大隈重信によって急進的な国会開設の意見が出されたことから、大隈を政府から追放する政変が起きた（「明治一四年の政変」）。

政府は七五年の段階で既に「漸次立憲政体樹立の詔」を出していたことから、国会開設は既定の方針ではあったが、政府の大半は人民の政治参加については保守的であった。未だ開明的でない国民に政治参加をさせれば私利私欲から好き勝手な権利ばかりを主張するようになると危惧して、政府は国民の権利の拡大を求める自由民権運動などを危険視した。

大隈の意見は、未成熟な民権運動の先手を打って立憲制を導入することで、政府が国会開設の主導権を握ろうとした意味があり、全く民権運動に加担するものではなかったのだが、一〜二年のうちに憲法を制定して国会まで開設するとの内容で、あまりに急進性の目立つものであった。さらにそれ以上に問題であったのは、大隈の案が君主権を抑制して議会の権限を大幅に認める英国流の議会案であることであった。折しも「開拓使官有物払い下げ事件」によって福沢諭吉らが政府を批判するようになると、福沢が主張していた英国モデルの議会制の構想と大隈の意見が似通って見えたため、大隈が政府内において過激な民権派と結託しているのではないかとの疑いが生じた（官有物払い下げ事件とは、北海道の開拓事業に使用された政府施設を退職した関係者に不当に安く払い下げようとしたとの事件。必ずしも不当な金額ではなかったとの研究もある）。政府の一部には大隈に対する強い疑念が現れ、大隈が払い下げ問題を福沢にリークしたのではないかとの憶測まで出された。

そもそも大隈が国会開設の意見書を出したのは、左大臣有栖川宮熾仁親王を通じて、天皇に奏上するための意見を求められてやむなく提出したものであり、その内容の問題性は大隈自身も自覚していた。大隈は自分の意見が誤解を招くことを懸念して他の大臣や参議らには見せないようにと有栖川宮に固く断って提出した。こうして大隈が誤解を恐れて密かに提出しようとしたことは、後から余計に誤解を拡大することになった。払い下げ問題での疑いがもたれると、大隈が密かに提出していたのは実は民権派と結託して政府を出し抜くための密奏だったのではなかったかと余計に疑われたのである。これによって大隈は政府から排除されたが、それは英国型の議会制（議院内閣制）の構想が政府の指針から排除されたことも意味していた。

立憲制の確立自体は不平等条約を改正する観点からも必要だったので、政府は英国モデルの排除を前提として立憲制の導入を進めることになった。岩倉と井上毅の主導によって方針が定められ、強大な君主権を認めるドイツ憲法をモデルにすることと、憲法も国会開設もその決定権は天皇にあることを前提にすることに決定された。伊藤博文を中心に国会開設に備えた憲法作成が進められることになり、伊藤は翌八二年に憲法調査のため伊東巳代治・平田東助・西園寺公望ら随員を伴い欧州に赴く。

1 「大日本帝国憲法」の性格—憲法調査と内閣制度

政府が求めた憲法は、国会を開設して人民が国政に関与する途を開きながらも、従来の体制を維持し得る憲法であった。伊藤は主としてドイツ（独）とオーストリア・ハンガリー（墺）を訪問し、統一ドイツの基本法となった「ビスマルク憲法」を調査した。ビスマルクはかつて統一的で強固な徴兵制を作り上げようとしていたが、それは蔓延する自由主義や、自由主義政党の拡張に対抗するためでもあったからである。

伊藤は、独で公法学者のグナイスト（Heinrich von Gneist）や、その弟子にあたるモッセ（Albert Mosse）から憲法の講義を受けた。ところが、それらは議会を開くこと自体に極めて消極的で、過度に君主専制的な法解釈であったために模範にし難かった（独の議会は外交・対外政策には一切関与できず、宰相が唯一の大臣として行政を取り仕切る）。しかし、その後にウィーン大学で法学者のシュタイン（Lorenz von Stein）から国家学を学ぶとそれには多大な影響を受けることになる。

シュタインは国権主義的な思想家でもあり、政党による政治などは認めていなかった。シュタインにとっての政党は一部の人間だけの特殊な利益を代表する集団で、政党政治も一部の受益者を保護するだけの差別的な支配政治を意味した。これが日本の上下二院制（貴族院・衆議院）にも適用される解釈となるのだが、それは皇帝の君主権を強大に認めた国家学に影響を受けたものだった。シュタインの講義は、法とは民族精神の所産であり、その国の歴史に根差して発展するものであるとした歴史法学に基づいていたのだが、その内容は国会の操縦方法を学習しようとしていた伊藤には最適な立憲君主制の仕組みを与えるものに思われた。伊藤は欧州から岩倉に宛てた手紙で、民権運動が過激化する中で国会を開いても天皇の君主権を護ることができる手段を学びとったと報告している。

伊藤が得た手段とは、立法権と行政権を分けて並立させた上で、その上位に君主権を位置づける制度の確立であった。そうすればもしも議会（立法府）が民権派に占有されても、行政権は政府の手によって護ることができ、天皇制も護持できるとする理屈である。これは即ち、立法権と行政権の分立を説く「三権分立」（および国家法人説）の導入を図ったものであったが、その解釈のために日本の権力分立は、自由民権運動を抑制する手段として導入されることになった。本来、権力の分立は君主権や政府権力による独裁を抑制するための制度であったはずが、ドイツ学の解釈を通じて、むしろ君主権を護る方法となったのである。そのため立法権をもつのは天皇で、議会はその行使に協賛するのみとした制度が築かれることになるのである。

シュタインは翌八三年に墺国の日本公使館付として雇い入れられ、この後も日本の留学者が師事を続けた。政治家や官僚、軍人までもが訪れ、それは「シュタイン詣」と呼ばれた。天皇の側近である侍従すらも天皇の名代として憲法を学びに訪れ、帰国後に明治天皇に御進講を行っているほどである。

伊藤は英国でも憲法調査を行ってから帰国し、議会を操縦できる行政府を作り上げるべく、内閣制度の発足に取り組んだ。それまでの「太政官制」は、太政大臣・左大臣・右大臣・参議・卿により構成されたが、各ポストの権限が不明確で効率的でないことが多かった。例えば、参議が卿を兼任していたような時期があったり、政策決定を実質的に担うのが参議の立場であったにも拘らず参議の間で合意が成立していなくとも政策決定がなされたりしていた。こうした権限の不明瞭さが齟齬を招く事態も起きたため、内閣制度の導入には政治決定の構造を整える意味もあった。

伊藤の調査を基に制定された大日本国憲法はドイツを範としながらも、欧州各国の憲法を複合的に組み合わせて作成された。伊藤・井上毅・伊東巳代治・金子堅太郎により草案が作成され、この草案を審議するための枢密院（すうみついん）が新設された。枢密院でも伊藤が議長となって審議した。成案された七章七六条から成る憲法は、天皇を唯一の統治者とする天皇主権を基本原理として、また天皇により制定されて国民に与えられるとした「欽定」の形式をとった。シュタインはこの憲法を周緻精確（しゅうちせいかく）と評価した。こうして立憲君主制の下での議会制度が成立するのである。

２　朝鮮王国の開化と挫折―「壬午軍乱」と「甲申事変」

日朝修好条規の締結後、朝鮮政府は国際情勢を背景に富国強兵を目指す「開化政策」を進めた。一八八〇年には朝鮮の修信使（修好条規により日本に派遣されるようになった外交使節）が来日していたが、その使節に対して清の駐日外交官であった黄遵憲は、以後の朝鮮は日本や米国との交流を進め、富国強兵に努めるよう提案している。そもそも朝鮮の修信使は、日本の近代化の様子を朝鮮側に学習させようと日本側の希望から設置された使節であったが、朝鮮が条約による近代外交を受け容れ、富強に努めるべきことは既に宗主国である清にも認識されていたのである。黄遵憲からアドバイスを受けた朝鮮の金弘集（キムホンジプ）はこの後に朝鮮の開化を主導することになるが（第５章４以降で後述）、以後の朝鮮は清の仲介で米との条約を締結するなど開化に向かった。日本から教官を招いて新しい軍隊を創設したり、日本や清国に留学生を派遣して先進文物の導入に力を入れるなどした。

ところが新式軍隊の創設には、朝鮮の旧軍を改革するのではなく全く新規の軍を別個に創設するなど、保守勢力の不満を増大させる性格があった。旧軍の軍人らは特に強く開化政策を批判するようになり、その不満は開化政策を進める新たな政治グループの「開化派」と、裏で開化派の手引きをしていると思われた日本に向けられた。

八二年には反乱が勃発して日本公使館が襲撃され、軍事教官や公使館員が殺害された（「壬午軍乱」）。旧軍の反乱によって開化政策を進めた国王と閔氏の政権は倒され、国王の父である保守的な大院君が復権した。

被害を受けた日本は、責任追及のために軍艦と陸軍部隊を派遣した。また宗主国たる清国も派兵し、清軍は大院君を捕縛して拉致した。清の皇帝の許可なくして国王の高宗を退けたり、大院君を政権の座に就けることを許さないとした処置であり、清は華夷秩序の中で処理しようとしたことが分かる。そこには、大院君の復帰を許せば富強も進まないという、ねじれた関係もある。これにより閔氏政権が再度復活すると、日本は公使館の警備のために日本軍を駐留させることと、賠償金の支払いを認めさせる「済物浦条約」を締結した。清も改めて朝鮮との条約を結んで、やはり軍隊を駐屯させることになったが、それとともに朝鮮が清の属国であることが再確認された。これにより清が朝鮮の開化は認めつつも、華夷秩序を放棄するつもりのないことも明らかになったのであった。

一方で、朝鮮政府が今後も清の属国であることを自ら認めてしまったことは、開化派にとっては朝鮮の後退を意味した。壬午軍乱以後の開化派は、自らを属国として華夷秩序に留まり続ける自国政府に対抗しながら開化を目指さねばならなくなったのである。そうした中で清がベトナムの支配権をめぐって仏との間に戦争を起こすと（清仏戦争／八三年八月〜八五年四月）、清は朝鮮に駐留させていた清軍の半数を動員することになったため、開化派は国内の清軍が半減したこの機を捉えて巻き返しを図るクーデターを断行した（「甲申事変」／八四年一二月）。開化派は日本の公使館と警備部隊の支援を得て、国王の高宗がいる王宮を占拠し、政権を奪取した。

但し、開化派が動員できた軍隊は新式軍隊の一部のみで、日本公使館の警備兵も一五〇名ほどでしかなかったため、半減したとは言え朝鮮に一三〇〇名を残していた清軍が依然として優位であった。奇襲による政権奪取は成功したものの、清軍が鎮圧に乗り出せば武力による抵抗は当初より困難だった。開化派の計画はあくまで清が大陸の反対側のベトナムで戦争を行っている状況に付け入るもので、政権奪取の後は仏とも呼応して清に対抗するつもりであった。ところが、そうなるより前に朝鮮に残っていた清軍が鎮圧に動いた。明白な兵力差により開化派は抵抗しきれず敗退し、日本の警備兵らも撤退した。

この「甲申事変」によって朝鮮政府がまたも清の影響を受けるようになると、開化派は清と朝鮮政府に粛清され、生き残った者は日本に亡命した。清国兵が漢城（現ソウル）を占拠すると暴徒化する朝鮮人が現れ、清兵と暴徒によって略奪や日本人居留民の殺害が起きた。事変の処理として、日本は朝鮮政府との「漢城条約」、清との「天津条約」を締結した。「漢城条約」では朝鮮の公式謝罪と殺害された日本人居留民の遺族への補償が認められた。清との「天津条約」は日清双方の最高実力者である伊藤博文と李鴻章の間で交渉され、伊藤は日本が開化派に加担していたことは伏せて締結交渉を行った。両軍の撤兵の上で、今後朝鮮に出兵する際には日清ともに事前に通告することを取り決めた。

3　列国の脅威—英・露・清の圧力

清は清仏戦争に敗れ、ベトナムへの宗主権を失くした。仏側の被害も大きく仏も勝利したとは言い得ない結果ではあったが、以後ベトナムは仏の植民地となる。ここから仏はベトナム・カンボジアに仏領インドシナを形成し、そこと接する清の雲南省へと勢力圏を広げていくことになる。

他方で、東アジアは英露の世界政策が衝突する舞台ともなった。クリミア戦争に敗れた露は、黒海の中立化やトルコの領土保全を約束させられたために欧州側からの南下の途を閉ざされたが、冬でも凍らない不凍港（ふとうこう）を獲得しようとその後も中央アジアや極東で南下を目指した。英を孤立させる戦略目標を立てながら、八四年には朝鮮半島の東側の港湾・永興湾の使用願いを申し入れ、またアフガンへの南下も試みるようになる。そしていずれの地域においても英の植民地権益と衝突することになった。

英露が覇権をかけて世界中で競う争いを「グレイト・ゲーム」と呼ぶが、幕末の日本が鎖国を解いていく過程で東アジアもその舞台となった。それは、日本の開国を主導的に進めた米が南北戦争によって不在状況となった間に迫ってきた。一八六一年には、露が対馬を占領し、英の軍艦がこれを威嚇して撤退させる事件が起きていた（露の大型軍艦が修理のためと称して対馬に入港し、半年間にわって不法に居座った。この間に露は対馬に軍事施設の建設を進め、対馬の実効支配を目論んだが、英が軍艦を派遣して排除した）。

そして一八八五年には、朝鮮の巨文島（コムンド）（朝鮮半島と済州島の間）を英軍が不法に占拠する「巨文島事件」が起こされる。事件の背景は、英の保護下にあったアフガンに露軍が侵攻したことで（英は露の南下阻止のために八一年にアフガンを保護国にした）、英将校が指揮するアフガン軍が交戦すると、優勢を誇った露軍が勝り一部の地域を占領した。英が大規模戦争も辞さない構えを見せると、露はアフガンへのさらなる侵入はしないと約束したのだが、英はこの間に露がウラジオストックから艦隊を派遣して香港を脅かすのではないかと懸念して、それを牽制するために巨文島を占拠したのである。英は巨文島に砲台を建設し、上海との間に電信を敷設すると、清と日本にもそれを通告した。巨文島が露のウラジオへの攻撃拠点となりつつあるのを見て、露は朝鮮に対して永興湾の占領をほのめかした。朝鮮王国は英露の覇権争いに不当に巻き込まれ、かつ緊張が高まったため、宗主国である清に仲裁を要請した。そうして李鴻章が駐清ロシア公使との交渉に乗り出すが、それによって日本も巻き添えを食うことになる。

八六年七月、清は朝鮮への南下を目論む露を牽制するため、当時アジアで最大の艦隊であった北洋艦隊

李鴻章

を出動させた。台湾出兵の頃とは全く異なり、清は海軍力を大きく増強していた。その北洋艦隊は世界最高水準の巨大戦艦「定遠」・「鎮遠」の二艦を主力とする清の最新鋭艦隊で、主力の二艦の他にもそれに準じる規模の「済遠」・「威遠」の計四隻が出航した。一方、露のウラジオの太平洋艦隊は未だ建設途上で小規模であった。

そして、八月にこの北洋艦隊が長崎港に寄港してきた。北洋艦隊が来航したのは補給と点検補修のためで、当時の近海には定遠級の艦を入港させられる大きなドックが長崎にしかなかったからであったが、長崎に入ると清兵五〇〇人が無許可で上陸し、遊郭その他で乱暴・窃盗を働く事件まで起こした。長崎の警察が取り押さえて以後の上陸の規定を定めたが、わずか二日後に再び規定を無視して上陸し、今度は巡査まで殺害した。一方的な狼藉（ろうぜき）事件であったが、当時の日本には戦艦の一つもなく定遠級の戦艦に対抗できる海軍力は全くなかった。清からの撫恤料（ぶじゅつりょう）（見舞金）の支払いで妥結したものの、実際には泣き寝入りであった（長崎事件）。

清による英露の仲裁については、李鴻章が露から朝鮮に進出しないとの確約を引き出すと、八七年二月に英海軍は巨文島からやっと撤退した。この事件の調停によって清は朝鮮に対する宗主権の意義を示すとともに、日本に対する軍事的な優位性も見せつけたのであった。

4　日本の東アジア戦略—「主権線・利益線」

極東はグレイト・ゲームの舞台となり、日本も否応なく関わらざるをえないことは明らかだったわけであるが、日本の軍部はこうした状況にどのように対応しようとしたのであろうか。

陸軍の建軍を担った山縣有朋（やまがたありとも）は、八八年の意見書において、グレイト・ゲームが今後ますます極東において激化することを予測した。それは巨文島事件だけではなく、事件と同じ八五年に開通したカナダ横断鉄道とも結びつけて考えられていた。カナダ東部には英の入植地があり英軍は約二千名をそこに常駐させていたため、山縣はその英軍がカナダ鉄道を利用するようになれば二〇日間程度で太平洋側まで移動できるようになると分析したのである。従って英露が開戦した場合、英は欧州やインド洋から露を攻めるのではなく、鉄道で北米大陸を横断する太平洋ルートで侵攻するであろうと述べた。そして巨文島の占拠もその戦略上の行動だったのだと考えた。一方の露はその国土を横断するシベリア鉄道の建設を計画していた。また仏が清仏戦争時に台湾封鎖と澎湖島占領を行っていたことなど（八五年三月）、近隣で同時多発的に起きたこれらの出来事は国防戦略の必要性を高めた。

山縣有朋

内閣制度が発足して最初の伊藤博文内閣が成立すると、山縣は内務大臣として入閣した。内務省は地方自治や治安警察制度を管掌する省庁で、ここから山縣は陸軍と内務省に多大な影響をもつようになる（このことは、日本の学校教育が国民に法や権利を教えず、道徳に置き換えて国民側の義務ばかりを強調する傾向を生み出す）。伊藤内閣に続いて、次の黒田清隆内閣においても内相を務めた山縣は八八年一二月からの約一〇ヶ月間、地方制度を研究するために欧州に留学し、オーストリアではシュタインにも師事した。

シュタインは山縣に対して環太平洋の政治状況を語りながら、東アジアへの進出を求める列強にとって清や日本とどのような関係を結ぶのかが重要になっていると述べた。但し、清は華夷秩序的世界観に見られるように政治目的を共有するには不適切な国なので、列強にとっては日本との関係が重要となり、日本は今後の行動如何で東アジア情勢の政局を握り得るとした。シュタインによるこの分析もまた「勢力均衡論」（Balance of power）によるもので、日本がどの国との同盟や恭順を選択するかによって東アジア情勢は大きく変わり、そのため日本は強国の圧力を予測し、それに先んじて対抗する地歩を得ておく必要があると説いた。

シュタインはまた山縣の意見書にもアドバイスを与えた。山縣の予測に対して、まずカナダ鉄道についてはカナダの議会承認なく英軍が鉄道を自由に使用できるわけではないであろうことや、英が北米に軍港を建設できる見込みでもない限りはカナダルートを露との戦争に使用することはないのではないかと意見した。また、露軍の極東への展開についても荒漠の地に単線で走るシベリア鉄道に十分な輸送力があるのかを疑問視した。シュタインは山縣の分析を評価しつつも、カナダやシベリアの鉄道が直ちに日本に脅威を及ぼすわけではないとの見解を述べた。その上で、山縣の予測よりも一層緊迫した脅威の想定を語った。

シュタインは国際社会の中で自国の防衛を果たすためには自国の領土（権勢領域）だけでなく、自国の存亡に関わるような近隣国の政治・軍事の状態（利益領域）にまで配慮せねばならないと述べた。もしもその近隣国が他の強国に侵された場合には、積極的に関与して排除せねばならず、自国にとって脅威がある場合には軍事力によって近隣国をも防衛すべきであるとした。「権勢領域・利益領域」という戦略思想を用いて国防戦略を説明したのであるが、この理論を日本列島に当てはめると以下のような想定が成り立つ。

もしも、列強の或る国が隣国（利益領域）の朝鮮半島全域を領有するようになり、その上で日本に侵攻してきた場合には

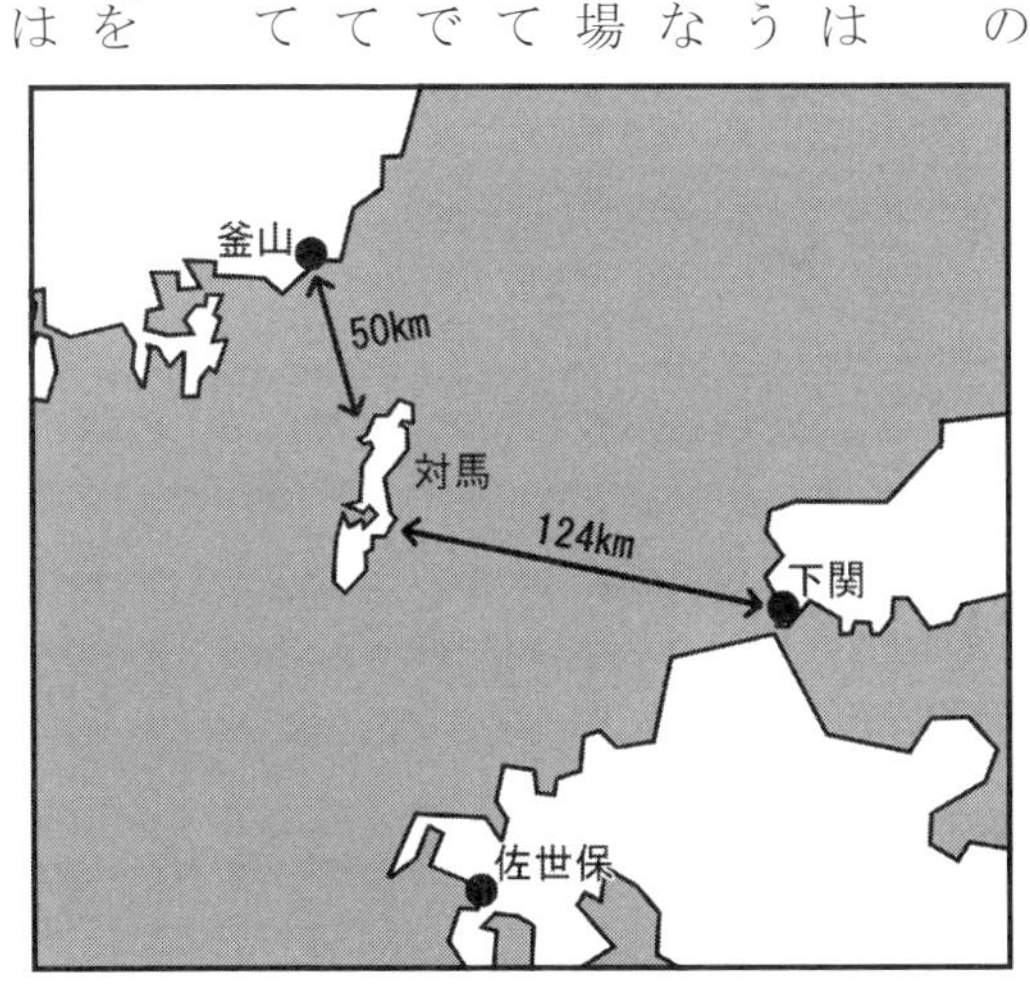

「主権線」と「利益線」

大日本帝国議会之図

どのようになるか。

日本と朝鮮間の最短距離は、対馬‐釜山間の約五〇キロで、某敵国はこれを来ることになる。そして敵艦船が当時の平均航行速度である約一七ノットで進めば二時間足らずで対馬に到達する〔一ノット＝一シーマイル（海里）＝時速約一・八五キロ〕。これに対して、日本の海軍は対馬に最も近い港である下関から出航しても対馬到着に四時間以上を要す。下関は大きな軍港ではないので、広島の宇品港から回航するか、佐世保から出航するのが最も実際の想定に近いが、その場合にはさらに一時間半は余計にかかることになる。すると、遅くとも敵艦が釜山を出港するより二時間も前に出航せねばならないことになり、即ち朝鮮半島が列強の手に落ちると同時に対馬（権勢領域）の防衛は果たせないことになるのである。仮に対馬の防備を強化してタイムラグの二時間を持ちこたえるようにしても、その場合には敵艦は対馬を無視して下関か佐世保の日本艦隊に先に攻撃を仕掛け、孤立した対馬を別動隊の攻撃で攻略することになるため、いずれにしても防護不可能との予測となる。

シュタインの示唆は、それまで本土の水際での防衛しか考慮していなかった山縣の国防意識を転換した。従来は清や露が侵攻してきた場合のみを想定して国軍を建設しようとしていたが、いまや朝鮮半島まで防護できる軍隊が必要となった。帰国した山縣はシュタインの用語を「主権線」・「利益線」に改め、陸軍において戦略構想を練っていった。

一八九〇年一一月に政府はついに国会（帝国議会）を開くことになったが、この東洋初の国会に臨んだ首相こそが、第三代内閣総理大臣にして陸軍大将の山縣であった。山縣は施政演説の一つとして「主権線・利益線戦略」を唱えた。朝鮮半島の危機に際しては軍事力を率先して発動し、列強の侵略を防がなければならないことを説明して、国際社会の中で独立を全うすることの緊張を訴えた。

「利益線」の保護として朝鮮半島の中立を守ろうとする山縣の戦略は、軍隊の海外派遣と国防とを一体化して発想されている。朝鮮半島が半永久的に中立地帯でない限り、日本の国防が果たされないとの認識から、日本の国防を朝鮮半島の情勢と同一視する見方になったのである。そのため従来の守勢的な国防から脱却し、海外へ打って出て「利益線」を防護できる二〇万人規模の陸軍建設に加えて、鉄道と電信の整備も不可欠となった。これにより陸軍は兵制を鎮台(ちんだい)制から師団(しだん)制に改正するが、それは護郷軍から外征軍（機動性軍隊）への転換を意味していた。そして、朝鮮の中立を国防の前提とする見方はその後の対外認識に影響を与えていくことになる。

❖「大使」と「公使」の違い

「大使」……特命全権大使のことで、外交使節の最上位の階級。正式な国交のある国へ派遣され、国家を代表して政治経済問題を処理する権限を有す。大使館は相手国の首都に置かれることが原則となる。不平等条約の改正にともない公使が格上げされて設置された。

「公使」……特命全権公使のこと。日本では不平等条約の改正にともない列国から大使が派遣されてくると、日本も各国に赴任した公使館を大使館に格上げした。以後は大使に次ぐ地位となったが、大使と同じく国家を代表して外交事務を取り扱った。日本は一九六七年に全ての公使館を大使館に格上げしたが、現在も大使館における副大使の地位として公使が存在している。

❖「条約・協約・協定・条規・同盟・協商」の違い

「条約」……国家間で書面を交わして合意された約束。代表者の署名や主権者の批准によって成立する（合意があれば簡略化もする）。内容に応じた権利・義務が発生し、国際的慣例や国際法によって拘束力をもつ。同時に一方的に破棄することも認められている。「協約」「協定」「規約」「議定書」など異なる名称があるがいずれも条約と同義であり、国家間の合意による取り決めがそれを指している。また、条約の付帯文書で、署名などのない略式のものを「覚書（おぼえがき）」という。覚書は相手国への意思表示や確認のために作成する。外交担当者の署名があれば正式文書となる（「了解覚書（りょうかいおぼえがき）」）。

「協約」……条約と同義であるが、国家間でのみ使用されるわけではなく個人や機関などでも使用されることがある。その場合にも文書作成と署名により成立する。

「協定」……条約の一形式としてつけられた名称で、実質的には条約と同義であり、同じ拘束力をもつ。条約ほど厳格な形式をとらない場合が多い。条約の方が重要な取り決めである傾向があるが、但しそれは定義ではなく、極めて重視された取り決めでも協定と名がつくこともある。

「条規」……条約のこと。条約が英語の訳語であったのに対し、条規は中国語で、条文の規約と規則を示す言葉である。条規の語を当てたのは日清間・日朝間で締結した「修好条規」の他はベトナムや琉球での使用に見られるのみであるので、漢字文化圏において使用された用語と言える。

「同盟」……国家間の外交上・経済上の盟約を取り決めたものであるが、多くは軍事同盟を指す。共通の仮想敵が策定され、同一の目的と行動を約束したもの。またその際にどのような条件で軍事協力を行うかを協議したものである。「勢力均衡論」（バランス・オブ・パワー）においては、安全保障政策として他国と団結し、敵対国に対抗する組織勢力を形成する手段である。同時に、どこかの国や勢力と同盟を締結することは、他地域において対抗関係をつくり出していることが指摘できる。

「協商」……同盟と友好関係の間に位置づく合意。商議の上に行う協定としての意味があるが、商業上の内容に限定されるわけではなく、領土や勢力圏の相互承認などに幅広く用いられる。両国の親善を目的として条約の形式によらずに交わす約束で、両国間の政策がある程度一致していることが示される。外交文書は必ずしも必要とされず、非公式な内容も含まれる。そのために義務や拘束も発生せず、この点が条約や同盟と異なっている。当事国に義務関係が発生しないことは、第三国への影響も少ないことを意味する。

第５章

日清戦争と条約改正
―力の政治

日本では「壬午軍乱」を契機として軍拡が求められた。陸軍は師団編制に伴う兵力倍増を図り、海軍は軍艦の急増を図ったが、これらは増税と公債によって賄われた。議会では、国民の税の負担を軽くすべきとする民権運動家による政党（民党）が過半数を占め、政府と対立した。山縣内閣・松方正義内閣・第二次伊藤内閣はいずれも議会において軍事費の拡張を求め、経費削減を掲げる民党と衝突した。また、この間の政府は条約改正に取り組み、改正交渉は国際情勢の変化とともに進んでいった。そしてまた、条約改正と関連しながら日本は初の対外戦争に向かうのであった。

１　条約改正交渉―国内情勢の障壁

第一次条約改正交渉は、一八七八年に寺島宗則外務卿により行われた。当時は外国船による密輸や港への強制入港が起きており、またコレラが持ち込まれて流行するなどの問題があった。不平等条約を改正しないことには独立国家としての体裁すら保てないことが既に明るみに出ていた。しかし、寺島は独立の体面に関わる領事裁判権（および治外法権）よりも、関税自主権の回復を優先した。国内商品を保護するための関税は経済力の充実と直結するので、体面よりも実利を優先すべきとの考えからであった。そして米国との間には、駐米公使による現地交渉によって関税権を回復する新条約の承認を得た。だが、その後の英との交渉で駐日公使のパークスが反対すると、独仏も英に同調して交渉を拒絶し、結局は米も新条約調印を撤回した。米との新条約は、米以外の国にも同様に適応される事を条件に承諾されたものだったからである。また、それのみならず日本国内においても領事裁判権の撤廃を優先せよとの反対の声があがった。

「領事」は、外国において自国民の保護に関する業務を行う役職で、正式な外交関係のない国へは外交官の代わりとして派遣され、通商の業務などを行う。不平等条約下では行政事務や司法事務までも行うのだが、法律の専門家ではない領事が裁判まで行うことが領事裁判権の問題であり、しかも領事は相手国の同意なく送り込むことができたのである。

続く第二次交渉は、井上馨外務卿によって「欧化政策」と並行して進められた。井上も関税の回復を重視していたが、国内の批判の声にも配慮して領事裁判権の撤廃と関税の引き上げの双方を目標にした。寺島の失敗を受けた井上は国内では欧化を推進しながら、各国との個別交渉によって事前に根回しした上で国際会議を開催することにした。

欧化政策では、列強から文明国として扱われるように、風俗習慣・制度を欧風に改めようと展開された。一八八三年に完成した鹿鳴館（ろくめいかん）では洋装でのダンスパーティーやバザーを日夜開催した。夜会は国際的な礼法に則る（のっと）日本国民の起ち居振る舞い（たちいふるまい）をアピールする手段であった。学校や一般社会においてもローマ字の採用や、文芸・美術・音楽・演劇の改良が推進されると同時に、欧化に見合わない不衛生や迷信が取り締まりの対象となった。

欧化政策の催事は、井上にとっては何より条約改正の前提条件を創出するためであったが、奢侈的な様子に国内外からの批判も多く出された。例えば、ドイツ人医師ベルツは、欧化政策は日本人自身の過去を恥じて固有の文化を軽視するような行いで、外国の信頼を得ないばかりか不快であると嫌った。ベルツは同様の内容を伊藤博文にも話したが、伊藤は欧化せねば差別を受ける実情を強く訴え、ベルツの意見は日本の境遇を他人事にしている故の意見であるとして反論した。

井上の改正交渉の過程で内閣制度が発足したため、井上は外務卿から外務大臣に就任した。そして、八六年五月に列国の公使らを東京に集めて会議を開催した。領事裁判権の撤廃も含めねばならない井上は、会議に先立って外国人の判事を任用する条件付きで裁判権を回復したいと要求し、その見返りに、これまでは狭少な居留地でしか行動を許されていなかった外国人に日本国内を完全開放する改正案を出していた（内地雑居）。ところが、政府内から外国人判事の任用は主権の侵害であるとの反対意見が出され、さらに一〇月に「ノルマントン号事件」（沈没した同船の船長が日本人乗客を見殺しにしたにも拘らず領事裁判により賠償責任を問われなかった）が起こると、国内から批判が噴出した。しかし、列国との交渉での法権回復は折り合いがつかずに決裂し、事件での差別的問題も解決しなかったため井上は翌八七年七月に辞任した。国際会議は無期延期となり、井上の失脚によって欧化政策も頓挫した。

井上の辞任後は伊藤が閣内で外相を兼任したが、八八年二月に大隈重信を任命して第三次交渉に当たらせた。両者には明治一四年の大隈追放以来の確執はあったものの、伊藤は大隈の手腕を評価しており、大隈もまた井上外交の交渉方法を評価していた。就任直後に伊藤内閣は辞職したが、大隈は次の黒田清隆内閣の外相として留任した。

大隈は、井上外交の失敗は交渉の方法ではなく、その内容が途中で外部にもれたために批判にさらされたことであるとして、個別交渉方式を用いて秘密交渉に徹するとした。その上で、大隈は不平等条約改正の交渉相手ではないメキシコ（墨）とあえて新規の条約締結交渉をし、さらに日本側の交渉カードである国内完全開放の特権を墨に提供することにした。最後の交渉カードである内地開放を列強にではなく墨に与えるとした平等条約の締結である。以前に清との間で締結していた修好条規では双方に治外法権を認め合っていたため、この「日墨修好通商航海条約」こそが最初の平等条約であったと言える。これにより領事裁判権の撤廃を交換条件に内地雑居を認めるとの先例をつくった上で、米との交渉に臨み改正の同意を得た。独・露もこれに続き三国との新たな「和親通商航海条約」の調印が決定した。外国人判事任用と引き換えではあったが、領事裁判権の撤廃と関税権を一部回復する改正が達成されようとしたのである。

墨に与えた特権が列強との交渉に効果をもったのは、内地雑居が最恵国待遇（さいけいこくたいぐう）によって自動的に他国にまで適用されるわけではないとの立場を大隈が堅持したからである。大隈の狙いは、欧米諸国が特権の適応を求めてきた際に、最恵国待遇が無条件に適応されるものではないことを主張することで交渉の主導権を取ろうとしたものであった。墨への内地雑居を許しても実際には日本国内の墨人などほとんどいなかったことを思えば、その特権は列強への釣り餌に他ならない。現に内地雑居は墨側の希望ではなかった。それどころか墨は欧米を差し置いて特権を得ることを心配して、米の同意を求めた後に締結に踏み切っていた。大隈は、内地開放は領事裁判権の撤廃が前提であり、無条件に最恵国待遇が適応されることなどあり得ないと主張して列強との交渉に臨んだ。英国は最後まで大隈の条件を受け入れようとせずに反対し、最恵国待遇を求めて強い態度で「均霑（きんてん）」（等しく利益や条件を配分すること）を要求してきたが、大隈はこれを拒絶した。ちなみに、墨の大使館は条約締結以来、永田町に立地しており、現在も永田町の中では唯一の一戸建ての大使館である。

大隈の交渉に対して次第に英も妥協の意向を示し、仏もそれに続こうとしていたことから、交渉は成果を上げつつあった。ところが、八九年四月に秘密交渉の内容が英国紙『ロンドンタイムズ』に暴露されてしまう。報道がすぐに国内にも伝わると、大隈が外国人判事任用を秘密裏に進めていたことに強い反対が起こり、大隈は爆弾テロに遭難して右脚を失う大怪我を負った。大隈は入院し、米独露との新条約は発効しないまま交渉は中止された。

しかしながら、実はこの間の八九年二月に大日本帝国憲法が発布されると、大隈の改正案には憲法に抵触する可能性が出てきていた。憲法では文官になれる者は日本国籍を有する者としており、外国人判事の任用が憲法違反になる可能性や、憲法が保障する「裁判を受ける権利」の平等性が損なわれる可能性がでていたのである。この問題は政府内においても意見が分かれ、最後まで解決しなかった。大隈の交渉はテロによって頓挫（とんざ）したが、それがなくとも国内の合意形成は困難であったと思われる。だからこそ、米独露との条約の未発効も日本側から延期を求めたものだった。大隈の交渉は結局国内の合意がつくれずに破綻したのであった。

2　条約改正をめぐる国際環境と初期議会

大隈の辞職後は、八九年一二月に成立した山縣有朋内閣で外相となった青木周蔵（あおきしゅうぞう）が交渉を引き継いだ。青木は大隈外相の下で外務次官を務めていた人物だったので、青木の外相への昇格は大隈外交の引継ぎを意味していた。しかし、これまでの交渉が頓挫（とんざ）してきたのが、列国の圧力だけでなく、むしろ国内からの反対に遭って失敗していたことを顧（かえり）みて、青木は国内の反対派を抑える必要から、外国人判事を任用しないことと、領事裁判権があるうちは外国人には不動産所有を許さないとの方針を固めた。これは、判事任用や土地解放を条件に交渉してきた井上・大隈の改正案を全く覆す方針である。従来の条件を御破算にしての交渉は難航することが予想された。ところが、それは予想外に最強硬の英の態度に変化を及ぼす結果

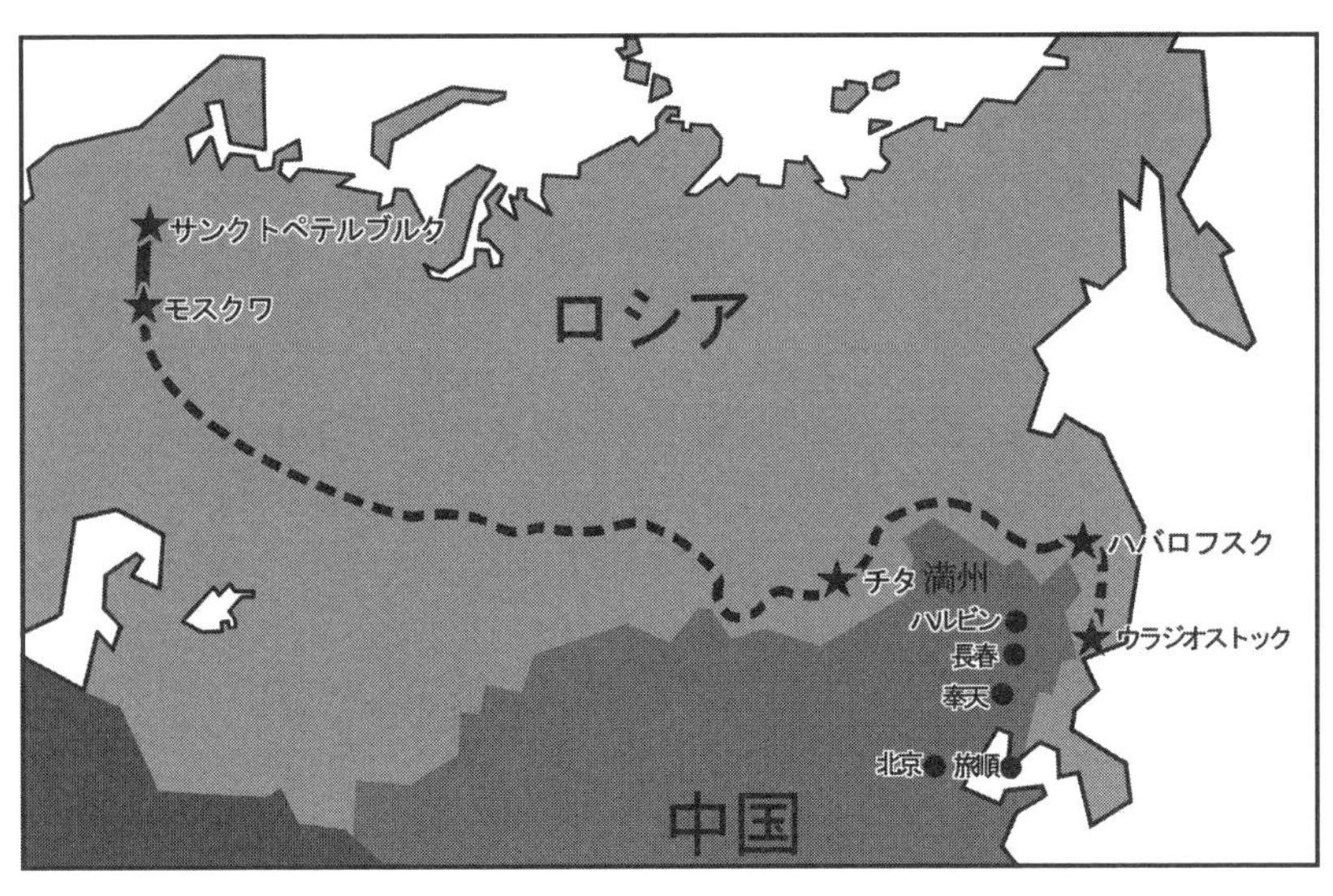

シベリア鉄道路線図

となる。

大隈の交渉方法を見た英は、このまま英のみが改正に反対し続ければ、独や露が内地開放の特権を得てしまい、英だけがそれを得られなくなるのではないかと懸念するようになった。折しも日本で国会が開設されるタイミングだったので、日本国内の改正反対派が議会において勢力化すれば、領事裁判権を手放そうとしない英への敵対心が醸成される危険もあった。また、日本国内の英人の保護監督に関する全ての業務を領事館のみで行うことに限界が出てきたこともあった。

さらにまたこの時期には、独仏がシベリア鉄道の建設を進めつつある露に接近しており、国際舞台の上でも英は孤立する恐れがあった。そのため英は日本へ接近する方針に改めることにした。改正交渉にとって最大の障害であった英が日本に譲歩を示したのである。

英が対日方針を軟化させたことで条約改正は進むかに思われた。ところが、またしても他の問題の影響から交渉は頓挫してしまう。シベリア鉄道の起工式へ向かう途上で来日した露の皇太子に対する不祥事事件によって、青木は交渉の半ばで外相を辞任せざるを得なくなるのである。

シベリア鉄道とは、モスクワ‐ウラジオストック間の全長七四一六キロに及ぶ世界最長路線で、露が国家事業として建設しようとする鉄道である。「第二次アヘン戦争」終結時の仲介により沿海州を獲得した露は（25頁参照）、九一年にモスクワとウラジオの両端から敷設工事を開始した。そして、東端の起点となるウラジオでの起工式に出席するため皇太子のニコライ二世が海路でウラジオに向かい、その途中で日本に来遊したのであった。

ニコライ二世は四月末から長崎・鹿児島・神戸・京都を訪れた。日本政府は国を挙げて歓待し、京都観光では夏に行うはずの「五山の送り火」を五月に実施するなどしてもてなした。そうした中での五月一一日、ニコライを琵琶湖へ案内した帰途に、警護に就いていた警察官の津田三蔵が突如としてニコライを斬撃する事件が起きた（大津事件）。ニコライは命に別状はなかったものの側頭部に九センチもの怪我を負った。大国の皇族に対する凶行は何よりも政府を震撼させた。警官が国賓を襲った前代未聞の事件であり、治安問題としても文明国にあるまじき事件であった。露が報復のために攻めて来るのではないかとの懸念もあったことから、明治天皇の京都への緊急行幸が行われ、静養するニコライを天皇が自ら見舞った。また新聞報道により事件を知った一般の国民からも一万通に及ぶ見舞い電報がニコライへ届いたという。これらの対応があったためかニコライは憤慨してはいたものの結果的には日本に特別に憎悪を抱くようなことはなかったが、その過程では皇太子の殺害未遂事件の量刑をめぐって国際問題になりかけた。

政府首脳は露への恐怖から津田の死刑を望み、また露の公使も強硬に死刑を求めていたことから、刑法に定めた「大逆罪」（皇室ニ対スル罪）を適応させて津田を死刑にせよとの声が高まった。これに対して、大審院（当時の最高裁判所）の院長の児島惟謙は、大津地方裁判所での審理を大審院に移した上で、外国の皇族に対して「大逆罪」は適応できないと政府の要求を拒否し、法を厳格に適用した。児島の姿勢に対して、国法よりも国家の存続のために露への深謝や慰撫の表明を重視すべきとする勢力からは、児島への強い批判がなされた。しかし結果的には、児島の判断は「三権分立」を忠実に解釈して司法の独立を全うしたものとして、日本の司法権に対する国際的信頼を高めることになる。これにより日本の司法が信頼を得たことは条約改正の前提になっていくのである。

青木の辞任後は榎本武揚が外相となり交渉を引き継いだ。榎本のもとでは、ポルトガル（葡）が経費を問題として日本の総領事を引き上げることになったため、同国の領事裁判権を撤廃した（かっての植民地をほとんど失っていた葡のアジアでの経済拠点はマカオとティモールのみで、在日本総領事館は不採算機関になっていた）。また移民課を新設し、海外への移民政策を推進しようとしたが、翌年には松方内閣の総辞職にともない榎本も辞職した。

松方内閣が辞職したのは海軍予算をめぐって議会が紛糾したためである。政府は、朝鮮問題において清との対立を抱えながらも、当時の清との間には決定的な軍事力の差があり、対抗できるような状態ではなかった。それは長崎事件に見た通り、とりわけ海軍力において顕著であった。軍艦の総トン

条約改正のまとめ

時　期	担当者	改正の要点	結　果
1871年(明治4)	岩倉具視	改正交渉の意向打診	交渉失敗
1878年(明治11)	寺島宗則	関税自主権の回復	米は合意／英独は反対
1879年(明治12)～ 1887年(明治20)	井上　馨	領事裁判権の撤廃 関税自主権一部回復	国内批判により辞職 (＝交渉無期限延期)
1888年(明治21)～ 1889年(明治22)	大隈重信	領事裁判権の撤廃 関税自主権一部回復	テロにより大隈失脚 (＝交渉頓挫)
1891年(明治24)	青木周蔵	領事裁判権の撤廃 関税自主権一部回復	大津事件により辞職 (＝交渉中止)

数比に見る海軍力の世界第一位は英で、仏・露がそれに次ぎ、清は第八位に位置づいたが、それに比して戦艦の一つすらない日本は三〇位以下のランク外であった。そのため政府は海軍の建設を目指したが、それは議会で税金の負担軽減を求める民党との衝突を招くことになった。政費削減を求める議会に対し、海軍大臣の樺山資紀（かばやますけのり）が予算を求めて「蛮勇演説」を行ったことから議会は解散となり、続く総選挙では露骨な「選挙干渉」が行われたため、松方内閣は選挙を乗り切ったにも拘（かかわ）らず辞職に追い込まれた。

当時の軍艦の強弱は主砲の威力（破壊力）と装甲（防御力）で測られたが、清の最新鋭装甲艦「定遠」と「鎮遠」は、三〇・五センチ砲を四門も搭載する東洋最大級の戦艦であった（装甲は三五五ミリ・速力一四・五ノット）。これに比して日本海軍では一番大きな砲が二四センチ砲で、旧式装甲艦「扶桑」（装甲二三〇ミリ・一三ノット）に搭載されているのみであり、装甲の厚い定遠級を撃破できる威力はなかった。海軍は主砲だけでも定遠級を上回る船を求め、仏から技官を招聘して設計を依頼した。これにより大型の大砲を搭載した巡洋艦が設計された。巡洋艦とは戦艦に準じる遠洋航行能力があり多数の艦砲を備える軍艦で、戦艦よりも攻撃力・防御力が劣るが、その代わりに高速が出せた。しかしこれは予算不足のために発注できなかった。そのため今度は主砲三二センチ砲を中型艦に搭載した「防護巡洋艦」の設計を改めて依頼した（巡洋艦・四一〇〇頓級松島型）。改めて設計された防護巡洋艦は、巨砲を小型の船体に無理に載せるために装甲も機関も縮小させたが、多数の速射砲を装備できた。巨砲と小型船体との不均衡から、主砲を撃つとその反動で船体の向きが変わってしまうようなアンバランスな船であったが、海軍は同型の艦を三艦建造して主力とした。

この後も海軍は装甲艦の建艦計画を進めていくが、議会ではその建造費をめぐって政府と民党が衝突した。九二年からの議会では、第二次伊藤内閣が海軍拡張を急務として建艦費を求めたが、民党はこれを否決した。窮した伊藤は明治天皇に依頼して政府と議会の和協を説く詔勅を下してもらえるよう働きかけた。

天皇は伊藤の訴えを聞き届け、その先の六年間にわたって皇室費から予算を割き、また文武官の俸給の一割を納付して建艦費の補助とする詔勅を出した（「和衷協同の詔勅」・九三年二月）。民党は政府の政費削減を条件とはしながらも、天皇の意向が示されたことにより一転して予算案に合意した。実は政党側の一部では政府との対決を継続することに困難を感じはじめており、衆議院議長を務めていた自由党の星亨なども、民党側の要求について天皇が議会に介入して調停してくれることを希望していた。伊藤内閣は詔書に頼って民党の反対を抑えたが、議会対立の問題を天皇の威光で解決しようとの考えは民党側にもあったのであり、当時の帝国議会は立憲制度を超越する力に頼らねば進めていけなかったことを示している。

3　清との対決に向けて―「日英通商航海条約」

「壬午軍乱」の後、清は朝鮮の内政に直接介入するようになった。既述の通り、排除された開化派は巻き返しのクーデターとして「甲申事変」を決行したが失敗し、事件を処理した日清間では「天津条約」が結ばれた。その後の朝鮮では清への従属が促進し、国王の高宗と閔妃は清の影響から逃れようと露へ接近する動きを見せたが、清の影響力は増大していった。但し、清の影響力が増したことは必ずしも日本の忌避するところではなかった。巨文島事件の後、露の南下を最も恐れるようになった日本は、朝鮮の独立は望みつつも、清の影響力をある程度までは容認するようになった。露の南下に対して清が対処してくれるのであれば、むしろその方が都合がよかったため、清との合意の上で朝鮮の安定が図られることが望ましかった。山縣の「利益線」構想にしても朝鮮の中立化に積極的に寄与すべきとの立場だったわけであり、当時の状況下で露の影響力を排除するためには、清が影響力をもつ必要があったのである。

　そのうえ日本は開化派が排除されてからは、朝鮮に影響力を与える手立てがなかった。また、七六年の日朝修好条規の締結以降に日本商人が朝鮮に進出するようになると、穀物の輸出を独占するようになっていたのだが、それがために朝鮮では反日感情が高まり続けていた。

九三年にはそうした日本商人による大豆の買い占めと不作が原因となって、朝鮮国内に食料不足が起きたため、朝鮮政府は穀物の輸出を禁止する「防穀令（ぼうこくれい）」を発布した。日朝間には防穀令発布の際には一ヶ月前から予告するとの取り決めがあったのだが、朝鮮の地方官による告知が遅れ、予告期間が一ヶ月に満たないうちに輸出が禁止された。すると、地方官の手落ちによって損害が出たとして、大豆輸出業の日本商人らが賠償を求める事件が発生した（防穀令事件）。事件は外交問題にまで発展したが、伊藤首相が清の李鴻章に斡旋を依頼し、賠償金を得ることで妥結した。この過程で朝鮮政府に対し強硬な態度をとっていた朝鮮公使の大石正巳（おおいしまさみ）を更迭し、代わって大鳥圭介（おおとりけいすけ）を新公使に任命した。伊藤が清に斡旋を依頼したことは、華夷秩序における清の宗主国としての立場を利用する判断であり、翌九四年の日清戦争がこの時点で準備されていたわけではないことがこの一件からも分かる。清との戦争が具体化するのは翌年になってからのことであった。

九四年二月に、韓国の独立を訴える宗教結社・東学党（とうがくとう）による反乱が起きた。東学党とは東洋の儒教・仏教・道教をキリスト教（西学）に対置し、一八六〇年代から外国勢力排斥を訴えて農民を指導していた結社であった。東学党の勢いを懸念した当時の朝鮮政府は六四年に指導者の崔済愚（チェジュウ）を処刑し、東学党の活動を禁じた。それからの約三〇年間、信者たちは布教の合法化運動を穏健的に進めてきたのだが、九四年までに各地で地元の圧政に対する民衆の反乱が起こるようになると、東学党もこれに合わせて反乱を指導した。反乱は東学党の信者によって朝鮮各地に波及し、「反清・反日」の外圧排除を求める独立運動としての性格も併せながら拡大した（「東学党の乱」）。そして東学党の地方幹部・全琫準（チョンボンジュン）の呼びかけに応じた農民が数万の軍を形成し、朝鮮の南部一帯を占拠した。

朝鮮政府は独力では反乱を鎮圧することができず、清に鎮圧を要請した。清が要請に応じて二一〇〇人の軍隊を派遣すると、これらの様子を見た日本も、清が朝鮮に軍隊を出す際には日本も出兵するとした「天津条約」を根拠に派兵し、国内には大本営を設置した。大本営とは天皇が軍隊に命令を発令する最高司令部である。

日清両国の正規軍の介入に、農民軍は危機感を抱いて撤退した。これで日清両軍はもはや朝鮮に軍隊を置く理由がなくなったのだったが、日本はこの機に朝鮮問題を解決しようと、撤兵はせずに日清両国による朝鮮の改革指導を提案した。それも清が同意しなければ日本が単独で改革を行うとの提案であった。出兵の目的はいまや朝鮮の内政改革に変更されたのである。第二次伊藤内閣の外相・陸奥宗光（むつむねみつ）は、朝鮮の改革が達成されるまで撤兵しない旨を清に通告した（「第一次絶交書」）。清が即日提案を拒否すると、日本は追加部隊を輸送した。

この事態に英露が介入し、日清に同時に撤兵することを求めてきた。英露による干渉は一時的に日本の軍事行動を留まらせたが、清は日本の撤兵が前提であるとして英の調停案を拒絶した。清側は日本が戦争まで行おうとは想定してはいなかった。しかし駐露公使の西徳二郎（にしとくじろう）から、露は独との間で懸案を抱えているところなので朝鮮問題に深くは拘わってこないであろうとの報告が入ると、日本は軍事行動を再開した。最も懸念された露の脅威が去ったことで開戦は決定づいた。

陸奥は朝鮮の大鳥圭介公使に、如何なる手段を使っても清との開戦の口実を作るように通達するとともに、清が英の調停を拒絶したことは清側に解決の意図がないためであると非難して、清との国交断絶を表明（「第二次絶交書」）することを閣議で決定した。「絶交書」を発するのは、これがあくまで日清間の問題であって他国を巻き込む余地がないことをアピールするためでもあり、英が話し合いの場を設けて介入してくるような事態を避ける目的もあった。

そして、陸奥はこの間にも条約改正を進めた。大隈や青木と同様に国別談判方式を採用し、かつ英を優先に交渉した。以前の青木の交渉が成果を上げていたことから、駐独公使に転任していた青木を条約改正委員とし、さらに駐英公使を兼任させて実際の交渉を担わせた。これにより九四年七月一六日に英のキンバリー外相（John Kimberley）との間で新条約「日英通商航海条約」が調印された。日本の内地開放と引き換えに、領事裁判権の完全撤廃、無条件での最恵国待遇の相互承認、関税自主権の一部の回復を実現した。条約は有効期限を一二年間として、五年後の九九年から発効されるものとし、国内の内地雑居もそれ以後に実施されることになった。キンバリーは、日英間に対等条約が成立したことは日本の国際的地位を向上させる上で、清の何万の軍を撃破したことよりも重大なことだろうと述べた。随分な言い様だが、それは世界の覇権国との条約締結だったのである。

英の対日方針が変わったことによって不平等条約改正の第一歩がようやく達成された。以後の英は極東での日本の政策を後援する立場をとるようになり、日本は米との間にも同様の「日米通商航海条約」を締結するなど他の列強各国とも対等の関係を築けるようになっていく。英の変化は、基本的には露の南下政策に対抗するために日本に接近したものであるが、日本が軍艦を発注してくれる有益な取引相手国であったことも要因であった。条約調印の翌日、天皇が臨席する「御前会議」で清との開戦が決定された。まさに日英通商航海条約が締結されたからこその開戦であった。

開戦までの過程において、陸奥は実に強気に清との交戦を主張していたが、政府全体では直前まで開戦には慎重な姿勢であった。先述の通り、前年の「防穀令事件」において、伊藤が李鴻章に斡旋を依頼したのは、清の朝鮮に対する宗主権を前提にした判断であったし、そうした姿勢は開戦決定の直前まで維持された。しかし、陸奥はかつての壬午軍乱・甲申事変への対応が清に機先を制せられたが故の失策であったとし、かつこれまでの外交努力に見合った成果を得たいとの姿勢から、他の穏健論を振り切って積極的に開戦を進めた。

陸軍においても開戦が決定するまでは慎重な姿勢がとられ、参謀本部次長の川上操六が主戦派であったものの、開戦は陸軍の総意というわけではなかった。川上は独を模範に陸軍の近代化を担ってきた人物で、日清戦争に先立って清の偵察を重ねていた。その偵察から、清軍の練度が低く、近代化が進んでいない様子を見た川上は勝利の目算を立てたと言われる。日清戦争の開戦に至る過程は主にこの陸奥と川上の牽引により進められた性格があり、当初の派兵などは伊藤首相との間にさえ合意がないまま行われていた。川上は伊藤には一個旅団（通常約二〜三千名）を派兵すると報告しながら、実際には歩兵一個旅団に騎兵・砲兵・工兵を加えた混成旅団八千名を送った。「一個旅団」という言い方で、小規模な派兵に留めるかのように装ったのであった。

朝鮮半島に派兵した後も、伊藤は必ずしも直ちに交戦するのではなく、先ずは派遣部隊による圧力を背景に朝鮮における日本の地位を上昇させることを考えていた。しかし、これに対して参謀本部の川上らは、陸軍の全兵力を渤海湾に上陸させて北京に近い直隷平野で決戦を行う構想（敵主力を迅速に撃破して首都を攻略するとしたビスマルクや普軍に倣った作戦）を練っており、政府には一致した戦争計画があって開戦したのではなかった。宣戦布告などは実際の戦闘が起きてからも決定しておらず、七月三〇日になって陸奥が伊藤に提案したことで、翌日に急遽として「宣戦布告の詔勅」が用意された。しかも当初は清と朝鮮の両方に宣戦を布告する案も出ており、それほどまでに不確定要素を残したまま推移していたのであった。但し、一度開戦となると、朝鮮を属国とする清を撃破し、朝鮮を独立させることを目標に定めて遂行されるようになる。

4　日清戦争―力と法の二心性

陸奥から開戦の口実をつくるように指示を受けた現地の大鳥圭介公使は、軍事力を背景に朝鮮政府に対して内政改革や軍事施設の設置を要求した。派遣された混成旅団には清軍が増加した際には撃滅することが命令された。朝鮮側が大鳥の提案を拒否すると、部隊は七月二三日に朝鮮の王宮を包囲して国王の高宗を追放し、大院君に政権を執らせた。壬午事変の際に清に捕縛された大院君は天津に幽閉されていたが、八五年には帰国を許されていた。大院君は高宗や閔妃を酷く嫌うようになっており、彼らの排除を画策していたほどで、東学党の乱に対しても背後で支援していた。大鳥らは大院君の依頼によって日本軍が行動を起こしたことにできるように、大院君から日本に朝鮮国内の牙山に駐屯する清軍を撃退するように依頼させ、その上で王宮を占拠した。そして開化派の長となっていた金弘集（キムホンジプ）に親日政権としての内閣を運営させた。つまり日本は清との戦争を行うために、先ず朝鮮を攻撃したのである（「日朝の交戦」）。

王宮占拠から二日後の七月二五日には、海軍が清の増援部隊を朝鮮半島に輸送する商船とその護衛の軍艦に遭遇して交

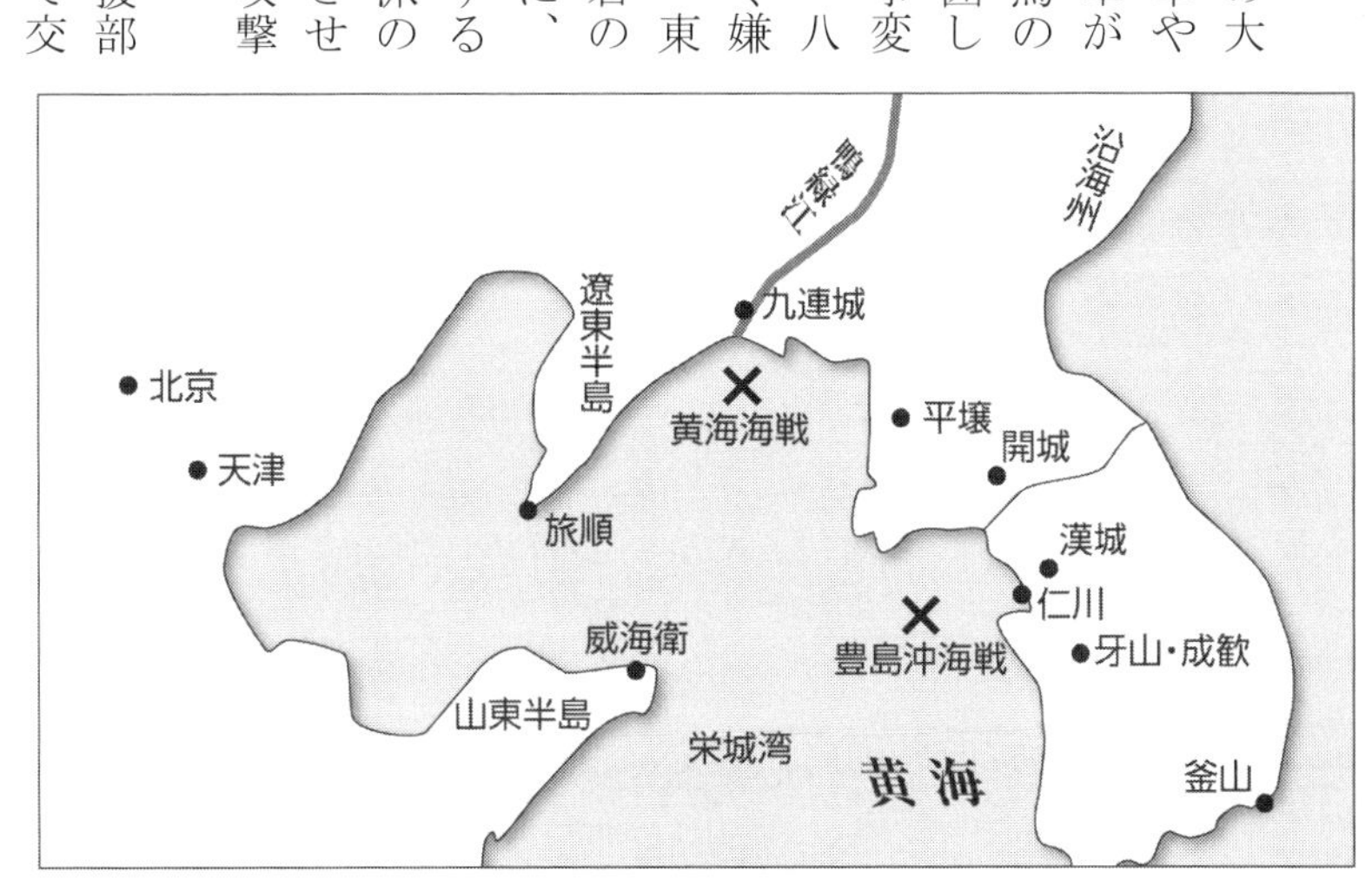

日清戦争

戦した（「豊島沖海戦」）。日本軍の攻撃により軍艦は潰走したが、清兵一一〇〇名を輸送していたのは英国の商船「高陸号」であった。高陸号を発見した海軍の艦艇（艦長は東郷平八郎）は、随航するよう要請したが船内の清兵らがこれに従おうとせず交渉は決裂した。英との関係悪化の可能性を含みながらも東郷艦長はこれを撃沈した。よりによって日本が頼みとし、やっと条約を締結した英の民間船が清に雇われていたのである。東郷らは英の船員のみ懸命に救助した。この事件が英国紙で報道されると英の世論は激昂して一時は国際問題化したが、英の法学者らが日本側の攻撃に至る手順が国際法に則っていたとの見解を発表すると、やがて批判は収まった。日本の対外姿勢には、朝鮮には力で迫るが、列強には法を遵守して向き合う二心性が見てとれる。

豊島沖海戦の二日後、朝鮮半島の成歓において陸上での戦闘も始まった。清軍が派遣していた上陸部隊との戦闘である。清軍は川上の偵察の通り、近代的な砲撃戦には対応できず、国軍としての統一性も不十分で部隊間の連携がなかった。日本軍よりも高性能な武器を装備していたが、日本軍を過小評価したこともあり、士気は極めて低かった。正規軍が日本軍に猛攻を加える戦闘も一部にはあったが、属国である朝鮮の国土を守ることになど動機が持てず、傭兵も逃亡するなどした。一方の日本軍は、近代軍としての統制は高いものの、兵站（補給システム）が未発達なために一五万もの民間人を動員することになる。戦争の当初から輸送力の不足に悩まされ、金銭で雇った朝鮮人が途中で逃げてしまう事件などが起きた。それぞれが未熟な軍隊で近代的な戦争を行うのであった。

八月一日、日本は宣戦を布告すると、五日には大本営を参謀本部から宮中に移した。戦争の第一段階として、朝鮮半島を軍事的に確保するために清軍を駆逐しながら、日本が朝鮮を軍事利用するための協定を金弘集内閣との間に結んでいった。八月二〇日の「日韓暫定合同条款」では鉄道の敷設権を獲得し（京仁線・京釜線）、続いて二六日には攻守同盟としての「大日本大朝鮮両国盟約」が結ばれた。この盟約は、対清戦争が朝鮮独立のためであり、朝鮮は日本を支援するとの内容で、戦争終結後も朝鮮に日本軍を駐留させる計画も盛り込まれていた。また朝鮮政府には独立国としての外交権があり、清の許諾がなくとも独自に外交を行えると強調したものであった。

九月一五日には大本営をさらに広島に移動した。清への派兵は広島の宇品港から行われるため、国内の最前線としての広島に首都機能ごと移転させ、天皇に臨時の遷御（せんぎょ）を引き受けてもらったのである。初の戦争に対する緊張が見て取れよう。

清軍との戦闘では、当初より陸戦での勝利は見込まれていたが、海戦については多く不安があった。戦艦には船底の先に衝角（ラム）と呼ばれる体当たり用の突起があり、体当たりして敵艦の横腹に孔（あな）をあける戦法があった。体当たりは極力大きく自重のある艦ほど衝撃力が高く有利となるが、その点で当時の定遠級は極めて威力が高く、日本にはこれに対抗できる戦艦はない。防護巡洋艦では及ぶべくもなかった。

しかし、九月一七日黄海において日本海軍の艦隊と清の北洋艦隊が交戦すると、海軍は鎮遠・定遠を主力とする北洋艦隊を駆逐することができた。日本の防護巡洋艦は速度を活かして、距離をとりながら速射砲撃を集中させて対抗した。無理に備え付けた巨砲はほとんど成果を上げなかったが、速射砲が相手の艦上によく火災を起こさせたことで殺傷率を高め、四時間余りの戦闘で勝利することができた。甲板に火災を起こした定遠・鎮遠は旅順港に逃走した。北洋艦隊を排除した海軍は、積極的に陸軍部隊の海上輸送を行うことができるようになる。

翌一〇月末には、山縣有朋率いる第一軍によって朝鮮と清との国境を流れる鴨緑江（おうりょくこう）の渡河（とか）戦が実施された。山縣は清との戦争には消極的で当初は避戦の立場をとったが、いざ開戦の方針が決まると自ら進んで第一軍司令官に就いた。首相経験者が前線にまで立って部隊を指揮するのは稀な例である。戦争を決意した山縣にとっての目的は何より持論の「利益線」の確保にあった。

鴨緑江周辺は清軍の強固な陣地が築かれていたが、夜半行動により敵主力の背後から攻撃すると、清軍は撤退していった。朝鮮半島を確保した陸軍は清国領への侵攻へと作戦を進め、北京への進軍を企図した。海戦においては黄海海戦で生き残った北洋艦隊の撃滅のため旅順攻略を目標にした。

旅順へ攻撃をしかけると要塞は即日陥落し、北洋艦隊は威海衛の軍港に遁走した。日本軍は追撃のため山東半島への上陸作戦を行い、港に籠った北洋艦隊に対しては魚雷攻撃を行った。北洋艦隊は壊滅的打撃を受け、大破した定遠は鹵獲（日本軍による艦の分捕り）を避けようと自沈した。陸海で全勝を収めた日本軍は、九五年三月までに満洲の占領作戦を実施した後、台湾沖の澎湖諸島に上陸して台湾海峡を封鎖するとともに、台湾の占領に備えた。陸軍は北京への決戦を企図していたが、海軍力を喪失した清はそれより前に講和交渉を求めた。

講和交渉は下関市（当時赤間関市）の旅館・春帆楼で行われた。伊藤の馴染みの旅館で館名も伊藤が名付けたものであった。高台に位置するため、窓からは馬関海峡を見下ろすことができた。両国の全権委員は、伊藤と陸奥、李鴻章であったが、陸奥は交渉開始から数日で体調を崩したため、交渉は主として伊藤と李の間で行われた。一〇年前の「天津条約」締結の時より面識のあった両者である。国際政治への理解が高い李が委員となることは日本側から強く望まれていたことでもあった。伊藤は軍事行動を停止することなく交渉を進め、広島から馬関海峡を通過して清に向かう艦船を清の使節団に見せつけながら交渉した。

伊藤は講和の条件として、朝鮮に対する属国扱いを解消することと、遼東半島・台湾・澎湖諸島の割譲を求めた。遼東半島は北京に軍事的な睨みを効かせ、清の朝鮮半島に対する影響力を削ぐための要所であ

定遠の衝角

り、台湾は海軍の根拠地としての価値があった。陸海軍がそれぞれの領有を強く希望していた。但し台湾は戦場にはなっておらず、未占領の地を割譲することは講和の慣例にないことであったため、李鴻章は認めたがらなかったが、伊藤はこの講和が敗者に対する勝者の講和であるとして、頑なに要求を取り下げようとはしなかった。

領土の割譲なしに講和を結ぶことが困難と見た李鴻章はやむなく割譲を容認した。領土の他にも、賠償金二億両の支払いと、日本に対する最恵国待遇を承認した。賠償金額の二億両は銀八〇〇〇万kg、日本円にして三億六四六〇万円に相当し、当時の日本の国家予算の四倍の額であった（当時の国内の物価は白米一〇kgが五〇銭に満たない程度）。戦費は二億円であったからそれを大きく上回る賠償額である。清は七年の年賦でこれを支払うことに決定し、四月一七日に調印された（「下関講和条約」）。

かつての「日清修好条規」が開戦により破棄されたため、翌九六年七月に新たに「日清通商航海条約」を調印した。これによって日本は、領事裁判権・協定関税・最恵国待遇を清に承認させた。それは不平等条約そのままの内容であった。

5 「三国干渉」と東アジア情勢

日本側からすれば、日清戦争はこれまで近代化を進めつつ軍備を増強させながら、「万国公法」の遵守に徹して文明国化をめざしてきた成果であった。不平等条約の改正が前進し、かつての覇権国であった清に勝利して海外領土まで得た。ところが、その領土をめぐっては列強からの圧力を受けることになった。

日本は清との講和内容を列国には秘匿して進めていたが、清は列国の干渉を招くことで講和条件が緩和されることを期待し、故意に内容を列国に漏らした。清の動向を見た日本が講和条件を問い合わせてきた各国にやむなく講和条件を内示すると、露・仏・独の三国は条件の中に遼東半島の割譲が含まれていることについて強く反対の意向を示してきた。

露は戦時中から日清間の講和に関心を示しており、九五年二月には日本の領土割譲に干渉する方針を定めていた。しかし露が単独で干渉できる見通しは立たず、国際的な合意としての列国の支援が必要であった。そのため英仏との共同干渉を希望していたが、そこに独が働きかけてきて、欧州が団結して黄色人種を抑制すべきであると共同干渉を提案してきた（この背景は次章に後述）。これにより露は干渉を決定して、「下関講和条約」の締結に先立つ四月八日、英仏独に呼びかけて四ヵ国共同による干渉を極秘に提案し、講和が成立した当日にその具体的な行動を起こした。日本の遼東半島領有は清の国防を脅かすだけでなく、日本が戦争目的に掲げたはずの朝鮮の独立を有名無実のものとし、極東全体の平和の妨げになるとの理由をつけた。とりわけ露は旅順の返還を求めた。英はこれに参加しなかったが、独仏は露と共に清への領土返還を日本に要求した。「下関講和条約」を締結したわずか六日後、三国は軍艦二〇隻（露一七隻、仏二隻、独一隻）を派遣する示威行為によって軍事的圧力をかけ、日本は戦争の勝利で得たばかりの遼東半島を返還することになった。

干渉の原因は日本の要求が過度であるとの理由からであるが、実際に日本が清に突き付けた領土割譲はそれまでに列強が取得していた権益に比べて確かに過大な要求ではあった。列強は、英の香港島を例外とすれば、清に領土まで求めることはなかった。「アヘン戦争」や「清仏戦争」でも、戦争は貿易上の利益を通すための手段であって清への侵略目的ではなかったし、香港にしても英の貿易上の利益を守る上での租借（そしゃく）（一定の期間、他国が統治すること）とされていた。従って、日本の領土要求はそれまでの慣例を逸脱した過剰な要求と思われた。一方の日本にとっては、領土要求は賠償金の支払いを清に守らせるための担保と考えていた。

露は満洲に鉄道建設を計画していたことから、日本の遼東半島領有がその妨げになると危険視して独仏との協調を求め、独仏もこれに追随したのであった。仏は自国が清において英や露と同等の利益を得ようとしていた。

英は干渉には参加しないが日本への援助もできない旨を伝えてきた。英では、日清戦争開戦の半年ほど前に成立したばかりの新内閣の支持基盤が弱く、閣内も不統一性の目立つ脆弱な内閣であったこともあり、介入を避けたのである。また日本が通商関係の特権を得た場合、清に対する最恵国待遇を有する英にとって不満はなかった。

日本では、伊藤が列国会議を開催することで米や伊（イタリア）も巻き込めば、干渉を阻止できるのではないかと提案した。広島の大本営における「御前会議」では、三国干渉への対応案として、全面拒否か、列国会議に委ねる伊藤の案か、勧告受け入れかの三案が出され、検討の結果一旦は伊藤の列国会議案に決定した。しかしこれを療養中の陸奥に知らせたところ、陸奥は列国会議の場において英米が日本の味方に付くとも限らず、それどころか最悪の場合には返還要求が遼東半島以外にも波及する恐れがあるとして、むしろ遼東半島を失うだけで済むのなら勧告を受け入れた方が得策であるとした。そして陸奥がその意見を出した同日、英米が三国干渉に対する中立を宣言した。日本は翌日に三国に対し勧告受諾を通知した。遼東半島は三千万両（日本円：四六六五万円）の賠償追加と引き換えに返還することになった。

翌月の五月八日に下関講和条約が批准され、形式的にはこれで終戦となったのだが、日本が割譲を求めた台湾は未占領であったことから、その後になって遠征を決行した。戦地にならなかったにも拘（かかわ）らず日本に割譲された現地の台湾では、清の本国政府が台湾を見捨てたのだとして、現地の文武官と住民らが「台湾民主国」として独立することを宣言した。

日本は独立宣言に構わず、条約の履行（りこう）を求めて五月二九日から上陸作戦を開始し、五ヶ月間の戦闘の後に征服した。台湾に残留していた清軍は戦わずに逃走したが、老若男女の住民がゲリラ戦を展開して抵抗した。最終的に日本は七万六千人（うち軍夫が二万六千人）を投入したが、台湾ではコレラやマラリアが蔓延し、遠征した近衛師団を率いていた皇族の北白川宮能久親王が病死するなどした。

現地の抵抗はその後も続いていくが、台湾は日本の植民地となり、六月には統治のための官庁として「台湾総督府」が設置された。海軍の樺山資紀が初代の総督となったのだが、総督とは、軍政・行政を司り、現地での立法権をも有する特別な地位で、総理大臣の指揮監督を受けるとはされながらも実質的には台湾の専制支配を行う権限をもった。また台湾は、セルロイド（プラスチック）の原料となる樟脳（楠木の精油）やサトウキビの産地で、特に樟脳は日本と台湾の他には多く産出する地域が確認されていなかったことから、後の九九年六月には「樟脳局」を設置して世界市場を独占すべく専売制を実施した。製糖産業も伸張し、官営の「台湾製糖」と民営の「大日本製糖」が進出して日本の砂糖の需要を拡大した。

現地では台湾北部の抵抗が激しかったため、北部山地へ侵攻して徹底弾圧を加えながら、一方で南部の住民には懐柔を図っていった。九八年二月に陸軍の児玉源太郎が台湾総督に就くと、児玉に抜擢されて総督府民政長官となった後藤新平の政策により、「夷を以て夷を制する」とした南北の分断政策が展開された。南部には漢民族や沖縄出身者も居住しており、日本の統治に対して比較的受け入れの様子があったため、北は弾圧しながら南には日本との同化を促したのである。総督府は、学校を創設し日本語授業を実施して「同化政策」を行いながら、ゲリラ戦の抵抗を軍隊・警察で抑え込んだ。台湾全島に住民の互助組織を編成し、日本への抵抗が発覚すればその組織全体の連座責任とした。これにより相互監視を行わせながら、警察の治安活動を補助させた。かくして同化と排除の政策を同時展開しながら、一九〇二年までの五年間で約一万人を処刑した。台湾はこの後一九四五年まで日本の植民地となる。

一八七四年の台湾出兵の際には海軍力不足の問題から領有などできなかったが、清国の北洋艦隊を撃滅した今、日本は台湾の領有に乗り出したわけである。

６　独立した朝鮮で何が起きたか？

日清戦争の直接原因となった東学党は、日清両国の派兵に対して直ぐに撤退していたが、戦争が開始されると九四年一〇月から再度ゲリラ戦を展開していた。東学党には日本軍の王宮占拠にはじまった日清戦争への反感があり、開戦後の状況に乗じて日本の干渉に対する抵抗運動を展開した。東学党は日本軍により壊滅させられ、朝鮮政府が指導者の全琫準を処刑した。

日本が朝鮮に介入して戦争をはじめたことに反感を抱いたのは東学党だけではなかった。開戦後の朝鮮では、大院君が開化派政権を嫌って排除を試みたり、大鳥圭介公使の強引な指導性に批判が高まるなどしたこともあり、開戦から二ヵ月半後の一〇月中旬には大鳥に代わって井上馨が公使として赴任した。井上は朝鮮を名目上は独立国としながらも実質的には保護国化しようとの方針から内政改革を進めた。大院君を幽閉して引退を迫り、日本に亡命していた開化派のメンバーを復帰させると金弘集内閣の政権に参与させた。また大院君や王妃が国政に参加することを禁止し、日本人の政治顧問を大量に導入させた。

これに対して王妃の閔妃とその一派は、露に接近することで日本の影響力を排除しようとした。甲申事変の際に開化派が打倒しようとした政府とは、この閔妃の政権だったのであり、閔妃らは自身らに向かってクーデターを起こした開化派を決して許そうとはしなかった。甲申事変では清軍の介入により開化派が排除され、それによって開化派は亡命することになったが、閔妃政権はその後も開化派への報復を行い、一八九四年三月には甲申事変を実行した金玉均を上海で暗殺していた。そのため金弘集内閣が成立すると、露に接近して開化派と日本の影響を排除しようとしたのである。つまり、金弘集内閣は朝鮮王宮と対立しながら政権運営をせねばならなかった。そして、三国干渉によって日本が抑え込まれると、閔妃らはますます露へ接近して金内閣と日本に反対した。

三国干渉後の日本では九五年六月の閣議で、朝鮮での露の影響力の排除が困難であるため、以後はなるべく朝鮮への干渉をやめて自立させる方針を決定した。すると、その後の高宗と閔妃は金弘集内閣の予算案に故意に裁可を与えず妨害したり、内閣を無視して勅令を発布するなど、露の援助を背景に内閣の実権を奪っていった。井上は高宗に資金を提供することで日本の影響力を保持しようとしていたが、その予算が付かず、高宗を日本に惹きつける手立てをなくして手詰まりとなった。井上はこの過程で三浦梧楼(みうらごろう)に公使を引き継いだが、朝鮮統治の指針についての具体的な策はもはやなかった。

井上が帰国した後、三浦は公使館員らとともに閔妃一派を排除しようと、幽閉していた大院君を担ぎ出してクーデターを行わせる計画を立てた。閔妃政権は、日本が設立した朝鮮の軍隊「訓練隊」を解散させようとしていたので、大院君と訓練隊が閔妃に対するクーデターを起こすという筋書きにしたのである。

一〇月八日の深夜、幽閉されていた大院君は日本側からこの計画を聞かされ、朝まで説得を受けてやっと承諾したという。そして朝方に三浦と日本の守備隊、公使館員、朝鮮に渡って政治活動を行う民間人(大陸浪人)らが王宮に押し入り、閔妃を殺害した(朝鮮王宮の女性は顔を見せない慣例があったため、日本側では誰も閔妃本人を知らなかった。王宮の女性を手あたり次第殺害し、三浦が閔妃と思われる遺体を確認すると遺体に火をつけた)。

王宮への乱入は、他国の公使などに目撃されていたことから、三浦らの犯行はすぐに露見して国際的批判を浴びた。三浦は解任され、後日に日本で起訴されて収監されたが証拠不十分として釈放になった。他の関係者も結果的には全員無罪か免訴になっている。

一国の王妃を出先の外交官らが勝手に殺害するという尋常ではない事件であるが、首謀者の一人であった杉村濬（すぎむらふかし）（公使館一等書記）は、後の一九〇四年時点の回想において、戦争をはじめた際には王宮を占拠したのに、閔妃殺害だけが咎められるのは認め難く、また王宮占拠より閔妃殺害の方が穏和な手段であると述べている。閔妃殺害事件は、日本政府の先例に倣ったに過ぎないという出先外交官の意識によって、朝鮮における日本の勢力を挽回しようと策動された結果であったようである。

一方で、妃を殺害された高宗は翌年二月に朝鮮国内の露の公使館に政治亡命した。公使館は治外法権区域であるため日本は手を出すことができない。即ち、国内での亡命であった。この高宗の露公使館への逃亡を「露館播遷（ろかんぱんせん）」と呼ぶ。閔妃殺害事件は日本の勢力を挽回するどころか、朝鮮の官民と在留外国人にまで排日の風潮をもたらした。民衆の反日暴動が起こり、その結果に金弘集が群衆に殺害された。金の死後には親ロシアの政権がつくられる。日本は日清戦争に勝利したにも拘らず朝鮮での影響力を喪失してしまった。一番の戦争目的であったはずの朝鮮問題を自ら悪化させたのである。

高宗は露の公使館に引きこもり、公使館の中から親露政策を進めつつ開化派の排除を指示した。しかし、国王でありながら他国の施設に引きこもるという異常事態に、朝鮮民衆はこれも支持しなかった。人民は日本の支配を望まないのと同様に、親露政策も望んだわけではなかった。高宗は露館播遷を一年間続けた後に王宮に帰還した。帰還の後、朝鮮はもはや清の藩属国ではなくなったことから、清の皇帝に冊封されたことを示す国王号を使用することは望ましくないとして、九七年一〇月に高宗が皇帝に就任するとともに、国名を朝鮮王国から「大韓帝国」に改めた。

日清戦争後のアジア情勢がかくも展開したのは、日本が勝利したことによってそれまでの力関係が変化したからである。日本が清から領土を奪えばそれに連動して列強も行動する。日清戦争での勝利は、華夷秩序による伝統的な枠組みを崩壊させたが、日本は三国干渉によって国際政治が「力の政治」であることを見せつけられた。そして次章に見る通り、清が敗れたことで列強による清国の分割が引き起こされることになる。それこそは日清戦争が引き起こした最大の歴史的影響であった。

第6章

「グレイト・ゲーム」
—盤上の駒と役割

日清戦争に敗れた清は列国の分割の対象となり、東アジアは列強の対立関係が反映される場となった。三国干渉から清国分割が進む過程は、欧州における国家間関係と関わり合いながら推移した。それは欧州での対立関係がアジアに持ち込まれ、清国分割の上に再編成されていくことを意味している。その原因をなしたのが日本であり、また日本はその環境の中で列強間の対立に巻き込まれもした。しかし、帝国主義の覇権争いが清を舞台に展開されたことを一つの要因として、新たな外交の規範が生み出されようとする。

1　「ビスマルク外交」—勢力均衡の調停者

ビスマルクは普仏戦争を通じてドイツを統一国家に導いたが、それ以降の独仏両国は緊張関係にあった。そのため普仏戦争後のビスマルクは、仏の報復を防止することを課題とした。実際に仏はわずか数年で賠償金を完済し、軍備の強化に取り組んでいた。これに対してビスマルクは欧州各国との同盟網を形成して

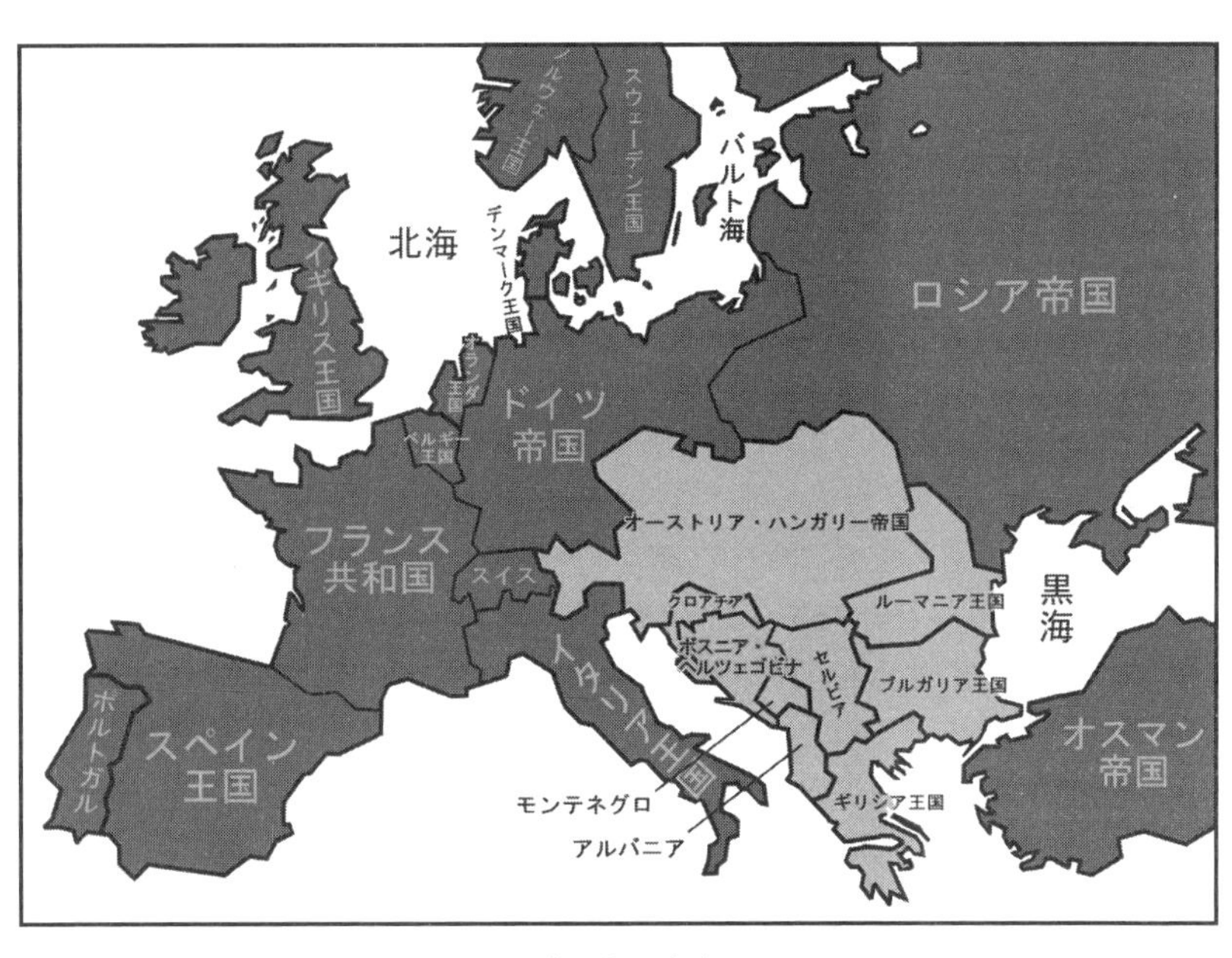

バルカン半島

仏を孤立させることで、独の安全を図ろうとした。

一八七三年、ビスマルクは墺（オーストリア・ハンガリー）と露との間に「三帝同盟」を締結した。軍事同盟ではなく、単に三帝国の間での友好関係を標榜（ひょうぼう）したものであったが、一八五三年のクリミア戦争以来の対立関係にあった墺・露の間に仲裁役として入り込み、その対立を解消すると同時に仏を牽制しようとの狙いがあった。

露はクリミア戦争に敗れた後には、南下政策の対象を中央アジアや極東へ移していたが、クリミア戦争の反省から兵制改革を進めて軍の近代化を図ると、再び欧州方面への南下に挑み、七七年にはオスマン・トルコとの間に「露土戦争」を勃発させた。「露土戦争」はオスマン帝国領下のバルカン半島で独立を目指した反乱（ヘルツェゴビナ蜂起）が起きたところに、露が介入して起こした戦争である。クリミア戦争の講和の際に、トルコの領土保全が約束されていたのだが（「パリ条約」）、その約定は露がこの露土戦争を引き起こしたことによって破られた。クリミア戦争も露のトルコ領への侵攻が原因であったが、露土戦争によって再び勢力均衡の平和秩序は壊されたのである。

露土戦争を始めるにあたって、露はバルカン半島での反乱に介入する際に、墺との間に密約を交わした。露がこの戦争に勝利した後にはバルカンの一部を墺に譲るので、その代わりに墺には中立していてもらうとの密約である（クリミア戦争では墺は英仏側に加担して露に敵対した／24頁参照）。その上でオスマン帝国に対して宣戦布告した露は、軍事的優位のうちに勝利した。七八年三月に講和条約が結ばれると、オスマン帝国は多額の賠償とともに露に領土を割譲した（「サン・ステファノ条約」）。トルコの一部を得た露の領土はエーゲ海に達し、露は不凍港を手にした。オスマン帝国領の解体が進められ、それまで支配下にあったボスニア・ヘルツェゴヴィナや、ルーマニア、セルビア、モンテネグロなどバルカン半島の各地の独立自治が認められた。なかでもブルガリアはその自治が認められた結果、黒海とエーゲ海を含めた広大な領土を「大ブルガリア公国」として成立させる予定となった。

しかし、英をはじめとする欧州各国は露が不凍港を獲得したことを警戒し、領土問題に介入してきた。英は露の不凍港獲得を阻止しようとして、露土戦争以前の状態に戻すように求めた。他方では墺が独立することに決まったはずのボスニア・ヘルツェゴヴィナを占領した。露との密約があったためである。しかし、墺にとっても露がバルカン半島に領土を拡大することは予定になかったため、露のバルカン進出に対しては墺も強く反対した。

これらの欧州情勢の変化に際して、ビスマルクは「三帝同盟」を背景にベルリンでの会議を主催して、各国の利害調停に進んで乗り出した。そして、露土戦争の講和条約を修正する「ベルリン条約」が締結された。その修正の結果、大ブルガリア公国が成立するはずであったのが、ブルガリアは縮小されて一部の地域はオスマン帝国に復した。露は国際的孤立を回避するために条約を容認したのだが、黒海の北側地域のみをわずかに残して大部分を返還することになり、結局のところ不凍港は失なうことになった。

ビスマルク

列強間の対立を調整したことで次なる大規模戦争の危機を回避したビスマルクは、平和の実現に貢献したとの国際的評価を受けることにはなったが、英がその後にオスマンとの条約を結んでエーゲ海に租借権を得ると、露はそれを不服として「三帝同盟」から離脱してしまった。露から見れば、英は露から不凍港を取り上げておきながら自国は新たな港を獲得し、しかもそれは露の黒海への進出を牽制するための港であった。そして、そうなる条件を創り出したのはビスマルクであり、露を抑制することに加担したことになる。

「三帝同盟」が瓦解すると、ビスマルクは翌年に墺との軍事同盟を締結することで露に圧力をかけながらも、バルカン半島における露・墺間の利害を再び調整して同盟を復活させた（三帝協定）。露は、独墺が露に対して共闘してくることを懸念して同盟復活に合意したのであった。

さらに八二年には、仏が北アフリカに植民地を獲得したことに対して不満を抱いていたイタリアを勧誘し、仏を仮想敵国とした独墺伊による「三国同盟」を築き、翌八三年にはルーマニア（羅馬尼亜）と墺との間にも軍事同盟条約を結んだ（独墺羅三国同盟）。この二つの三国同盟には、露がバルカン半島をめぐって墺と対立することを抑止する意味があった。これらの二重三重の同盟締結は仏を孤立させるための方策であり、同盟網を築いて軍事的な均衡をつくり出すことで欧州の国家間対立を膠着させるとした現実主義外交の表れであった。

また、ビスマルクは単に仏を孤立させるだけでなく、仏と競合しないように植民地の拡大には消極的態度をとった。仏が植民地獲得に傾注する限りは独への復讐が棚上げされるとの見通しから、むしろ仏の植民地政策を積極的に後援した。実際にこれによって仏は「植民地帝国」の建設を目指すことになる。仏がベトナム支配を求めて八三年に清仏戦争を起こしていたのも、こうした独の支持を背景にしていたからであった。

但し、仏に植民地獲得を促すことは、植民地競争で仏と競合する英との対立を意味する。ビスマルクは仏の植民地拡大が英に阻害されることがないように、英を牽制するための植民地の獲得には積極的であった。アフリカの一部を獲得した他、太平洋のニューギニア島の一部と、それに隣接する島々（ビスマルク諸島と命名）など南太平洋の広大な地域を保護領とした。これらの植民地獲得方針へ舵を切った理由は、ながらく議論されてきたのだが、独仏が協同して英に対抗しているかの如く見せながらバランスをとって獲得されたものと言える。また、独では同時期に火薬製造に必要なカリウムの産出量が拡大し、軍備拡大の見通しができたことも背景になった可能性がある（他にも独議会で植民地政策を望む勢力への配慮であったとの解釈がある。ビスマルクは八〇年代の半ばから社会主義者の弾圧を進めるが、それと同時に大衆の支持を集めるために植民地獲得に乗り出していたとも評価される）。

一方、ビスマルクの調停によって露土戦争後の南下に失敗した露は、既述の通り、朝鮮半島の永興湾租借の申し入れ（八四年）や、アフガン紛争（八五年）を起こし、極東では日本や朝鮮を巻き込みながら、英との衝突を引き起こした。また結局その後も墺との確執は解消されず、ブルガリア支配をめぐる対立から「三帝協定」は八七年に消滅した。

ビスマルクは露墺間の対立が戦争に発展することがないように、露の国債の販売を妨害するなどして露の戦備の拡充を阻害した。しかしビスマルクにとっての露との同盟は、仏が露に接近することへの予防策であり、放棄するわけにはいかなかったので、三国間の同盟が破綻してもなお独露の二国間協定に切り替えて同盟関係を続けた（「独露再保障条約」）。また、翌八八年に独墺羅三国同盟に伊を加えることでもう一方の三国同盟を強化することにした。このように、ビスマルクは度々破綻する露との同盟関係をその都度築き直しながら（再保障外交）、欧州の利害対立を積極的に調停することで国際的地位を高める「ビスマルク体制」を築いた。

2 グレイト・ゲーム──三国干渉の裏舞台

独では、八八年三月にヴィルヘルム一世が死去し、帝位を継いだ皇太子も病のために即位後わずか九九日で死去すると、その長男のヴィルヘルム二世が即位した。新皇帝は自らの親政に意欲を見せ、ビスマルクとの間には激しい対立が起きた。そしてビスマルクが国内で推進してきた社会主義者弾圧の政策をめぐって両者の関係が決裂すると、ビスマルクは辞表を提出した。事実上の失脚であった。これにより「ビスマルク体制」の外交方針も変更された。ヴィルヘルム二世は露との関係を重視せず、仏を孤立させるために露を引き付けておくとしたビスマルクの再保障外交は停止されることになる。

ビスマルク体制では、同盟が複雑に入り組んだ上に露・墺間の対立を結局は調停できなかった。また独露再保障条約は墺との戦争を想定している点で、独墺間で結ばれている三国同盟との矛盾があり、露墺の間で戦争が起きた場合には機能不全の可能性があった。ビスマルクの同盟網は戦争を未然に防ごうと築かれたために、実際の戦争が起きた後のことを想定しているわけではなかった。このような特有の外交手法はヴィルヘルム二世の下の独政府には引き継がれず、むしろ戦争が起きた場合に露と墺のどちらの味方になるのか分からないような二股外交の矛盾が問題視された。そのためヴィルヘルム二世は、露との協調よりも墺・羅との関係を重視して、独露間の同盟関係を解消したのであった。ビスマルクの手腕によって維持されてきた均衡状態は、彼の失脚と同時に崩れ去った。

独との同盟が解消されると、露は九四年一月に仏との軍事同盟を締結する。露仏両国は三国同盟の独墺羅のいずれかの国から攻撃された場合には助け合うとする、独への対抗を意識した同盟である。ヴィルヘルム二世に冷遇された露仏の間で結ばれた同盟がこの「露仏同盟」であったと言えるが、これによってビスマルクが最も危険視した露仏の接近が実際に起きたのである。日清戦争の当初の時点で、露が日清間での朝鮮問題に介入できなかったのは、この独との関係悪化が原因だった（88頁）。

一方、ヴィルヘルム二世は従来の政策を大きく転換し、独が覇権をとるための「世界政策」（新航路政策）を展開しはじめた。そして、それは直ちに英の世界政策と対立することになる。

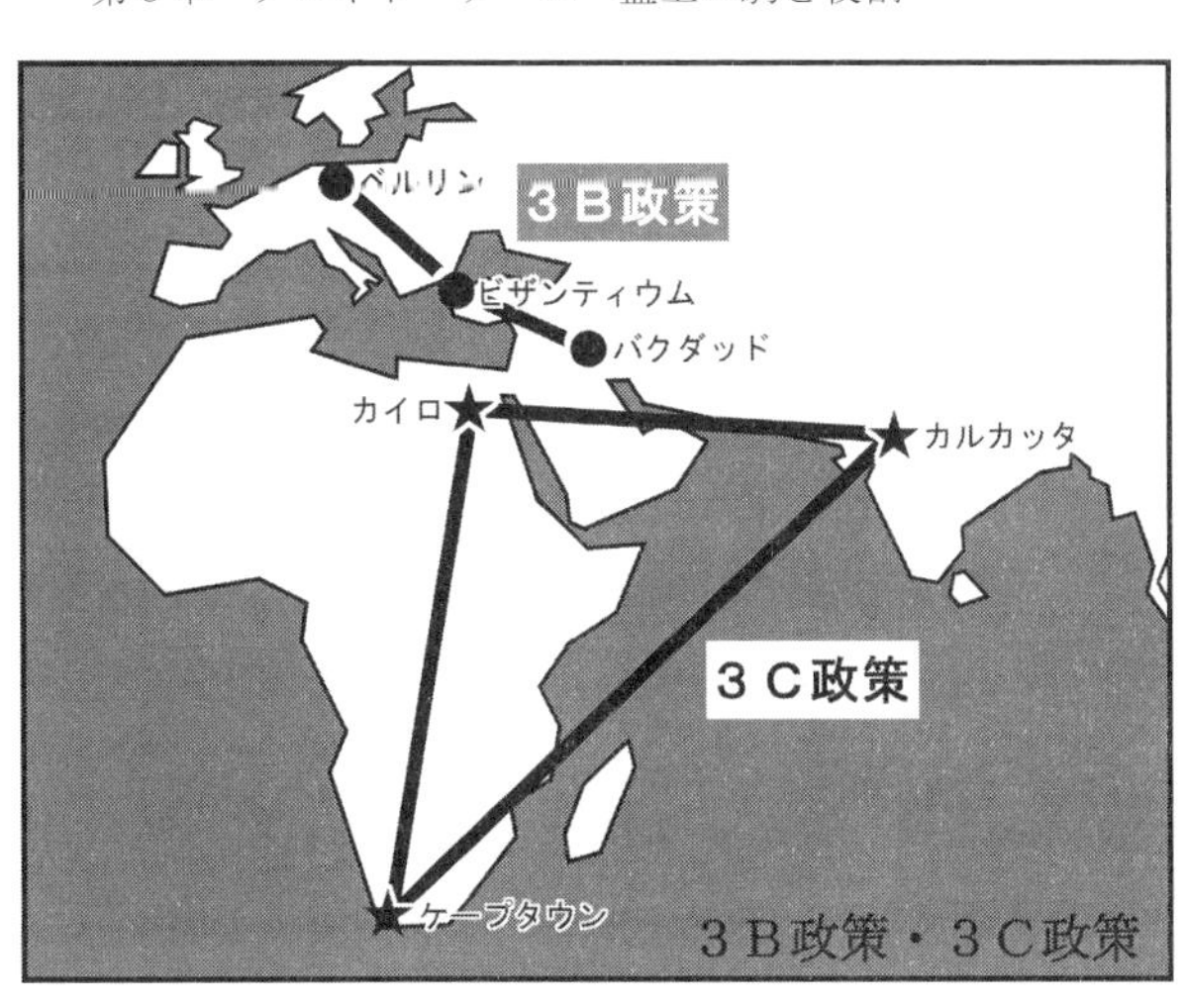

3B政策･3C政策

英は、カイロ（Cairo）・ケープタウン（Capetown）・カルカッタ（Calcutta）を結ぶ「３Ｃ」のルートを基幹に貿易体制を築いていた。これは、インドへの商路をアフリカの南北から確保する植民地経済政策で、トルコ・イラン・アフガンの地域を結ぶ陸路のルートによって補完する計画であった。

これに対してヴィルヘルム二世はベルリン（Berlin）・ビザンティウム（Byzantium - イスタンブール）・バグダッド（Baghdad）の「３Ｂ」の地域を鉄道で結び、近東を独の経済圏にしようとの計画を打ち出した。植民地政策は国民の関心を対外問題に向けさせることができるため、国内世論を統一する上で最も有効な手段と考えられた（先の通り社会主義者の弾圧を進めるビスマルクによって考えられた手段とも指摘される）。また余剰人口を海外へ移住させるためにアフリカに一大植民地を得ることも企図していた。従来陸軍国であった独は、普仏戦争で得たアルザス・ロレーヌ地方を基盤に工業化を果たして貿易大国へと成長すると、一八九八年に海軍建設の方針を定めた。一九〇〇年には鋼鉄生産で英を上回るようになり、好景気を背景に急速に海軍を建設して、その後に世界第二位の海軍国になる。しかしながら、それは覇権国である英との対立を進めることに他ならなかった。

英の海軍は、仮に英に次ぐ海軍力をもつ仏と露が連合してもなお対抗できるだけの規模で建設されていた（「二国標準政策」）。露仏が米とでも連合してさらに英に敵対するような事態にでもならない限り、英は単独で覇権を保つことができた。ところが、ここに独の海軍が出現したことでその均衡が崩されようとしたのである。独海軍は、世界各地に配備された英の小艦隊を局地的には破り得る規模にまで成長していった。独にとっては、露仏同盟が成立した上に英から敵視されるので、独の外交の機軸は墺との諸同盟に限られるようになった。そしてこれこそが独が露に三国干渉を促した背景だったのである。

独にとっての三国干渉は、露仏と共同歩調をとることで孤立を避ける狙いがあった。露仏が極東問題に傾注すれば独への圧迫が緩和されるとの期待からである。また、露が極東に進出すれば英との衝突も予測され、露の脅威は低下する。それはまるでビスマルクの仏に対する植民地政策のようなやり方であるが、ヴィルヘルム二世の世界政策の観点からは単に露仏の注意を極東にそらすだけでなく、清に租借地を得られる可能性があった三国干渉は有益な機会であった。そのために独は日本への干渉を試みる露にその実行を教唆したのである。そして実際に、三国干渉後に独は租借地獲得の機会を得ることになる。

九七年一一月に清の山東省で独人の宣教師が殺害される事件が起こり、独は事件を根拠に清への遠征を行って翌年三月に膠州湾（こうしゅうわん）の租借を認めさせるのである。さらに九九年には米西戦争（116頁に後述）に敗れたスペインから南洋諸島を購入し、世界政策を実行していくのであった。こうしたヴィルヘルム二世の

「世界政策」は独にとっての転換点となったばかりでなく、国際政治にも影響を与えたのである。

《列強間の対立構図》

①英　vs　露　＝「３Ｃ政策」vs「南下政策」（グレイト・ゲーム）
②英　vs　仏　＝アフリカでの植民地獲得競争
③露　vs　墺　＝バルカン半島（特にブルガリア）の支配権争い
④三国　vs　露仏　＝勢力均衡によるせめぎ合い
⑤英　vs　独　＝「３Ｃ政策」vs「３Ｂ政策」

３　「清国分割」と国際情勢―日清戦争の世界的影響

列強間の世界政策が衝突する中で清が日清戦争に敗れると、清も帝国主義の衝突の舞台に加えられることになった。

三国干渉以来、朝鮮半島・中国東北部（満洲）では露の影響力が拡大しつつあったが、それに対して日本は閔妃殺害事件と露館播遷によって影響力を行使できずにいた。露に対抗することが困難であった日本は、朝鮮の支配を進めるために露に接近する方針をとった。

露への接近の初動として、九六年五月に日露両国の朝鮮公使である小村寿太郎（こむらじゅたろう）とウェーバー（Karl Weber）の間で「小村・ウェーバー協定」を締結した。ウェーバーは八五年以来の長きにわたり朝鮮に赴任しており、国王の高宗とも親交を得ていた。実はこのウェーバーが露館播遷の黒幕で、大院君と日本が高宗の王位を奪おうとしていると扇動し、高宗に公使館を提供して親露政権をつくらせたのであった。協定では、閔妃殺害と露館播遷の処理を目的に、日露両国の駐兵を相互に認め合い、朝鮮の現状維持を約した。

また、同じ九六年五月にニコライ二世の戴冠式が行われたのを機に、朝鮮問題にさらに踏み込んだ「山縣・ロバノフ協定」を結んだ（六月九日）。戴冠式に参列した山縣有朋が、それと同時に特使としてロバノフ外相（Aleksey Lobanov）との交渉に臨んだものである。そして、

①朝鮮財政を日露共同で援助すること
②朝鮮軍の訓練に干渉しないこと
③朝鮮国内の電信架設の権利を相互に確認すること（日本は日清戦争に際して釜山 - 漢城に電信線を敷設していたので、その電信線の管理権を保障し、露は漢城から露に至る電信線の敷設権を保有する）
④勢力圏内での発展を互いに尊重すること
⑤第三国からの干渉に対しては日露共同で対処すること

を取り決めた。この協定は朝鮮における日露の対等関係を意味したが、当時の露館播遷の継続する中では露の優位は変わらなかった。

そしてこの後の九八年三月、露は三国干渉で日本に返還させた遼東半島の旅順・大連を清から強引に租借した。東洋の平和のためとして日本には返還させておきながら、自らがこれを租借したのである。露土戦争後に英が露に対して行ったエーゲ海での租借をそのまま日本に対して実行しているかに見えよう。

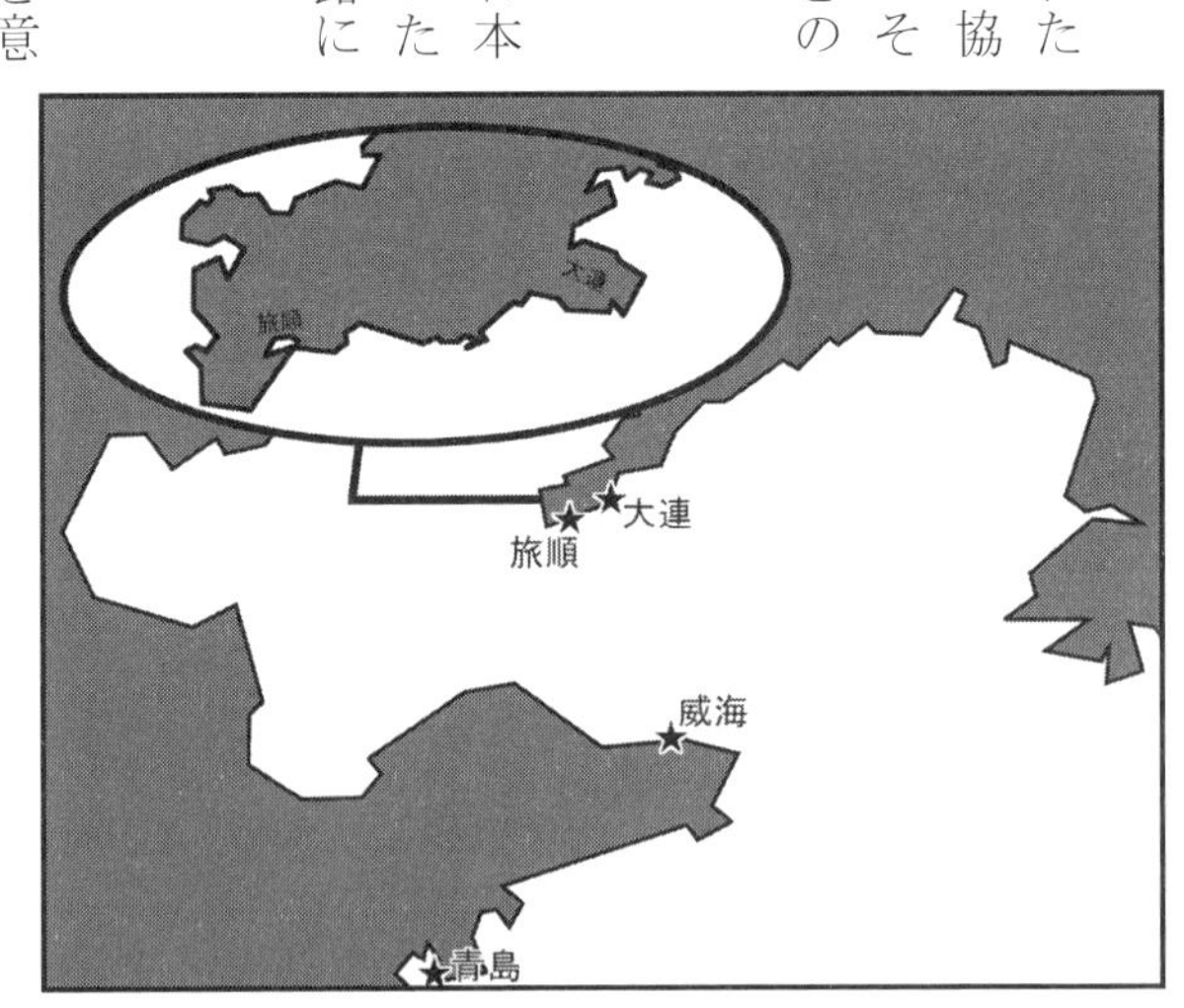

旅順・大連-遼東半島

露が旅順・大連を租借した翌四月、その問題を協議するため駐日公使ローゼン（Roman Rosen）と外務

大臣・西徳二郎（第三次伊藤内閣）の間で「西・ローゼン協定」を締結した。日露両国は朝鮮の独立を認めて、朝鮮の内政には干渉しないとの約束である。これは、朝鮮における今後の日本の経済活動を露が妨害しないことを暗に承認したことを意味しており、露が旅順・大連の租借を日本に認めさせるために、朝鮮支配については日本に譲歩した格好になっている。そして一方の日本側も、朝鮮を勢力範囲にできるのであれば、それと引き換えに露が行った三国干渉と遼東半島の租借を黙認しても構わないと判断したことを示しているのである。しかし、露は単に租借を容認させるために日本に譲歩したのではなかった。

それより二年前の「山縣・ロバノフ協定」（九六年六月）を結んだのと同時に、露はその裏で清との間でも密約を交わしていた（「露清密約」）。ロバノフは、山縣と朝鮮支配の対等化を約束しながら、同時にその

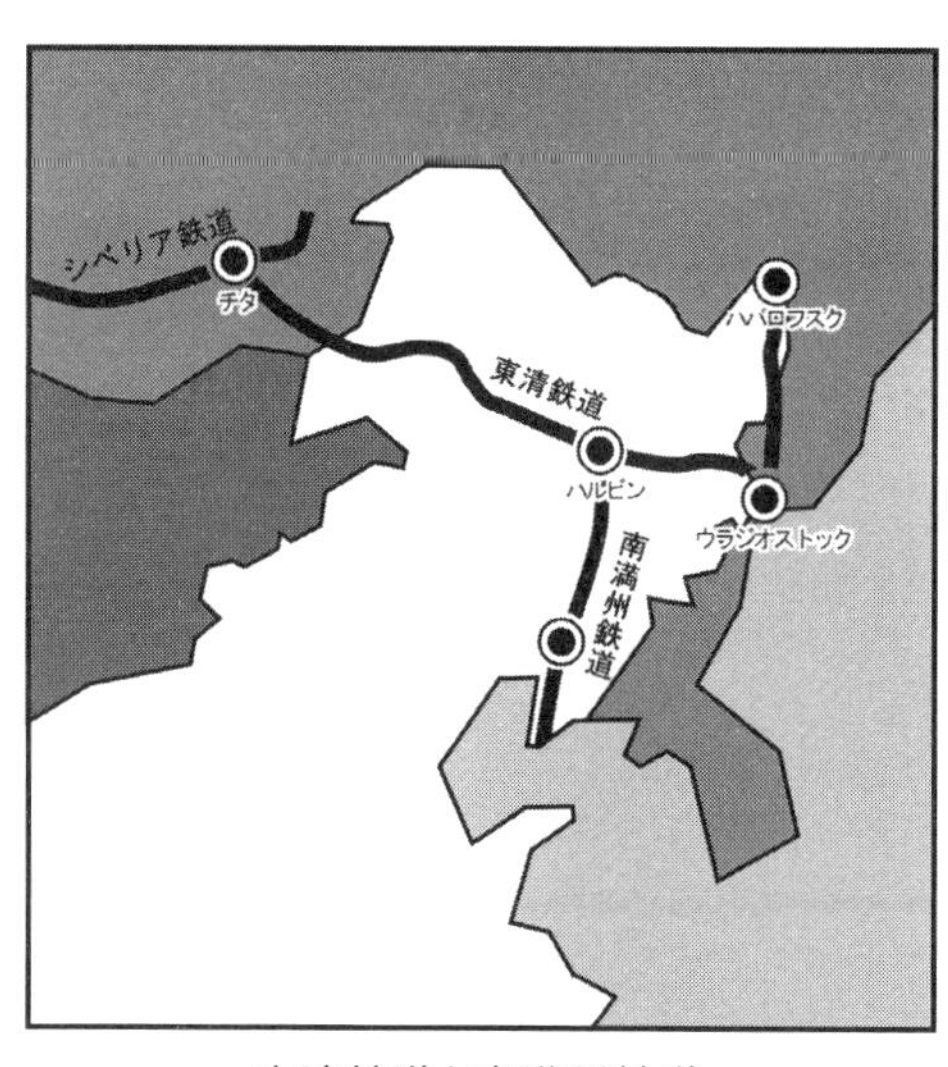

東清鉄道と南満州鉄道

裏で李鴻章との間に日本を対象にした共同防衛を約束し、それと引き換えに満洲に鉄道を敷設する権利を得ていた。シベリア鉄道のハバロフスク‐チタ間の敷設が難工事によって進まなかったために、満洲を横断して路線を短縮する東清鉄道の敷設を計画したためである。加えて「露清密約」では、露軍が治外法権の上に満洲に駐留し、日本が再び清に侵攻することがあった場合には清の全港湾を使用できるとしていた。その翌年の九七年一二月に旅順港に強制入港してこれを占領すると、南満洲支線の敷設権と黄海沿岸の港湾の租借も追加要求した。そして九八年三月に旅順・大連の租借までも認めさせたのである。

また、この間の九六年一〇月には朝鮮との間にも、露が

朝鮮軍の軍事訓練を行うとした秘密協定を締結していた。朝鮮軍への干渉についても「山縣・ロバノフ協定」は全く無視されていたわけである。

露は旅順・大連の租借権を奪取したことによってついに不凍港を獲得した。そればかりでなく、その租借に至るまでに満洲での鉄道経営や、朝鮮への軍事的影響力を得て下準備を進めていたわけである。そのため「西・ローゼン協定」において表向きは日本の朝鮮支配を承認していても、それは何らの譲歩でもなかった。その時には既に満洲での鉄道や駐兵の権利を得ていて南下政策を推し進める算段が立っていたのである。従って「西・ローゼン協定」は、まるで露の満洲の鉄道計画を黙認するために結んでしまったようなものであった。日本はそれとは知らずに協定を結び、露清密約の存在を知るのはこの後の日露戦争においてであった。

しかしながら、露の強引な南下を清が容認したのは日本に賠償金を支払わねばならなかったからであった。言わば日本が清に与えた負担が、露の策略となって日本に返ってきていたのである。清はその支払いのために列強から借款（国家間の金銭の貸し出し）を受けねばならず、借款の代償として租借地や鉄道敷設権を譲渡した。つまり、グレイト・ゲームを主とした列強の世界政策が衝突する中で、清が日本に敗れたことによって、清の分割が開始されることになったのである。そのため、露にだけでなく独・仏・英からも権益を奪われていった。

仏は露仏同盟を背景に、九五年には露と共同して対清借款を行い、見返りとしてベトナムから雲南への鉄道の敷設と、雲南・広東での鉱山採掘権を獲得した。九九年には広州湾の租借権を得て、ラオスを含めた仏領インドシナと一体化した勢力圏を築いた。

独は、前節で述べた宣教師殺害事件を根拠として九八年三月に膠州湾を租借すると、鉄道の敷設権・鉱山の採掘権を獲得し、海軍基地としての青島要塞を建設した（「独清条約」）。露が旅順・大連を力づくで租借したのは、この独の膠州湾租借に合わせた措置であった。

　これらに見る通り、独仏露の清国分割は港の使用や租借に留まらず、鉄道敷設や徴税権・採掘権など内陸支配にまで及ぶようになっており、それは日清戦争と三国干渉の延長上に行われるようになった権益の獲得方法であった。そして独仏露の行動は、勢力均衡の観点から英にも行動を起こさせる。

　英も独露に対抗して清国分割に乗り出した。九八年一月に借款の担保として長江流域の鉄道敷設権を得ていたが、三月に露が旅順・大連を得ると、対抗措置として五月に旅順港の対岸にあたる威海衛を租借し、さらに香港に近接する九竜半島に築いていた勢力地域をさらに拡大した。加えて雲南・広東の大部分と広西省全域を仏と分け合って勢力圏にした。

　そして、これらの原因をつくった日本も領土的経済圏を得ようと分割に加わり、九八年四月には台湾の対岸である福建省を第三国に割譲しないよう清に約束させた。福建省を第三国が支配することになれば、台湾の防衛や経済活動が妨げられるとの理由からであるが、それは台湾を足がかりに日本の排

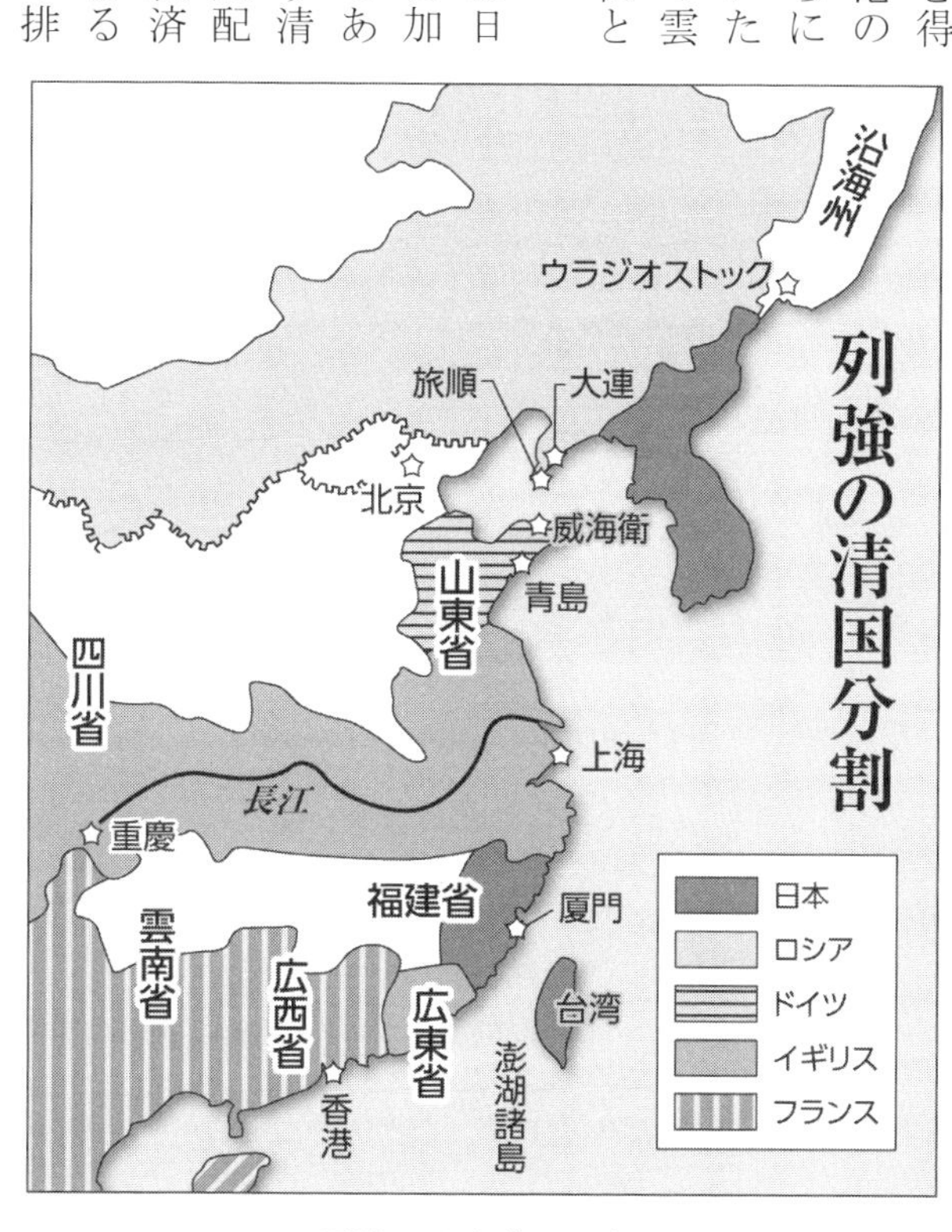

列強による清国分割

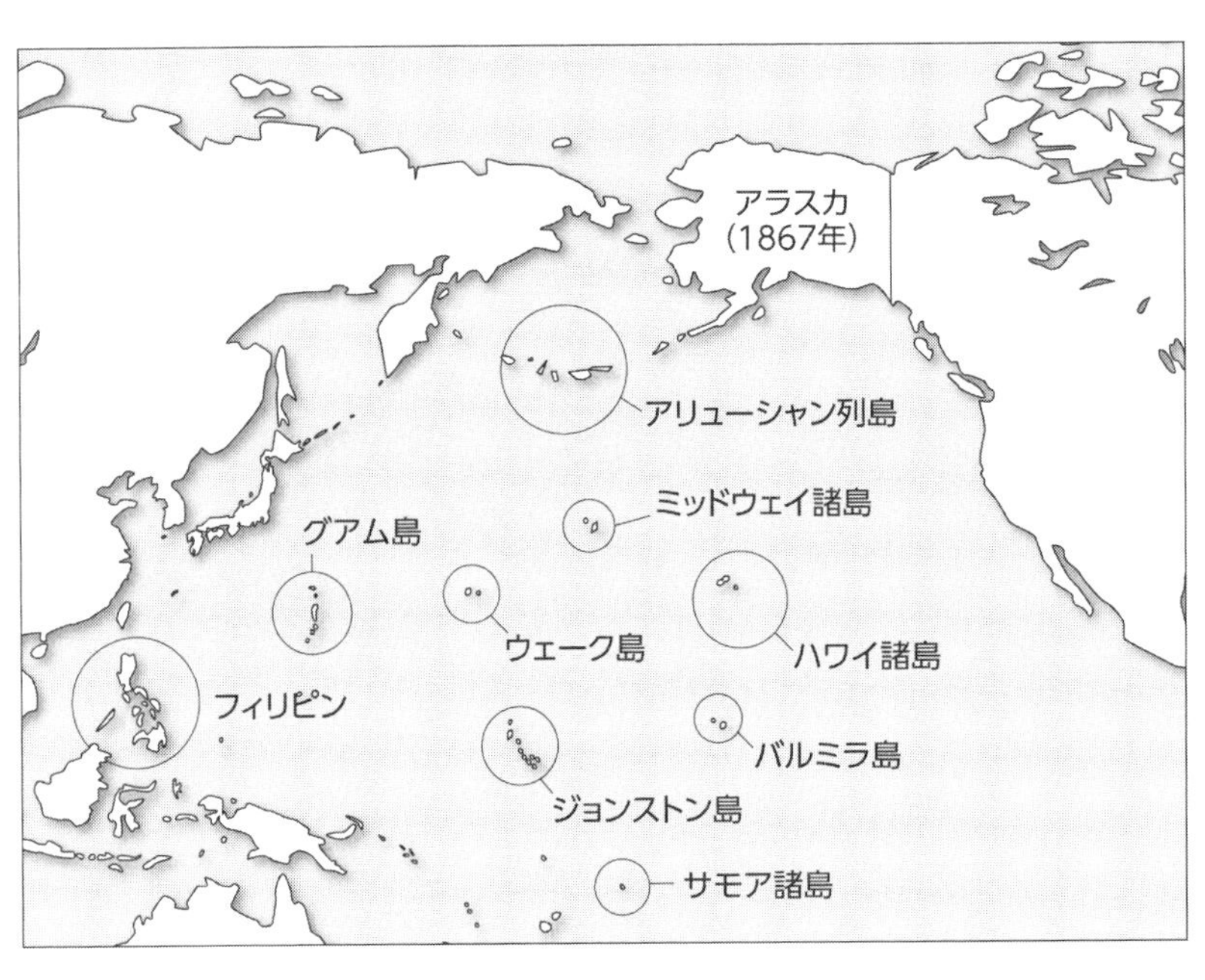

米国の植民地と領土

他的な経済圏を清の本土に築こうとの思惑によるものであった。

他方、列強の中で米だけは清国分割に加われなかった。それは南米キューバの独立運動をきっかけに九八年に開戦した「米西戦争」によってである。スペイン(西)の植民地であったキューバが西の影響力の低下を原因として独立運動を起こすと、米が介入して戦争に発展した。これに勝利した米は、西が太平洋に保有したフィリピン・グアムとカリブ海のプエルトリコを植民地とした。フィリピンを失った西はその他の南洋諸島の統治も困難となり、既述の通りそれらを独に売却するわけである(106頁)。

米はこの戦争の過程でハワイを併合し、太平洋進出の拠点を得て、他の島々も得ていくのだが、これがために清国分割には間に合わなかった。清での権益獲得に遅れをとった米は、翌九九年に「門戸開放政策に関する宣言」(Open Door Policy)を提唱するようになる。清での通商権・関税・鉄道料金・入港税などを各国に平等に開放する「機会均等」を求めたもので、さらに翌一九〇〇年には国務長官ジョン・ヘイ（John Hay）によって「領土保全」も追加宣言された。以後は「門戸開放・機会均等・領土保全」が米外交の三原則となり、フィリピン支配を棚上げしながら植民地支配の廃止を訴えるようになる。

この後に米が実施する清への進出は、資金の出資などによる経済的な進出で、列強と米との共同出資や借款を提案することで、列国の勢力圏へ割り込もうとする方法をとった。米は清の主権を保護するためとして「三原則」を提唱したが、それというのは、もはや清の領土には米が割譲を求める余地がなかったために、領土割譲や内陸支配という分割の方法そのものを否定することで既に出来上がっていた列国の勢力圏をクリアにし、後から割り込んで権益を得ようとしたものであった。そもそもフィリピンの獲得は、清の市場を獲得するための拠点にするためであったが、米はフィリピンを得た後には植民地政策を放棄して、新たな勢力拡大方法としての「三原則」を主張した。植民地を否定する国に偽装したのである。

★「植民地」はどのように拡大したか？

弱肉強食の帝国主義時代では強国が弱国を植民地として支配する。特にアフリカは一九世紀から二〇世紀にかけて植民地化が進み、ほとんど全土を支配された。

当初の一九世紀前半には、英・仏・葡がアフリカの沿岸に拠点を設置して交易を行っていたが、次第にアフリカ探検が始められ、一九世紀中頃にはすでに内陸部の豊富な資源の存在が明らかとなってきていた。内陸に進出した各国は、現地の首長らに接触すると奴隷貿易を始め、市場として開拓していった。

一八三〇年、仏がアルジェリアに出兵して植民地化すると、そこから徐々に北アフリカへの進出を開始した。八〇年代からはサハラとジブチを結ぶ「アフリカ横断」を推進していく。

他方、英は一八七五年にスエズ運河会社を買収したのをきっかけに、アフリカへの積極進出を展開した。スエズ運河は、現地のエジプトが仏と共同して建設したものであったが、エジプト政府は財政難から運河を管理運営する会社の株を売り出した。英はユダヤ財閥のロスチャイルドの資金を受けて、仏に先駆けて株を買い取った。

さらにオランダの東インド会社への対抗を図ったベルギー（白）の国王が、コンゴを植民地とした。ビスマルクがベルリン会議で調停せねばならなかった問題には、白のコンゴ獲得が引き起こした英仏との利害衝突もあった（会議の出席国は、英・独・墺・白・西・米・仏・伊・蘭・葡・露・丁抹・瑞典・土）。英仏が衝突したファショダ事件（第7章5②に後述）が起きた後には、英が南アフリカへ伸張し、南アフリカ連邦を成立させるが、アフリカはエチオピアとリベリアを除く全土を分割されるのである。

列強は、現地の文明化・近代化を援助するとの口実によって進出し、支配を進めていった。現地に自力による近代化の力がないと思わせることも要件となった。支配の目的は資源や市場の獲得にあるため、そうした魅力のない国は植民地の対象にはならないが、多くの場合は統一的政権がなく、政情不安を抱えているような地域に対して、近代化を与えられるとして入り込んでいくのである。そのため、国内に統一政権があり、その政府が代表して交渉に立つような国家は、容易に植民地化されるということはない。清国が「半植民地的状態」に留まり、日本が植民地化の対象でなかったのにはそうした背景がある。幕末に英が倒幕勢力に加担したのも、日本の政府が強固な統一政権へと再建されることで、露仏独（普）が影響力を拡大することを防ごうとしたもので、第一には露が日本に植民地を得ることを防ごうとしたものであった。

第７章
世界の中の「日露戦争」

露は日本の講和交渉に干渉し、旅順・大連を租借した。それは悲願の不凍港の取得であったが、しかし旅順港は湾内が狭く、露の太平洋艦隊の停泊基地としては不適当であった。そのため一八九九年五月、露は韓国の東南部（馬山浦）に新たな港を得ようと、韓国に対し領土の割譲を強硬に迫った。韓国の通報によって露の動向を知った日本は陸軍の資金によって同地を買収し、露の占拠を阻止した。露の行動は、日本との協定を遵守しようとなどしていない態度を明らかにした。そして翌年に清で義和団(ぎわだん)事件が起こると、露の侵略的な領土拡張は増長し、国際問題化することになる。

清国をも舞台に加えたグレイト・ゲームは、英vs露仏vs独（墺・伊）の三極対立の構造を生み出し、その対立を先鋭化していく。日本はその対立構図の中に自らを位置づけ、積極的に関わっていくことになる。

１　義和団事件とロシア

かつてアジアの覇権国であった清は、華夷秩序においては格下であったはずの日本に敗れ、それがもとで列強に国土を蚕食される憂き目にあっていた。露仏英独の四カ国は「対清借款団」を形成し、清に対する債権を増大させて、税関の行政権や財政の監督権を得ていった。当の清では、日清戦争に敗れたのは清朝の腐敗が原因との自己認識が出てきた。つまり日本が強くなったのではなく、清が弱かったとの理解であるが、そうした認識は当の日本や諸外国も同様であった。但し近代化の必要から、西洋と日本に学んで近代化を進めようとの政治改革運動が行われた。この改革を「変法自強」運動、または「戊戌変法」と呼ぶ。改革運動を主導したのは皇帝（光緒帝）の下で近代化を目指した政治家らで、憲法の制定・議会制の導入による立憲君主制への移行が図られた。ところが、これに対して光緒帝の叔母である西太后が保守的な立場からそれを妨害し、ついには甥である光緒帝を幽閉した。

　二代前の皇帝（咸豊帝）の側室であった西太后は、皇帝の死後に当時五歳の実子（同治帝）を即位させ、皇帝の生母として君臨した。しかし同治帝は早くに亡くなったため、甥の光緒帝を即位させて実権を握り続けた。悪政の逸話が多く知られ「世界の三大悪女」の一人として名が残る西太后であるが、華夷秩序の変法を行おうとする改革を阻止したのは、保身の観点からだけでなく宮中の高官たちも改革に不満をもったためでもある。改革派は西太后の排除を試みるが、密告によって事前に計画を知った西太后は、改革派を次々と処刑した。西太后は光緒帝の廃位を望んだが、列国が介入してこれに反対したため実行できなかった。そのため光緒帝を幽閉し続けて、自身は権力の座に留まった。

　西太后は皇帝の退位問題にまで干渉してくる列強に強く不満を抱いたが、民衆もまた清の惨状に不満を抱いたことから、次第に各地で列強への反対運動が発生した。きっかけをつくり出したのは、「白蓮教」（弥勒菩薩を信仰する革命思想教団）の一派の武術集団であった。義和拳という拳法を修練する団体で、中華的神仙思想や仏教的性格が混在するその教義では、義和拳を習得すれば刀槍や銃弾を跳ね返す不死身の身体となり、孫悟空や関羽がその身に乗り移るなどとの教えを説いた。

義和団は列強の清国分割を批難して、清朝を扶け・西洋を滅するとした「扶清滅洋」を掲げて抗議運動を展開した。仏教集団として反キリスト教の性格をもつ義和団運動は、一八九九年頃から開始されて次第に激化し、その年の一二月には山東省で英国人宣教師を殺害する事件などを起こした。勢いを増した義和団が北京の所在する直隷省に向かって進行すると、西太后は義和団の力を借りて権勢を維持しようと企図した。最高権力者である西太后が支持すると運動はさらに勢いづき、列国の公使館を襲撃したり、キリスト教の教会を焼き打ちするなどして激化していった。公使館員などが殺害されたことから国際問題となり、被害のあった英・露・仏・米・日・独・伊・墺の関係八ヵ国が武力鎮圧に乗り出した。

一九〇〇年六月から八ヵ国連合は清への派兵を進めた。これに対して西太后は、義和団運動が二十万人もの規模に膨らんでいたためか、自ら連合八ヵ国へ宣戦を布告した。連合軍は併せて二万人弱の兵力であったが、日本軍がおよそ半数を占める約八千名を派遣し、清の正規軍や義和団と戦った（北清事変）。当時、英は南アフリカで植民地拡大のための「ボーア戦争」（一八九九～一九〇二年）を行っており、米もフィリピン（比律賓）統治のための「米比戦争」を行っていたことから両国とも清に兵力を割くことができず、再三日本に派兵を依頼してきた。時の山縣内閣は、露との朝鮮問題を改善する機会としてこの北清事変を利用できるかもしれないとの考えから、英米の要請に応えて部隊を派遣した。

西太后

日本の派遣部隊は近代兵備により義和団を圧倒し、列国から「極東の憲兵」と称される（中国での弾圧に貢献した「軍事警察」という意）。西太后は連合国との戦闘が不利と見ると北京を脱出し、今度は一転して義和団の討伐を命令した。列強に勝てなかった義和団への弾圧命令である。そして列強との和議を図るよう李鴻章に命令した。この間には独が数万の兵を追加派兵し、独軍の元帥が連合軍の司令官となると、北京での掃討作戦が頻繁に実施された。北京と天津は連合軍に占領され、その後の約一年にわたって占領が続くと、この間の北京では各国による略奪が横行した。清の野蛮を懲らしめるはずの文明各国の軍隊が、非常時性に乗じて他国の都市において盗みや蛮行を重ねたのである。

そうした状況の中で、日本はこの機に南清においても勢力を拡張して、鉄道や鉱山に関する権益を得られないかと画策した。台湾総督の児玉源太郎が陸軍の参謀本部の意向を背景に、台湾の対岸の福建省厦門の占領計画を立案すると、八月二二日に山縣内閣において作戦実施が閣議決定された。厦門にあった東本願寺の布教所に放火し、これを義和団の暴徒による焼打ちだとする口実を作り上げて軍事行動を起こす計画であった。閣議決定の二日後、自ら放火して火災を起こし、海上で待機していた軍艦から陸戦隊を上陸させた（厦門事件）。しかし、義和団運動が拡大していなかった福建省での事件は、すぐさま日本側が故意に行ったものとの風説が立ち、清から抗議を受けた上に、英米からも非難されたため謀略は中止された。自ら被害をでっち上げて軍事行動を起こす謀略は、これより三一年も後の満州事変でも確認されるが、厦門事件はまるでその先例を作ったかのような行いであろう。

台湾から福建省への勢力拡大は、事件より前の一八九六年六月に樺山資紀の後任として台湾総督になった陸軍の桂太郎も構想していた。台湾を開発して、それを足掛かりに大陸に勢力を扶植する意見書を作成している。桂はほどなく総督を辞すのだが、九八年に児玉が総督に就くと、改めて台湾を根拠地とする勢力拡大が企図された。台湾の統治は部分的に日本本国の憲法の規定を受けたが、基本的には英の植民地統治の方法を参考に、植民地を本国とは分けて扱う特別統治方式が採られた。そうした特別な地において特例的に大きな権限をもつ総督の職を陸軍が占有するようになると、台湾総督は陸軍の戦略的な視点から独自の統治計画を立てるようになっていたのである。但し「厦門事件」の失敗でその出鼻を挫かれた総督府は、以後は経済的手段による大陸進出を試みるようになっていく。

北京占領後も連合軍は日本をはじめとして部隊の増派を続け、各地で義和団を鎮圧した。一九〇一年九月に連合八ヵ国と、蘭・白・西の三ヵ国（清との通商関係があった三国）を含めた一一ヵ国により、事件処理のための「北京議定書」が調印された。清からは李鴻章が交渉にあたり、列国の軍隊の駐留と賠償金を認めた。ノルウェー、スウェーデン、ポルトガルの公使館などにも被害があったため賠償金は計一四ヵ国に支払われた。四億五千両の高額賠償を約束したが、利息を合せると約一〇億両（約五〇兆円）となり、清の国家予算の一一倍に迫る額であった。それは清にとっては西太后の保身のための代金でもあったが、日清戦争の賠償金が残る中でのさらなる多大な負担の増加となった。清はこの後、中華民国になった後の一九四〇年まで支払いを続けることになる。そして、列強は北京や天津に軍隊を駐留させることになり、この後も事実上の首都占領が継続された。日本も天津に部隊を駐留させた。後の日中戦争の初期に主力部隊となる「清国駐屯軍」である（一九一二年以降は「支那駐屯軍」）。

北京から逃亡した西太后はこの期に及んで列強への抵抗に限界を感じ、逃亡先の西安から改革を指揮した。その内容は、内閣や議会の設置による立憲君主制を目指したものであり、つまりは自身が潰した「戊戌変法」の焼き直しであった。西太后は逃亡先でも光緒帝の自由を奪いつつ、遅すぎた近代化を指導した。その後は一九〇二年に北京に帰還して、一九〇八年一一月に死去するまで権力を保った。その年の一〇月にそれまで幽閉され続けた光緒帝が死去したが、西太后に毒殺されたと見られている。西太后は親族の中から当時二歳の愛新覚羅溥儀（あいしんかくらふぎ）を皇帝に指名するのだが、奇しくもその翌日に自らも死去した。西太后は生涯の最後に清朝最後の皇帝となる溥儀を登場させて去ったのであった。

2 「日英同盟」―グレイト・ゲームへの参入

義和団事件において日本に次いで兵力を投入したのは露であった。露は満洲の鉄道が義和団の襲撃を受けるとこれを鎮圧し、その後は一七万の兵力で満洲(東三省)を占領し続けた。満洲の占領の継続を望んだ露は、一九〇〇年一一月に他国の干渉を避けるために露国内で清と単独交渉することで満洲の占領を認めさせようとした(「第二次露清密約」)。これが露見すると日・米・英は強く反対の意向を示し、清国内でも反対運動が起きたために清は露の要求に応じなかった。そもそも露の鉄道建設による満洲の半植民地化こそが、義和団が排外運動を起こした要因の一つであったので、その上での満洲の不当占拠が反感を増していたのである。そして、こうした露の軍事行動はグレイト・ゲームの相手である英と日本との間を接近させることにもなった。

露が清国領に根拠地を得て、さらにシベリア鉄道と接続する南満洲支線の鉄道を敷設することは、英からも危険視された。英はそれまで同盟戦略を採らず「栄光の孤立」を主義としたが(英における「孤立」とは、同盟締結による特定の機軸を設けずに外交の選択肢を限定しない方針を意味している)、単独で露の極東戦略に対抗することに限界を見て、清の利権を保持する上での協力国を求めるようになった。その協力国は、極東において陸軍を展開できねばならず、それは独か日本に限られた。

英は当初、独との提携を模索した。英独の間では、義和団事件での合同を機会として一九〇〇年一〇月時点で既に清の権益を相互に補償する協定が結ばれていた(揚子江協定)。しかし、独は露仏同盟への配慮から露との対立を避けようとして、露の満洲支配についても積極的に反対しようとはしなかった。独の立場(英露が競合する中東へ割り込んでいこうとする「3B政策」)からは、露が極東に関心を向けているのは好都合だったからである。一九〇一年四月、英が極東の勢力均衡を調整しようと、独と日本との三国の同盟を持ちかけたが、これに対して墺との同盟が機軸になっていた独は、英に対しても墺との関係強化を求めた。そして露への配慮から同盟の適用範囲に満洲を含めないとしてきた。それは英の意向と合わず、英独間では中東・極東での利害が一致しなかったために三国での同盟案は頓挫した。そして日英間の同盟案に絞られることになるのである。

「第二次露清密約」の動きが明るみに出て、国際的な批判を浴びたことから満洲の独占に失敗した露は、清との単独交渉を打ち切るとしながらも、今度は撤兵のための話し合いとして交渉を継続した。この露の動きを見た日本でも、英との協同によって露を牽制する方針が検討されるようになった。日本では一九〇一年六月から桂太郎内閣が成立するが、それ以前から英との同盟に踏み切るべきなのか（日英同盟論）、または露と交渉して韓国支配を固めるべきなのか（日露協商論）で意見が分かれていた。結果として桂内閣は英露双方との同盟の可能性を残し、二つの外交路線を並走させた。英による三国での同盟構想を受けて日本側から打診したことから本格化した交渉であった。政府は英との交渉が進展するに伴い、露との協商論よりも英との同盟を一一月には英側の具体的な草案が提示された。英との交渉は一〇月から本格化し、優先するようになり、一九〇二年一月にロンドンで「日英同盟」が締結された。

この同盟は、日英の何れかが戦争を起こし、さらに第三国が参戦した場合には、自国も参戦するという条件で、つまりは二国間戦争の場合には中立を約束し、多国間戦争となった場合には共同参戦するというものである。二ヵ国以上の国を相手に戦争する場合に発動する条件なので、日本が露と交戦しても、それだけでは英は参戦しないが、露仏同盟によって仏が参戦した場合には英も参戦することになる。謂わば、日英はその発動条件などを正確に把握してはいなかったが、実際のところ露のために仏が英と戦争するような事態にはなり得ないため、つまり日英同盟を結んだ時点で仏を抑制する役割を果たすものであった。

英はこの間アフリカでケープタウンの北方に植民地を拡大するための「ボーア戦争」を未だ継続しており、極東問題よりもアフリカに集中せざるを得ない事情があった。当時の日本にとっての日英同盟は、世界の覇権国である英に地位を認めてもらえる効果があり、同盟を背景に朝鮮半島における権益を確保しようとの利点があったが、英にとっても清での権益を保護する上での利点があった。極東での問題に対処し切れないことは義和団事件によっても明らかであったからである。また、露が欧州に配備していた新鋭の軍艦を回航させて、旅順で太平洋艦隊を編成しつつあったことが、英を日本との同盟に踏み切らせていた。英が単独で太平洋艦隊と均衡を測れるだけの艦隊をアジアに配備するのはあまりに負担が大きかったため、英は日本の海軍力も計算に加えて、極東でのバランス・オブ・パワーを測った。最悪の場合には日本を露にぶつけて露軍を消耗させ、欧州でのバランスの調整を測ればよかった。即ち、日英同盟とは英の極東政策に日本が参入することを意味し、日清戦争後の極東情勢を背景に、義和団の鎮圧で地位を向上させた日本がグレイト・ゲームの中で一翼を担うことを意味している。但し、この段階で英が露との対決を定めていたわけではなかった。英にとっては揚子江（長江）流域の権益が護られるならば満洲は棚上げし得る問題であった。そのため日英同盟交渉には日本の方が積極的だった。

満洲を占領し続ける露に対し、日英同盟に歩調を合わせた米も覚書によって露を非難した。それらの圧力から、露はその首都サンクトペテルブルグで、未だ西安に逃亡していた西太后が派遣した代表者と交渉し、一九〇二年四月に「満洲還付条約」を締結した。露軍はそれより一年半をかけて、三度に分けて満洲から撤兵し、満洲を清に返還するとした条約であったが、その一年半の間は露軍が満洲を軍事的に統制する内容になっていた。露はさらに密約による既得権益の確保を図ったが、この交渉過程の一九〇一年一一月に李鴻章が死去したことからそれは実現しなかった。

満洲の露軍は条約の通りに、一九〇二年一〇月の第一次撤兵を果たしたが、翌〇三年四月に予定されたはずの第二次撤兵は停止して、約束を履行しなかった。露の政府内ではニコライ二世の政治顧問ベゾブラーゾフ（Aleksandr Bezobrazov）が、列国の反対を押し切ってでも軍備を増強して清の北部一帯を占領すべきと主張して、国際協調派のウィッテ蔵相（Sergei Vitte）を失脚させていた。その政変によって強硬路線に変わったことが不履行の原因であった。これに対して日本の首脳部は、日本の韓国支配を認めさせた上で、露の満洲での権益に制限をかける要求を出すことにしたが、八月から東京で開始した駐日公使ローゼンとの交渉が難航すると、その後の交渉をどのように展開するかについては政府内でもまったく方針を一致させられなかった。

露側は、日本が韓国領土の一部たりとも軍事上の目的に使用しないようにとの条件を要求しており、それは日本が到底認められない要求であった。これに対して日本は、露の満洲権益をある程度認めて譲歩するとしても、露が要求する韓国権益の制限は断固拒否するとした。交渉は翌年まで進展しなかった。日本の譲歩案に対しても露は前向きな回答を出さず、対案も出さなかったことから、日本側では露が時間稼ぎをしていると判断し、交渉による解決の見込みはないものと捉えた。そして、二月三日に旅順港に停泊する露の艦隊が出航して行方がわからなくなったとの情報を得ると、翌日の御前会議で露との交渉を打ち切って開戦することを決定した。

実はこの時、露では単に東京への連絡に時間がかかっていただけで、時間稼ぎをしていたわけではなく、戦争に踏み切る準備などはしていかなった。しかも、交渉決裂の直前の一月二八日には日本への譲歩を内容とした「日露協商案」の提示を露の政府内で決定していた。それは朝鮮で日本が獲得した権利・優越権を尊重するとした内容であった。また駐露公使の栗野慎一郎からも露が譲歩する様子であるとの情報が入っていた。しかし二月四日に開戦を決定した日本は軍事行動を秘匿するため、満洲の各所に敷設されていた露の電信線（「山縣・ロバノフ協定」において露が得た電信線／112頁参照）を切断したことから、露の協商案はローゼンのもとに届かなかった。もし届いていれば交渉は継続されたかもしれず、露が妥協していた点からは戦争が避けられた可能性も考えられる。旅順の艦隊が出航したのも訓練のためで、四日には旅順港に戻っていた。即ち日露戦争は開戦直前まで不可避の戦争だったわけではなかった。

しかしながら、世界の対立構図の中で英米の支持を得た日本は、露との対決姿勢を打ち出し、開戦に踏み切ったのである。

3　日露開戦

列強の戦略争いは、当時の思想潮流を背景に展開されていた。日本では「海上覇権論」として知られたその思想は、海軍力による制海権の掌握（Sea Power）こそが世界政策の要であることを説き、列強の間に軍艦の建艦競争を引き起こした。これを提唱したのは、米海軍の軍人で戦略研究者でもあったマハン（Alfred Thayer Mahan）で、一八九〇年に発表した『海上権力史論』においてであった。

マハンは英の覇権の力を分析し、海軍力・造船能力・経済力・根拠地を指標として国力を評価する海洋型地政学によって、大きな大陸国家が優位とされた従来の考え方を転換させた。堅固な大陸よりも、強大な戦艦をできる限り保有して海外根拠地を確保することの重要性を「制海権」・「海上封鎖」といった概念で説明した。マハンの論は、大西洋・太平洋に艦隊を分散配置せねばならない米国において高い評価を受けると、他の列強にも影響を与えて、列強はこのシー・パワー論を基に根拠地となる海外の軍港の獲得を求めて建艦競争を開始した。

海上覇権論は日本でも訳本によって知られ、海軍戦略に影響した。可能な限り大きな大砲を有した巨大艦船を求める「大鑑巨砲主義」が共有され、艦隊決戦思想が定着していった。そのために、日清戦争によって獲得した鉱山（大冶鉄山）と、賠償金を元に設立した八幡製鉄所が軍拡のために使用された。三国干渉後の日本は露との協約を結ぶ傍ら(かたわ)で、海軍では戦艦六隻・装甲巡洋艦六隻を新造する「六六艦隊」計画を立て、陸軍は最大動員一〇〇万人規模の一三個師団体制の確立を目指して軍備を増強していた。

日露戦争時の日本海軍の主戦力は、戦艦六隻、装甲巡洋艦・巡洋艦二〇隻であったのに対し、露は戦艦二二隻、装甲巡洋艦・巡洋艦一七隻で世界第三位の実力をもつ海軍であった。戦艦の数では比較にならなかった。但し、露は欧州と太平洋とに艦隊を分けて配備しており、太平洋艦隊はそれをさらに旅順とウラジオに分けて配備していた。また最新鋭艦を揃えた日本の戦艦は六隻とも最高水準の一等戦艦であったが、露は旧式戦艦を多く含んでおり一等戦艦は八隻だった。その点では露の方がやや優勢である程度の差だったのだが、露の一等戦艦はほとんどが太平洋艦隊に配備されており、戦艦七隻（うち一等戦艦五隻）、装甲巡洋艦・巡洋艦一〇隻で編制されていた（装甲巡洋艦・巡洋艦のうち四隻がウラジオ艦隊で他の全てが旅順艦隊）。つまり、太平洋艦隊には露が保有する八隻の新鋭艦のうちの五隻も集まっており、太平洋艦隊だけで日本海軍の総力に匹敵したのであった。もし欧州の艦隊が回航して太平洋艦隊と合流すれば日本側には勝算がなくなってしまう。そのため日本の戦争計画では、まず韓国政府が露側についてしまうことを防ぐために朝鮮半島を政治・軍事的に確保し、海軍はそれと同時に全海軍力をもって旅順艦隊とウラジオ艦隊をそれぞれ個別に撃破して、欧州の艦隊を迎え撃つ計画とした。

日本軍は二月八日の夜に旅順港に奇襲攻撃を行い、中立を宣言していた韓国の漢城を九日までに占領した。漢城の占領は露館播遷の再発を恐れたためで、とくに陸軍側ではそれが急がれていた（但し、陸軍においても韓国へ限定的な出兵を行ない、その上で交渉を継続しようとの案が開戦直前まであり、日清戦争時と同様に一貫した計画に基づいて開戦したのではなかった）。一方、露の旅順艦隊はまったく戦闘準備を整えていなかった。戦争になると思っていなかったためである。日本側が満洲の電信線を切断したため、日露交渉が決裂した情報すらも入っていなかった。しかしながら、海軍がしかけた旅順への夜襲は成果を上げず、露の戦艦を撃滅することができなかった。海軍は一挙に旅順艦隊との決戦を求めたが、旅順艦隊は戦力を温存する方針で、旅順港から出撃しようとはしなかった。

日本軍は朝鮮半島の仁川(じんせん)に陸上部隊を上陸させ、その上で一〇日に宣戦布告を行った。韓国政府との間に「日韓議定書」を締結させて戦争協力を取り付けたことで、露と韓国を分断する第一目標が達せられた。韓国では日本の侵攻に対して暴動が起こるなどしたが、陸軍が「韓国駐箚(ちゅうさつ)軍」を駐屯させて取り締まり、以後の朝鮮半島は日本の基地として利用されることになる。韓国にとっての日露戦争は日本軍の韓国侵略に他ならなかった。

旅順艦隊の撃滅に失敗した海軍では、作戦を担当する秋山真之(あきやまさねゆき)（第一艦隊参謀）が旅順港の封鎖を考案した。老朽化した艦船や商船などを港の入り口で自沈させて、沈めた船体を海底からブロックのように積み上げることで港の入り口を塞ぎ、旅順艦隊を港から出られなくしてしまおうとの作戦である（旅順港閉(へい)塞(そく)戦）。この方法はキューバでの「米西戦争」で米海軍が実施した前例があったが、米海軍は狙い通りに船を沈めることができずに港の閉鎖には失敗していた。観戦武官として米西戦争を見学した秋山は米海軍の失敗を知りながらもこれを模倣した作戦を立てたのだった。そして作戦はやはり成果を上げなかった。港に近づく日本の船は入り口に到達するより前に、港内に停泊している旅順艦隊や要塞からの砲撃を散々に受けて沈められ、三度にわたる作戦はいずれも失敗した。露の欧州の艦隊がやって来るのを恐れて攻略を焦る海軍は封鎖を断念し、陸上からの攻撃で旅順の要塞を叩くよう陸軍に要請した。

旅順艦隊は決戦を避けて港から出なかったが、ウラジオの巡洋艦隊は日本をかく乱しようと各所で日本の輸送船を襲撃し、東京湾にまで現れた。さらに露は欧州艦隊の一部を編制して（バルチック艦隊）、回航すると発表した。これらを危険視した海軍はウラジオ艦隊を撃滅するために第二艦隊（巡洋艦を中心に編制）を差し向けた。当初はまったくウラジオ艦隊を捕捉できなかったが、手詰り状態の旅順艦隊がついに港を脱しようと出撃すると、ウラジオ艦隊はそれを支援するために朝鮮半島沖に現れ、第二艦隊と遭遇した。ウラジオ艦隊は砲撃戦に敗れて壊滅した。港を出た旅順艦隊も日本海軍主力の第一艦隊に進路を阻まれ、その砲撃で司令長官が戦死すると統制を失って各艦がバラバラに遁走した（黄海海戦）。しかも大体の艦が旅順に戻る中で、旗艦と駆逐艦三隻は膠州湾に、その他巡洋艦二隻と駆逐艦一隻は上海とサイゴンへと散り散りになった。

海軍が旅順港で戦っている間、陸軍部隊は朝鮮半島に上陸した。満洲の露軍は待ち構えの戦略をとり、日本軍の上陸を積極的に妨害することがなかった。戦争では上陸作戦が最も困難で犠牲をともなうが、日本は朝鮮半島への上陸を難なく済ませた。

上陸後の陸路の進軍と補給には困難が伴ったが、解氷期の後の五月一日から韓国と満洲の間を流れる鴨緑江で渡河戦を行った（91頁地図参照）。露軍の一万六千人に対して、陸軍は四万二千五百人の大兵力と火力の集中的使用によって圧倒した。露軍は犠牲の少ないうちに撤退したが、陸軍が初戦において露軍を撃退した意味は大きかった。この戦いの直後の五月一三日に清が「露清密約」の存在を暴露し、一八日にはこれを破棄した。露が日本を仮想敵として東清鉄道を得た密約である。日本が清に侵攻した場合、露軍は清の全港湾を使用できるとしていたことから、清は日露間の戦争に巻き込まれることを嫌い、この密約を破棄したのであった。そうした内容までは公表されなかったが、密約の存在自体は知られることとなり、日本はこの時になってはじめてそれを知ったのであった。日本が内容の詳細まで知るのはこれよりずっと後のワシントン会議（一九二二年）においてであるが、それについては後述する。いずれにしても初戦での勝利は、部隊の士気を上げ、この後の外債募集にも有利な状況をつくった。

4 「奉天会戦」と「日本海海戦」

陸軍は朝鮮半島への上陸と、露と韓国の分断を無事に達成したが、旅順・大連付近の制圧には予想外の苦戦と犠牲を強いられた。とりわけ海軍から依頼された旅順要塞の攻略は、バルチック艦隊の到着以前に是が非でも攻略せよとの要望から、強行突破が無理強いされた。日本軍にとって誤算であったのは、かつての日清戦争の際に旅順の要塞をわずか一日で攻略した経験から、今回も同様に攻略できると考えていたことである。ところが、旅順要塞は新たにコンクリートで頑強に構築され、機関銃で武装していた。対して攻略を命じられた乃木希典の部隊には十分な火力がなかった。準備時間もないまま戦闘せねばならなかったために歩兵が突撃を繰り返す戦いとなり、多大な人的被害を出した。歩兵の突撃では要塞へ被害を与えられず、最終的には日本本国から要塞砲を移送して投入した。通常、要塞に設置される要塞砲はコンクリートで固定され、一〇トンもの重量があった。戦地への移設など想定外である。移送や設置の労力を度外視した戦法であった。戦闘の焦点となっていた「二〇三高地の戦い」では、要塞の攻略に至るまでに五千人以上もの死者を出していた。日本軍は合計一八門の要塞砲を移送して、これを攻略した。

二〇三高地は旅順要塞の一角で、その山頂からは旅順港を一望して露の旅順艦隊を眼下に砲撃することができた。先の黄海海戦で旅順に逃げ込んだ旅順艦隊は、実はその時点で戦力を失っていたのだが、日本軍はその事実を知らなかったためにバルチック艦隊との合流を恐れて撃滅させようと焦っていたのである。二〇三高地から砲撃すると、損傷を受けた旅順艦隊は自沈して壊滅した。二〇三高地以外の旅順要塞の陣地も、日本軍が掘り進めてきた地下坑道が完成したことから爆破・占領され、一九〇五年元日に露の要塞司令官（ステッセル中将）が降服を申し出た。旅順攻略における日本軍の死者の総数は約六万四千人に達していた。

陸軍は旅順攻略に並行して、主力部隊による満洲での陸戦を進めた。露軍はそれまで満洲の北方に兵力を集中させて、北上してきた日本軍を迎え撃つ作戦であった。一時は旅順要塞の救援のために南下したが、日本軍に包囲されたために退却していた。陸軍が露の司令部が置かれた奉天を目指して北上する過程では、奉天の南方の都市の遼陽で露軍と対峙した。遼陽に集結した露軍約二二万五千人を、日本軍約一三万五千が包囲した。陸軍が劣勢であったが、部隊の一部を露軍の背後に迂回させると露軍は後退していった。日本軍に背後に回られて満洲の鉄道を破壊されてしまうと増援も撤退も不可能になってしまうため、それを避けて後退したのである。陸軍は露軍の撃滅を目標にしていたが、露軍は被害を出しつつも二〇万の兵力を残して奉天に撤退した。

陸軍が露軍の撤退を追尾できなかったのは、兵力が劣勢であったこと以上に砲弾不足に陥ったことが原因であった。この後の戦闘においても火力不足のまま戦闘を続けた陸軍は、露軍を後退させながらも最後まで撃滅することはできなかった。

旅順を攻略した部隊が満洲で合流すると、三月一日に奉天への総攻撃が開始された。日本軍は旅順で使用した要塞砲も投入し、大規模な砲撃戦を展開した。奉天の戦いでも露軍の背後に迂回して満洲の鉄道を脅かすと、露軍は退路を確保しようと撤退していった。陸軍は三月一〇日に奉天を占領し、露軍の司令部を撤退させたことで陸戦に勝利した。陸軍は七万人の死傷者を出し、露軍にも同規模の損害を与えたが、三三万発もの砲弾を打ち尽くしていた。陸軍は露軍を殲滅することはできなかったが、電信の活用によって部隊間をよく連携させ、機動性を発揮しながら火力を集中的に使用して攻撃した。それに対して、露軍は部隊間の連携がとれないまま犠牲を避けようと有効な戦術を展開することがなく、それが勝敗を分けた。

またこの間、前年の一〇月に出航したバルチック艦隊は、旅順要塞が陥落した頃にも未だアフリカを航行しており、旅順攻略を焦っていた海軍の予測からは大幅に遅れて、五月二七日になってようやく五島列島の西方に到達した。バルチック艦隊は日本海に達するまでに極度に疲弊していた。途中の重要寄港地は全て英が保有したために、その間には一つの補給基地すらなく、ほとんど寄港することもできなかった。また英はバルチック艦隊への補給を行う国があれば、それを敵対行為と見なすとして補給の妨害も行った。そのため海上で石炭補給を行ったが、シャベルを使った石炭の積み込みや、石炭袋を抱えてタラップを何往復もする重労働が補給の度に半日以上続き、水兵を疲弊させた。ただでさえ三万キロの航海を七ヶ月続けてきた艦隊の内部では暴動が頻発するほど士気も低下しており、病人や自殺者まで出ていた。

遠洋を航海すれば艦は港に停泊して船体に付着した貝や海藻を除去するなどの整備補修が必要となるが、それがほとんどできなかったために、速力が落ち、燃料を余計に消費する悪循環に陥った。極東への到達が大幅に遅れ、その分だけ日本の海軍は艦隊運動や砲撃訓練、整備もできた。事実この間に海軍は猛烈な砲撃訓練を行った。またこの過程で日本は、朝鮮半島沖の日本海の島々に望楼（見張りやぐら）を設置しており、〇五年一月には「竹島」（独島）を島根県に編入した。但し、竹島が戦争に利用されることはなかった。

海軍の艦隊は沖ノ島の北方でバルチック艦隊を迎え撃ち、各艦が敵艦隊の先頭艦に集中して一斉砲撃を加える戦法をとった。先頭の旗艦にのみ狙いを定めて全砲撃を集中させることで、旗艦を早々に戦闘不能に追い込んだ。旗艦を失ない指揮命令系統を寸断されたバルチック艦隊は、混乱したまま各艦ごとに順次に集中砲撃を受け続け、最新鋭艦四隻が沈められて大勢は決した。

海軍の艦隊はそもそも速射性や快速力では勝っていた上に、日本海での航行に慣れていた。ところが、地中海での航行を想定して建造された露の軍艦は日本海の荒波に対応できなかった。甲板を低く設計していたために波をかぶり、大砲の砲身にまで海水が入るほどであった。燃料補給がままならなかったことから石炭を過剰に積んでいたため余計に沈み、速度も出なかった。

また勝因の一つとして、日本側が砲弾の起爆装置である信管と火薬を新たに開発して実用化していたことはよく指摘されるところである。日露戦争までに実用化された「伊集院信管」はわずかな衝撃でも敏感に作動したことから、砲弾の不発を著しく減少させ、爆発力・焼夷力が非常に高い「下瀬火薬」を充填した砲弾をよく炸裂させた。わずかな接触だけで爆発する信管と、火薬の殺傷力によってバルチック艦隊の戦力を奪った。しかし、高性能な信管と火薬は事故も多発させていた。鋭敏すぎる信管は発射前に砲身の中で起爆してしまう例も多く、砲身が折れてしまうことすらあった。日本海海戦に参戦していた山本五十六などはその爆発で左手の指を二本失っており、安全面には問題のある兵器でもあった。

5　日露戦争の勝因

①電信技術が支えた戦争

国力を比較すれば、露は本来勝てないはずの相手であった。日露戦争の勝利は、外的環境としての国際情勢が要因となってもたらされた。

まず、英の全面的な協力があった。日本と同盟を結んだのに前後して、英は「世界海底ケーブル網」を完成させていた。海底電線の敷設は一八五〇年からはじまり、一九〇二年に太平洋も横断して世界を一周した。モールス信号による有線の電信が世界中でつながり、瞬時に情報を伝達できるようになった。日本も近海にケーブルを敷設して、これにアクセスすることができた。

ケーブル網の存在によって、露軍の動向を把握できたことは日本が戦争準備を進める上で有利となった。英紙『ノースチャイナ・ヘラルド』では、世界中にいる新聞社や電報通信社の通信員が露の艦隊を発見すると直ちに日本人に知らせようと待ち構えており、露の艦隊が行方をくらますのは今や不可能となったと

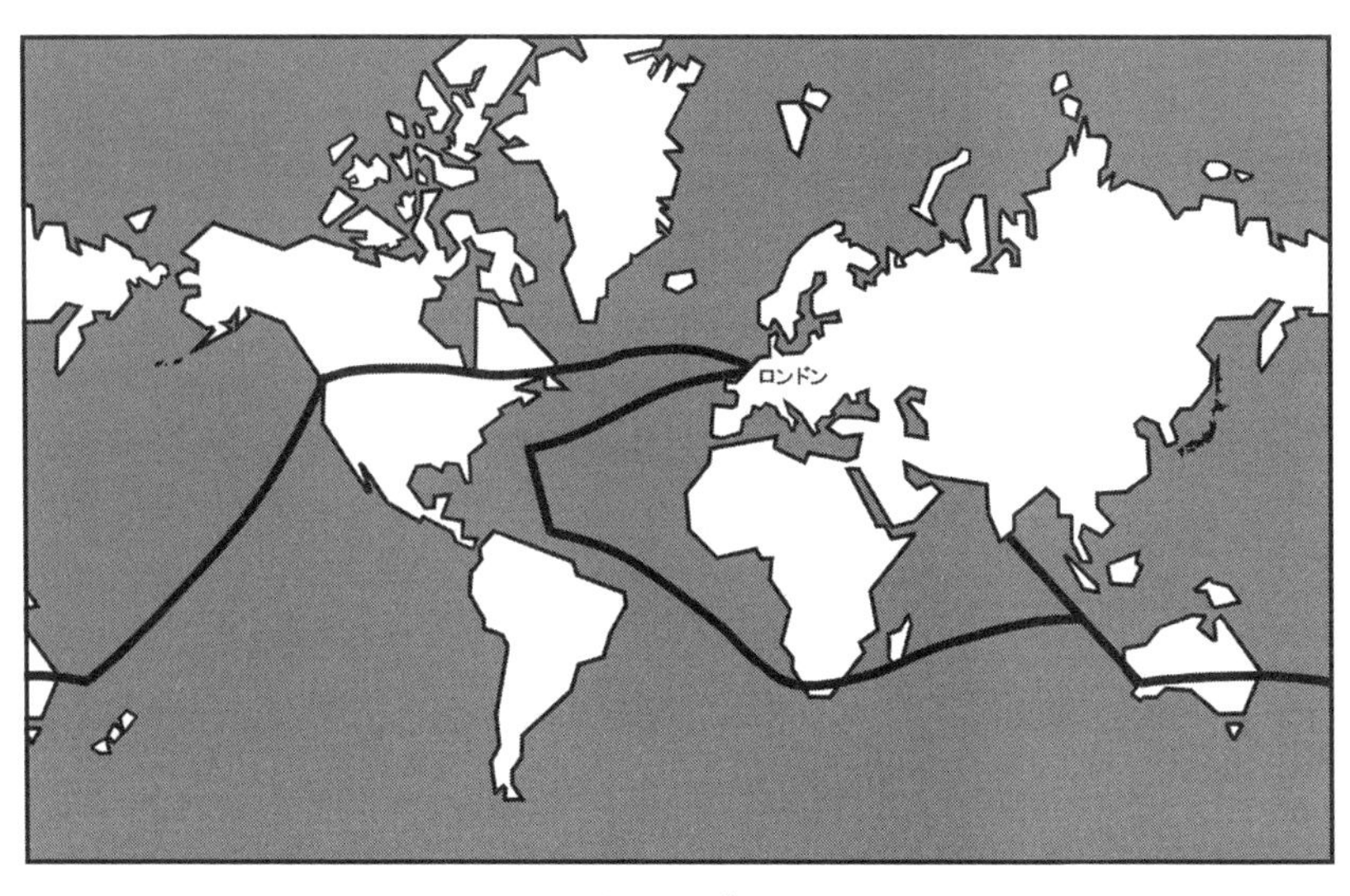

海底ケーブル網

伝えている。日本側は露軍の状況を知らせる軍事情報を得ることができたわけである。

さらに、その情報を基にした新聞報道によって露に圧力をかけてもいた。バルチック艦隊は、バルト海から日本に向かう一〇月二一日深夜から翌未明にかけて、欧州の北側を回航する際に、英国の東方沖の海上で英の漁船を日本の艦船と誤って攻撃する事件を起こした（ドッガーバンク事件）。夜半に霧も出たため漁船を見誤ったのである。同士討ちにもなって味方艦にも被害を与えたのだが、そもそも日本の艦隊が欧州になどいるはずがないのに誤射までしたのであった。それと言うのは、欧州の一部の新聞ではバルチック艦隊が出航する際に日本の艦隊が待ち構えているだとか、スパイが破壊工作をしているなどとの報道がしばしばなされていたからだった。こうした偽情報のために疑心暗鬼になった乗組員らが神経をすり減らしており、自殺者が出ていたのはそのためでもあったようである。それらは英による作為的な情報操作によるものも多かった。そして同事件で英に被害を与えたことは、バルチック艦隊が第三国に寄港するのを英が妨害するのになおさらに口実を与えてしまい、補給を一層困難にしたのである。

雷信の影響は戦闘においても見ることができる。旅順港の戦いにおいて、港内に露の艦隊を閉じ込めておけたのには、日本側のケーブルや無線通信による情報伝達の効力もあった。「シー・パワー」を提唱したマハンは、通信手段の発達により敵艦隊の監視と味方の艦船同士での情報共有ができるようになったことに着目し、敵艦隊の封鎖を戦略的に理論づけようとしていた。旅順での海軍の艦隊は一九〇一年に実用化された無線機を艦隊に備えており、未発達の無線通信ながらも有線電信と併用して艦隊内で情報を共有しながら統率をとることができた。露の側にも海底ケーブルはあったのだが、日本軍が切断して不通にしたため電信は活用できなかった。旅順艦隊は単に決戦をさけたために港内に閉じこもったというだけではなく、日本側の統率的行動によって抑え込まれてもいたのである。

さらにケーブル網は日本の戦費調達も支えた。日露戦争以前には地球の反対側で起きたニュースが伝わるのに一週間やそれ以上の時間がかかったが、翌日には戦況が報道されるようになった。海底ケーブルによって日露戦争はほぼリアルタイムで報道されたはじめての戦争となったのである。そして戦局の速報は、日本が発行する国債の売れ行きに直接的に影響した。

日露戦争の戦争費用は一八億円以上かかったのだが、これは実に当時の国家予算の六倍にあたる額である。政府は国力の限界すらも超えた戦費のほとんどを国債で賄った。内国債が六・四億円で、外国債は八億円にも上ったが、外国債のうちの七億弱を英米が購入している。とりわけ米のユダヤ資本がそのうちの半分を購入した。

ユダヤ財閥が日本の国債を引き受けたのには、ロシアにおいてユダヤ資本が排除されてきた歴史を背景にしている。ユダヤ商人の経済活動を危険視したロシアは長らくユダヤ人を排除してきた。一九世紀になってユダヤ人の入国を認めるようになったが、それもキリスト教への改宗を図る政策だった。ニコライ二世の統治下においても差別政策は継続され、居住地から追放する排除政策がとられていた。

とはいえ、そもそも日本が戦争に勝たなければ日本の国債は価値を失うので、日本が勝利すると思われなければ国債は売れない。そのため英米は日本の外債が売れるように、日本が戦争を有利に進めているとの情報を意図的に世界に流した。日本の戦費の負担などは問題が無いかのような報道や、新兵器があるなどの虚報を故意に伝えるなどして、投資家たちに国債購入を促していたのだった。これもケーブル網による速報性が支えており、英米の支援なしには戦争を継続することは不可能であった。

他方、露は戦争の渦中に国内暴動を発生させた。一九〇五年一月九日に首都サンクトペテルブルグで生活苦をもとにした請願運動が起き、その鎮圧のために軍隊が市民を銃撃した「血の日曜日事件」である。それは、軍需工場の労働者を中心にした生活改善を求める穏健的なデモ行進だったのだが、それが戦争の中止も含めた請願行進となって一〇万人規模に膨れ上がると、ニコライ二世は軍隊に鎮圧を命令し、軍隊は武力を行使した。市民の殺傷によって、皇帝の威厳はまったく損なわれる結果となった。デモは反戦運動として一層各地へ広がった。これにより、露は戦争よりも国内問題への対処を優先せざるを得なくなったが、それと同時に、海外からの信用不安も招いたために以後の国債の売り出しができなくなり、露の国債相場は完全に崩壊するに至った。

英米の情報操作によって、戦局が進むほどに日本の国債は売れ、露の財政は悪化していったのである。露の経済状況を致命的に悪化させた国内の騒乱はその後のロシア革命の遠因になっていくのだが、日露戦争はこうした戦場の外の要因が大きく影響して推移していた。

②日露戦争の国際環境

この間の欧州情勢もまた日露戦争の推移に影響している。露と同盟を組んでいた仏は、独に対抗するために密かに伊とも提携し（一九〇二年・「仏伊同盟」）、三国同盟に対抗しようとした。さらにアフリカの植民地政策で競合していた英への接近も図っていった。その過程では、九八年に英仏の両軍がアフリカで遭遇する事件が起き（ファショダ事件：英は「３Ｃ政策」に基づいてカイロ‐ケープタウンを陸路でも繋げようとアフリカ縦断を目指し、一方の仏は北アフリカを横断して領土拡張を図った。英の南北ルートと仏の東西ルートがちょうどスーダンのファショダで交差し、両軍が遭遇した）、交戦の危機を迎えた英仏間の緊張は頂点に達した。しかしこれに対して仏は、独の世界政策が急速に拡大しつつあったことを背景に、英との対立を回避すべきとして、露仏同盟を強化するのと同時に英に対する宥和策をとった。これを主導したのは仏の外相のデルカッセ（Théophile Delcassé）で、彼はかつてのビスマルクによる対仏包囲網の解体を促進し、反対に対独包囲網を形成して独へ逆襲しようとした。

日露戦争開戦から二ヵ月たった〇四年四月、英仏間に協商が結ばれ、独に対して共同で対処するとした「英仏協商」が成立した。英は孤立政策を脱して日本と同盟を組んだように、仏とも関係改善を図った。日英同盟の前に独との間での同盟案が頓挫していたことも、この時の仏への接近を促す結果となった。「英仏協商」はデルカッセ外交の最大の功績と言われるが、中世の「百年戦争」以来続いた両国の対立は解消され、アフリカでの勢力範囲も調整された。

こうして変化した英仏関係を背景に、日露戦争での仏は中立国に徹しなければならなかったことも日本の勝因になった。露の艦隊が日本海に到着するまでに停泊できたのは、仏領だったマダガスカルとインドシナくらいだったが、日本や米がこれに対して二四時間以上の停泊を許すのは国際法上の中立違反だと抗議すると、英との関係から参戦国になるわけにはいかない仏は露に退去を要求した。中立の立場からは、石炭の調達支援などもできなかった。

しかしながら、日露戦争の渦中に露と同盟している仏が、日本と同盟している英との間で協商を結んだことには少なからず問題も起きた。それは、先の「ドッガーバンク事件」によって早速にも立ち現れた。

バルチック艦隊が英の漁船を誤射したことは、英露の間に直接的な緊張をもたらした。死者を出したにも拘らず露の艦隊は救助すらせずに去ったため、英国内では批難が沸き上がった。もしもこれによって英が参戦した場合には露仏同盟によって仏も参戦することになり、デルカッセの描く同盟網は破綻してしまう。そのため、仏の外務省は事件の調停を進んで行い、懸命に英露の和解に努めた。パリで審査委員会を開き、露が被害の補償を行うことで決着した。

そして一方では、こうした仏の包囲網に対して、独が対抗措置をとった。英仏協商で定めた植民地のうち、北アフリカのモロッコは仏の勢力範囲とされていたが、〇五年三月の末日にヴィルヘルム二世は突如そのモロッコを訪問すると、仏の代表も同席するその場で、モロッコが仏から独立することを支援するとの演説を行った。これにより、独の後援を得たと考えたモロッコの君主（ムスリム教の君主）は宗主国である仏への対抗を試みるようになる。日露戦争では陸軍が奉天を占領し、バルチック艦隊が日本に向かう中、独仏間ではモロッコにおいて緊張を迎えていたのだった（「第一次モロッコ事件」）。デルカッセはあくまで対独強硬策を主張し、全面戦争の可能性まで出てきたが、仏首相のルーヴィエ（Émile Loubet）は避戦を選択してデルカッセを更迭した。独は図らずも対独包囲網の主導者を排除したのであった。

そうした独は、日露戦争に対しては日露双方に間接的支援を行っている。日本軍は独の企業・クルップ社から武器や弾薬などを多量に購入したが、露の旅順艦隊にもクルップ社製の巡洋艦があり、戦時中においてもバルチック艦隊の燃料補給は独が支援した。海上で補給をする場合には石炭を運搬する給炭船が随行するか、または補給ポイントへ先行して待機しておくのだが、この給炭船の派遣を独が請け負っていたのである。「世界政策」を企図する独は三国干渉の時とは異なり、バランスをとりつつ仏への対抗を展開していた。

かくして仏は露仏同盟の発動による参戦を回避しようと、ドッガーバンク事件の解決に努力していたが、他にも仏が望まぬ参戦をせねばならなくなる可能性は起きていた。一九〇五年に露と同盟を組んでいたモンテネグロが日本に宣戦布告しており、厳密には第三国の参戦が発生していたのである。モンテネグロとは、露土戦争の結果にオスマン帝国から独立した国で、謂わば露の恩恵により成立したところから親露国になっていた（105頁参照）。宣戦布告後には満洲に義勇兵も派遣していた。しかし、実戦に参加せずに戦争が終結したことから、日本側も参戦国として扱わず、無視された格好になっている。もしもその宣戦布告を根拠に露が露仏同盟の発動を求めていたら、仏も軍隊の派遣を余儀なくされたかもしれなかったのだが、後の世界大戦によりモンテネグロが消滅するとその後はこの問題自体が忘れられていった。

また、日露戦争は戦場となった満洲において、日本の兵士たちの間に「野蛮なアジア観」を浸透させた。日本との生活習慣の違いや不衛生な環境は、日清戦争に引き続いて、清や朝鮮への蔑視観を生み、国内にも持ち込まれていった。そしてまた日清戦争時と同様に、日露戦争は日本の本土でも露領でも戦われていない。戦場にされたのは韓国と満洲であり、中立を宣言しても否応なく巻き込まれた上に現地の民間人に犠牲者まで出ている。他国の領土を勝手に争って戦場にしていたことは「日清戦争」「日露戦争」と呼称する際には欠落しがちな視点である。

こうした影響を国内外に残した日露戦争は、何より列強の世界戦略の中で行われていたのであったが、同時に日本の勝利が世界の対立構造を変えもした。それまでの、英vs露仏vs独（墺・伊）による三極対立から、海軍力を失くした露が脱落し、露は仏とともに英に接近していくことになる。そのため以後の世界は、英（露仏）vs独（墺伊）の二極対立構造に変化していく。それは日本が世界史に与えた影響であった。

学問と野球に魅せられた人生

88歳になっても楽しく生きる

池井　優著　本体 2,400円【12月新刊】

慶大の名物教授が88年の人生を書き下ろす！　外交史研究者として、大リーグ・東京六大学野球・プロ野球の面白さの伝道者として、送り出したたくさんの学生との絆を大切にする教育者として、軽妙洒脱なエッセイスト、コラムニストとして活躍している魅力満載の一冊。

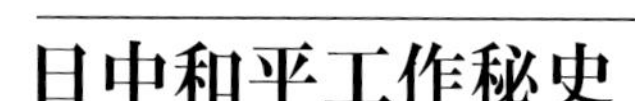

日中和平工作秘史

繆斌工作は真実だった

太田　茂著　本体 2,700円【11月新刊】

「繆斌(みょうひん)工作」が実現していればヒロシマ・ナガサキもソ連の満州・北方領土侵略もなく戦争は終結していた！　日中和平工作史上最大の謎を解明・論証。

新考・近衛文麿論

「悲劇の宰相、最後の公家」の戦争責任と和平工作

太田　茂著　本体 2,500円【11月新刊】

毀誉褒貶が激しく評価が定まっていない近衛文麿。近衛が敗戦直前まで試みた様々な和平工作の詳細と、それが成功しなかった原因を徹底検証する。

日米戦争の起点をつくった外交官

ポール・S・ラインシュ著　田中秀雄訳

本体 2,700円【10月新刊】

在中華民国初代公使は北京での６年間(1913-19)に何を見たのか？　北京寄りの立場で動き、日本の中国政策を厳しく批判したラインシュの回想録。

第８章

日露戦争後の東アジア情勢

──「韓国併合」と「辛亥革命」

日露戦争の過程で結んだ「日韓議定書（ぎていしょ）」は、韓国では「甲辰勒約（こうしんろくやく）」と呼ばれている。「ろくやく」とは轡（くつわ）の意味で、ものを言えぬ状態で結ばされたとの意である。議定書では、

第一条「大韓帝国政府ハ大日本帝国政府ヲ確信シ施政ノ改善ニ関シ其忠告ヲ容ルル事」

第二条「大日本帝国政府ハ大韓帝国ノ皇室ヲ確実ナル親誼ヲ以テ安全康寧ナラシムルコト」

第三条「大日本帝国政府ハ大韓帝国ノ独立及領土保全ヲ確実ニ保証スルコト」

第四条「第三国ノ侵害ニ依リ若クハ内乱ノ為メ大韓帝国ノ皇室ノ安寧或ハ領土ノ保全ニ危険アル場合ハ大日本帝国政府ハ速ニ臨機必要ノ措置ヲ執ル可シ」

「大韓帝国政府ハ右大日本帝国政府ノ行動ヲ容易ナラシムルタメ十分便宜ヲ与フルコト」

「大日本帝国政府ハ前項ノ目的ヲ達スルタメ軍略上必要ノ地点ヲ臨機収用スルコトヲ得ルコト」

第五条「後来本協約ノ趣意ニ違反スヘキ協約ヲ第三国トノ間ニ訂立スル事ヲ得サルコト」

第六条「本協約ニ関連スル未悉ノ細条ハ大日本帝国代表者ト大韓帝国外部大臣トノ間ニ臨機協定スルコ

ト」

などが定められ、朝鮮半島を対露戦争の前進基地として利用することを定めたのと同時に、韓国が日本政府を信頼して内外の施政にあたるとのことが強いられている。そして、この後の韓国支配は列強の同意を得たことで進められ、一九一〇年に完全に併合するに至る。それはアジアの動乱が胎動する中で行われていた。

1 戦場は満洲で、講和はアメリカで――「ポーツマス条約」の背景

日露戦争の講和は米国内で行われた。米大統領の斡旋（あっせん）により日本は適切なタイミングで戦争を終結させることができた。それは日露戦争のさらなる勝因と言えるものである。

従来、露はバルカン半島に強い利害をもったことから墺と対立し、そのため独・墺に接する西部国境に偏向して軍隊を配置してきた。世界最大の陸軍国として百万人を超える陸軍部隊を保有したが、極東への配備は一〇～一二万人程度で、輸送を担う鉄道敷設についても、欧州側には七線もの鉄道が建設されていたのに、極東へは単線のシベリア鉄道のみであった。しかもそのシベリア鉄道の建設については、一九〇三年一月に南満洲支線を完成させてはいたが、東清鉄道が全通して完全にシベリア鉄道と連結したのは開戦後の〇四年九月で、その間はシベリア鉄道の建設を進めながら日本と戦っていたのであった。露は満洲に軍隊を輸送しつつ戦闘したが、一度に輸送できる兵力量では、日本が動員する二〇万人を上回ることはないので、陸軍は常に露軍の次なる輸送で兵力集中が起こる前に叩くという戦争計画を立てていた。とは言え、戦争が長引くほど露は輸送力を増強し日本は不利になっていくため、適切な時期に講和に持ち込むことが当初から必要であった。そして、この講和の時期についても米がタイミングを計って斡旋するとい

う協力があったのである。

小村寿太郎外相は、日本海海戦において勝利し、露に軍事的挫折を与えたことを機に講和に持ち込もうと、米大統領ローズベルト（Theodore "Teddy" Roosevelt）に講和の斡旋を依頼した。陸戦では砲弾・弾薬が尽きており、戦争の継続は不可能だったので、その意味からもこの機を置いての講和はなかった。米は仲介を承諾して、好機に講和を斡旋してくれることになったのだが、しかし米による講和の斡旋についても必ずしも日本の利益を優先してのことではなかった。英米は経済的・技術的・同義的にも日本を支援してきたが、但し日本が勝ちすぎることには警戒心をもってこれを見ていた。

米は一九〇二年七月にはフィリピンの占領を完了し、東アジア進出の拠点を確保した。前章で述べた通り、清国分割へ遅れて参入することになった米は、日清戦争をきっかけにはじまった領土まで獲得する分割の方法を否定し、経済的進出方式を提唱した。そしてその立場から露の満洲占領に反対して日本を支援したわけであるが、同様に日本が露に代わって満洲を占領するような事態も望んではいなかった。講和は日本の勝利を適度に抑制する役割もあり、米にとっても重要な意味をもった。そのため日露戦争の講和会議は米国内で行われるのである。参戦していないばかりか、係争地でもない国で講和交渉を行う例は、近代以前では管見の限り他にこれを知らない（強いて例を挙げるなら、ナポレオン戦争中に行われた米英戦争の講和は、英がウィーン会議に出席していた事情から中立国ベルギーで締結されたことであろうか／「ガン条約」）。

小村寿太郎

日本海海戦後の六月、米が露に戦争終結の勧告を行うと、露は自国領が侵されていないことを理由に講和を拒否した。しかし、味方であるはずの仏すら、先の欧州情勢（対英関係・対独関係）を背景として講和を促したため、露は勧告を受け入れた。

講和交渉と同時に、日本は有利な講和締結を行うための準備を開始した。まず五月に日英同盟の改定を決定した。これは三月に英側から同盟の対象範囲をインドにまで拡大したいとして打診されていたもので、当初の日本は新たな戦争に巻き込まれるのではないかと警戒して避けていたが、バルチック艦隊の回航を背景に日本はこれを受けて、英のインド支配と、日本の韓国支配を相互に認め合った。中立条約的な性格であった日英同盟を完

ウィッテ

全な攻守同盟に格上げし、それと同時に日本が韓国を保護国化することを英に承認させることになった。

七月には米との間に「桂・タフト協定」を締結し、米のフィリピン統治を承認する代わりに、日本の韓国統治を承認させた。協定では以後の極東の平和は日・英・米の三国の保障によるべきとしたが、日本は講和と同時に英米から韓国支配の同意を取り付けたのである。

さらに同じ七月に、樺太の占領作戦を行った。樺太の占領は以前から陸軍が希望していたが、バルチック艦隊の来航まで海軍の艦隊を使用することが控えられたために実行できなかった。海軍の護衛のもと樺太に上陸した陸軍部隊は、七月末日に露の樺太の駐屯軍を降服させ、全島を占領した。

かくして八月から米の東海岸北方にある都市ポーツマスの海軍造船所において講和会議に臨んだ。日本は小村寿太郎を全権委員とし、露は元蔵相のウィッテが全権に、駐日公使のローゼンが次席全権となった。一〇回にわたる交渉の結果、露は日本の韓国における政治・軍事・経済の指導権を認めること、満洲の全土を清国に返還すること、旅順・大連の公共施設と領海および財産を譲渡すること、長春より南の鉄道（旅順－長春）および付属権利（沿線の経営権と鉱山・炭鉱の開発権）を譲渡すること、樺太の南半分（北緯五〇度以南）を永久に日本領とすること、を内容とする講和条約が九月五日に調印された（批准は翌月）。

日本側は賠償金を得ることはできなかったが、朝鮮半島は日本の独占的権益となり、露が三国干渉と露

清密約で得た遼東半島の旅順・大連の租借権と、そこに接続する南満州鉄道（東清鉄道の南部支線）をそっくり継承した。小村外相は、東清鉄道のハルビンから分岐する南満支線全線の経営権譲渡を主張したが、ロシア代表ウィッテは強く抵抗し、結果として、全線ではなく長春以南に限ることで妥結した。日本の全面的な勝利ではなかったこと、また日本が全線を獲得した場合の米からの反発を考えれば、妥協すべきというのが日本側の判断であったと思われる。

しかしながら、これにより満洲の南部まで日本の権益が伸張され、さらに南樺太も割譲させた。そもそもの戦争目的は朝鮮・満洲から露を排除することであったので、日本はその目的を達成したと言える。但し、米は日露戦争の講和を仲介したことで発言権を増し、満州への進出を図り始めた。

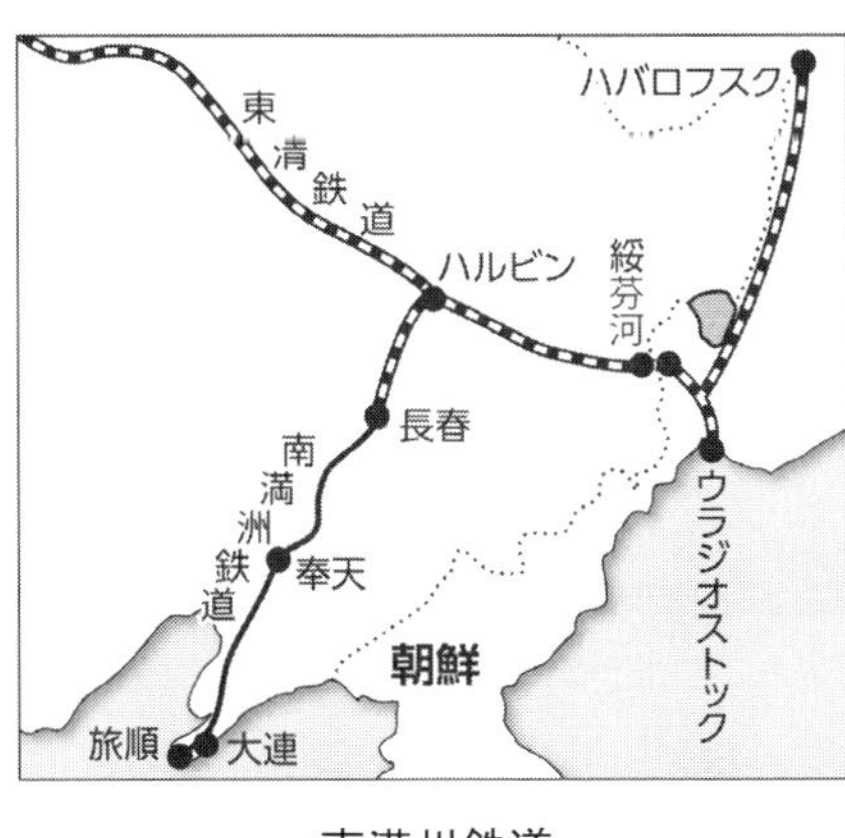

南満州鉄道

日露戦争では日本軍は一一万八千人の死傷者を出し、露軍には一一万五千の死傷者と七万九千人の捕虜が出た。大きな犠牲を伴った「勝利」は、戦時に「非常時特別税」という過剰な財政負担を国内にも強いていたことから、賠償金をとれなかった講和は国民の不満を生み出した。日本の戦費は限界を超えているのに対して、露は海軍力を喪失したとは言え、遠征地において敗北したに過ぎなかったのであり、講和会議においてウィッテは日本が戦争を継続できないことを見越して賠償金の支払いを認めなかった。事情を理解していなかった日本の民衆は、講和が弱腰に過ぎると反対して「日比谷焼打ち事件」を起こし、結果的に桂内閣を退陣させた。政府は戦争に勝利しながら、その意味を国民に理解させることが上手くできなかったのである。

2 「韓国併合」――どうして韓国は併合されたのか？

日露戦争が韓国侵略から開始されたことを記したが、日本が露に勝利したことに対して、韓国の市井(しせい)では意外にも少なからずそれに歓喜する声があった。例えば、後に伊藤博文を暗殺することになる安重根(アンジュングン)でさえ、日本の勝利をまるで自国が勝利したかのように喜んだと述べており、また後に日本からの独立運動を展開する南宮檍(ナムグンオク)も、開戦当初の韓国では老若男女が日本兵を歓迎し、家族や兄弟が再会したかのようだったとして、黄色人種が団結して白人列強を倒そうと思ったとまで述べている。

「日韓議定書」を調印した後、日本はすぐに韓国皇帝の高宗と交渉し、一九〇四年八月二二日には「第一次日韓協約」によって、韓国の財政・外交に関して日本人顧問を任用させた。さらに、ポーツマス条約締結後の〇五年一一月に結んだ「第二次日韓協約」（乙巳(いっし)保護条約）では、韓国の外交権を掌握し、日本の政府代表者が韓国の外交を管理するための「統監府(とうかんふ)」の設置を定めた。韓国は外交権を喪失し、各国へ赴任していた韓国の公使らは外国から引き揚げてきて、諸外国に設置された韓国の公使館などの外交施設も全て閉鎖された。韓国の政治的保護を名目として外交権を奪い、日本が保護国化したのであるが、これらはポーツマス条約締結の過程で列国に認めさせたものでもあった。

翌月の一二月には露から満洲の権益を譲渡させることを清に認めさせるための「満州善後条約」も結ばれた。露が得ていた旅順・大連を含めた関東州(かんとうしゅう)（遼東半島南端）の租借地および南満州鉄道（以下、満鉄）が日本の権益となり、また満鉄に並行する鉄道敷設は行わないことを清に認めさせた。貿易や物流における鉄道輸送を独占する意味である。関東州の租借は、露が清から得ていた租借期限をそのまま継承して一九二三年まで租借するものとし、鉄道も同様に三九年までの租借を引き継いだ。

そして一九〇六年三月に、韓国の外交を管掌する「統監府」が設置され、初代統監として伊藤博文が着任した。統監は韓国に駐屯する軍隊の指揮権も有し、事実上は韓国の内政にも影響力を及ぼした。韓国では日本の支配に対する反対運動が起きたが、統監府はこれを武力で抑え、保護国化を進めていった。

日本の支配が進んでいくことに対して、皇帝の高宗も抵抗を試みた。一九〇七年六月に蘭の都市ハーグで第二回「万国平和会議」が開催されることになったため、高宗はこれを機として列国に日本の支配を訴えようと密かに抗日派の要人数名を派遣したのである（「ハーグ密使事件」）。

この平和会議は、露のニコライ二世の呼びかけによって一八九九年にその第一回目を開催していた。戦争にも一定のルールが必要ではないかとの発意から開催され、殺傷能力の高い非人道兵器（ダムダム弾―人体に命中する際に形状が変化する）や、毒ガス（化学兵器）の使用禁止、捕虜の虐待禁止や非戦闘員の保護を内容とした「ハーグ陸戦条約」が規定された。また、国際紛争が起きた際にも武力に頼らないとした「国際紛争平和的処理条約」が締結され、国際仲裁裁判所の設置が定められた。日露戦争中の「ドッガーバンク事件」において仏が英露間の仲裁をなしたのは、この条約において定められた国際審査によるものである。これらを成果とした第一回の会議には二六ヵ国が参加したが、このうち欧州圏以外からの参加は日本と清のみであった。

これに続く第二回の平和会議は米のジョン・ヘイ（John Hay）の主導によって開催され、「門戸開放・機会均等・領土保全」が提唱された。自由貿易の拡張を企図したものである。南米諸国を含めた当時の独立国家のほとんどとなる四四ヵ国の参加となった。先の陸戦協定を改定して、非戦闘員の定義や使用禁止兵器をより細かに規定した他、戦争時における第三国の義務と対応を定めた中立法規も成立した。またそれまでは慣例として行われていたに過ぎなかった「宣戦布告」を義務化した。二度の平和会議において、平和のための初の国際的取り組みがはじまり、現在にも継続される陸戦条規が定められたのである。

日本に外交権を剥奪されていた高宗は、この国際会議に密使を送り込もうとしたのであったが、そうした韓国の秘密外交は以前より行われていた経緯があった。日英同盟条約が改定強化された際にも、日本の支配を危惧した韓国の活動家らが、日本と英が欲しいままに韓国の処分を協議していると不当性を訴えて、英の政府に直接談判するために渡英を企てたことなどがあった。列強に保護を訴えることで日本の支配から脱しようと、海外にまで渡る抗議活動が行われてきた経緯がそれまでにもあったわけである。そうした経験を背景に、高宗の密使らも「第二次日韓協約」を無効にしようと働きかけたのであった。

ところが密使に対して、列強は韓国の外交権が既に日本にあり、また韓国の利益も条約によって日本政府が代表することが既に定められていることを理由に、訴えを聞き届けなかった。密使の会議への出席を拒否した上、密使の存在を日本に通報した。日本の韓国保護国化は、「日英同盟」と「桂・タフト協定」での合意事項であり、ポーツマス条約においても確認されたことであったので、とりわけ英米は日本との利害関係から密使に取り合わなかったのであった。平和会議は国際紛争における非人道性を問題視しながらも、植民地への抑圧には向き合おうとはしなかった。出席を拒まれた密使らはやむなく現地でビラを撒くなどの抗議活動を行ったが、それは日本を刺激するだけの結果をもたらすことになる。

高宗の抵抗に憤慨した日本政府は、八月に高宗を皇帝から退位させて、皇太子（純宗─高宗の長男）に譲位させた。「第三次日韓協約」を締結して、軍隊を解散させ、警察権と司法権まで接収した。そのうえ統監が任命した日本人が省庁の次官に就任し、韓国の行政は、韓国人の大臣を差し置いて実質的には日本人が行う「次官政治」を展開するようになり、事実上の植民地化が進んだ。これに対して韓国内ではついに反対闘争が起こり、解散させられた軍隊の一部が主導して全国に広がった。統監府はこの義兵運動を弾圧しながら韓国への圧力を高めたが、その中で反対運動に加わっていた安重根が満洲のハルビンで伊藤を暗殺する事件が起こる。

伊藤の暗殺が「韓国併合」の原因だとされることがあるが、日本政府ではそれ以前より韓国の完全併合が構想されていた。当初の伊藤は韓国の自治を育成しようと構想しており、確かに完全な植民地化までは求めていなかった。しかし、桂太郎や小村寿太郎が併合策を求めるうちに伊藤もやむなく併合に同意せざるを得なくなると、一九〇九年一月には韓国併合の方針が決定され、韓国統治の限界を感じた伊藤は五月に韓国統監を辞任した。そして、七月六日には「適当の時期に韓国併合を断行する方針および対韓施設大綱」が第二次桂内閣で閣議決定されている。

統監を辞した伊藤は枢密院議長に就任するが、既に韓国の植民化が決定したことを踏まえた上で次なる構想を進めようとした。即ち、満洲の経営である。伊藤は韓国併合後の満洲経営の可能性を探ろうと、一〇月に視察旅行に行くことにすると、折しも露の大蔵大臣も東清鉄道の視察のためにハルビンを訪れたので、伊藤は大臣と会談して露の満洲経営の様子を窺おうとした。満洲の中央に位置するハルビンは、日本が得た満鉄と、露の東清鉄道が接続する都市で、日露の勢力圏の境界であると同時に交通の要衝でもあった。そして一〇月二六日に安重根による伊藤博文殺害事件が起こるのである。

韓国での独立運動に参加していた安重根は、日本軍の弾圧から逃れて露領の沿海州に逃れていたが、伊藤がハルビンに来ることを知って犯行を計画した。伊藤の一行が列車でハルピンに到着し、出迎えた露の大臣と伊藤が握手をしたその時、待ち伏せていた安が伊藤を銃撃した。安は以前に新聞で見た白髭の日本人を銃撃したのであった。

長らく政府の最高実力者として重要職を歴任し、明治天皇からの信頼も厚かった伊藤の死は大きな衝撃をもたらしたが、日本政府はこれを韓国併合の口実に利用した。それは、「適当の時期に断行する」としていた七月の閣議決定を一足飛びに実現させ、事件の翌一九一〇年の六月三日に「韓国併合」が実施された。この際に、韓国内で公称百万人を誇る韓国の最大政党「一進会」が、暗殺事件の処理として併合の推進を自ら高宗に建言しているのであるが、一進会の建言は日韓の連邦構想を抱いたもので、植民地化を容認してのものではなかった。

日本政府は、韓国併合に際して列国に打診した上で併合を断行した。日本からの打診に対して、英米は韓国を放置すれば混乱を招くとの情勢判断から併合には反対せず、他の列国や清も反対を表明しなかった。伊藤が殺害された際には、既に伊藤は統監の職になく、併合の方針は決定されていた。伊藤の殺害が併合を早めたという意味においては、伊藤の殺害こそが韓国併合の引き鉄となったのはその通りである。しかしそれは伊藤が存命すれば韓国の植民地化が行われなかったということでは全くない。

伊藤が統監を辞した後は、副統監を務めていた曽根荒助が継いでいたが、併合に着手するに及んで陸軍大臣の寺内正毅が第三代統監に代わった。寺内は併合準備委員会を設置して準備を進め、一九一〇年八月二二日に韓国首相の李完用との間に「韓国併合条約」を締結した。翌九月三〇日には「朝鮮総督府官制」が公布され、統監府が「朝鮮総督府」に改められると、寺内は陸軍大臣を兼任したまま初代の朝鮮総督に就任した。寺内が総督になった一〇月一日に公布・施行された朝鮮総督府令によって、それまでの首都であった「漢城府」は「京城府」に改められ、以後アジア太平洋戦争の終結に至るまで韓国は日本の支配下に置かれることになる。安重根は事件後の裁判で死刑となった。

寺内の下で朝鮮総督府は「土地調査事業」を行い、韓国の土地制度を改編していった。それまでの朝鮮には人民が村落で共同所有していた土地があり、農民は所有者が確定していない土地を耕作することがあったが、それらの所有者不明の土地は所有者が確定されなければ総督府の所有とされた。調査事業は一九一八年一一月までかかって終了したが、その結果に総督府の課税地は五二％増大した。一方、土地を失った農民は小作人や流人に転落し、満洲や日本に移住せざるを得なくなった。

「韓国併合」は、日露戦争後の国際秩序の変化とその進展と併せて進められた。そして、朝鮮半島を領有した日本は従来の「対露戦略」を転換していくことになる。

仏が英に接近を求めた中で、露が日露戦争に敗れたことは、日仏間の接近をもたらす結果になった。仏が日本との提携を進めたのは、やはり独へ対抗する観点からであり、膠州を得て清に進出していた独への危機認識からであった。仏にとって、日露戦争中に締結した英仏協商をさらに強化して独に対抗するためには、露仏同盟と英仏協商との矛盾も解決せねばならず、最後は英と露の提携に至らなければならなかった。そのため、英との同盟を進めてきた日本との関係構築が重要な意味をもったのである。

３「日露協約」の締結―日露戦争は植民地に希望を与えたのか？

仏は一九〇七年六月に「日仏協約」を締結した。日本にとっては韓国の保護国化を進める過程のことである。ハーグで平和会議が開かれる直前にパリにおいて締結され、両国の植民地および勢力圏を認め合うことになった。日本の満洲・朝鮮半島・台湾および福建省と、仏の広東・広西・雲南・インドシナ支配についてである。このうちの福建省は日本の正式な勢力範囲ではないので秘密協定による承認であった。

仏は「日仏協約」を締結するとさらに日本に働きかけて日露間の協商を求めた。仏は英とともに日本の国債を引き受けることを申し出て、露との関係構築を薦めると、日本側もこれを承諾した。つまり英仏が日露戦後の経営負担を抱える日本の国債を引き受ける条件付きで、日本は露との協約を進めたのである。そして「日仏協約」締結の翌月となる〇七年七月三〇日に「日露協約」が調印される。その内容は、日露両国が清から得た権益を互いに尊重し合うというもので、日本の韓国支配と、露のモンゴル（蒙古）の権益を認め合い、また秘密協定を付属させて満洲のハルビンから北は露の、南は日本の勢力圏とした。

日露戦争によって、日本は多額の借金を抱えたが、露もまた多大な借款に頼らなければ戦後経営を行うことができなくなっていた。他方で、英にとっては相対的に露が脅威ではなくなり、以後は中近東の権益問題や建艦競争の相手である独を注視せねばならなくなった。そして仏の働きかけから露は英に接近し、日露協約が結ばれた翌月に「英露協商」も結ばれたのである。「英露協商」ではグレイト・ゲームの焦点の一つであった中東・中央アジアでの対立を解消し、イラン・アフガン・チベットでの勢力圏が調整された。

続けざまに組まれた「日仏協商」「日露協約」「英露協商」は、日清戦争後に形成されていた三極対立（英・露仏・独墺）から露が脱落したことで、世界の対立軸が英と独の二極対立に変化して創出された新たな国際関係の基軸である。それらは先に成立していた「日英同盟」「英仏協商」とともに東アジアでの勢力圏分割の協定として、かつ欧州での秩序再編として国家間関係を築き、同時に独の世界政策に歯止めをかけるものであった。

こうした中での一九〇九年、米が満洲の鉄道を列国で共同経営する提案（「満洲鉄道中立化案」）を行ってきた。門戸開放の原則に基づく満洲権益の分配を求めたものであるが、これに対して日本と露は日露協約の秘密協定によって満洲の支配を分け合っていたことから、共同で阻止を図った。米の「満洲鉄道中立化案」は英仏も承諾しなかったために実現はしなかったのだが、日露両国は今後も米の満洲進出への対処が必要となると判断し、一九一〇年七月に「第二次日露協約」を締結して、秘密裏に満洲確保のために協力し合うことを再確認した。日本がこの直前の六月に「韓国併合」を実施したのは、このような英仏露との国際関係が整ってのことだった。

以上のような国際関係の再編は、いずれも日露戦争が世界に与えた影響と言える。世界の対立構図の中で行われた日露戦争の影響が、日本の意図せぬところにまで多大に及んだ。そうした影響の一つとして、日本の勝利が植民地支配を受けてきた他のアジア地域の人々を勇気づけたとの評価は度々なされることである。では、日露戦争の結果はそうした義戦として語れるのだろうか。

確かに、奴隷生活を受け容れてきたアジアやアフリカでは、アジアの国が欧州を乗り越え得ると思わせた日露戦争に励まされたとの証言は多く残っている。次節に登場する清の孫文や毛沢東、後にベトナム初代主席となるホー・チ・ミン（Hồ Chí Minh）もそうした証言をしており、英に留学していたネルー（Jawaharlal Nehru／後のインド初代首相）も日本の勝利にどれほど感動したかと回想している。これらもまた日露戦争中の英新聞が「日本人は誇り高い西洋人と並び立つ列強であることを世界に示した」とか、「この民族は我々の育んだ複雑な文明を、わずか一世代あまりのうちに習得した」などと報道したためであったのだが、それらは列強に虐げられてきた植民地の人々を励ました。他にも露に支配されていたフィンランド（芬蘭）で「東郷ビール」がつくられたり、トルコでは生まれた男の子に「トーゴー」や「ノギ」と名付けるのが流行るなどした。

なかでもベトナムは日露戦争の直後から日本に留学生を派遣する「東遊運動（トンズー）」を開始して、仏の植民地支配から脱するための人材を育てようとした。ベトナムはかつては華夷秩序の下で清を宗主国としたのを、清が清仏戦争に敗れたために仏の植民地となった。当初の日本への期待は、露仏同盟によって仏とは間接的に敵対関係にある日本が、ベトナムの独立運動を応援してくれるのではないかとの点にあった。しかし、日本はその後「日仏協商」を結んだ。協商を結んだ後、仏は独立運動を目指すベトナム留学生たちを取り締まるよう日本政府に要請した。インドシナ支配は、日本の朝鮮支配と相互に承認されたものだったからである。日本政府は国内での独立運動の取り締まりを約束し、ベトナム人を国外追放にした。一九〇八年には二〇〇名以上に達していた留学生を追放して、日本政府はベトナムの民族独立のための「東遊運動」を途絶させたのである。日本は暗にアジア解放の励ましを与え、現実においてはそれを見殺しにした。

同じことは「米比戦争」におけるフィリピンにも指摘ができる。フィリピンの独立運動の一部には、近代化を遂げて日清・日露戦争に勝利した日本に倣おうとした運動家の存在があった（実際に日本の支援を得ようと幾人もの工作員を日本に送り協力要請をしていた)。そのため「桂・タフト協定」で米によるフィリピン支配を認めたことは、韓国支配と引き換えにフィリピンの独立運動を阻害したのと同義であった。

弱肉強食の世界において日本が他のアジア諸国の期待に応えねばならなかったという責めは負い難い。そんな余裕は持てようはずがないからである。しかしそれは、日本が戦ったのは他国のためなどではなかったことを示すに他ならない。日露戦争が創出した「桂・タフト協定」、「日英同盟」、「日仏協商」、「日露協約」はいずれも帝国主義による世界分割協定であり、植民地を支配する側に立ったのが、日露戦争に勝利したことで「一等国」となった日本の姿だったのである。

4 「辛亥革命」の勃発―清の終焉

日露戦争の背景にもなった義和団事件により権威を失墜させた清は、西太后による改革により立憲制に移行したものの、結局は清朝の皇族が内閣を支配し、国会については開催されもしなかった。清国内ではそうした清朝を打倒しようとの政治運動が興隆し、各地で革命組織が誕生していった。指導者の一人となる孫文は、日露戦争の末期に来日し、東京で他の清国人の運動家らを集めて、それぞれの革命組織を連合した「中国同盟会」を結成した。孫文は明治維新を先例として革命運動を目指していた。維新による新体制への移行から四〇年足らずで達成された日露戦争での勝利は、近代化を遂げることができればアジアの国も西洋の大国を超え得ることが示されたように思われたからである。

一方、清国内の各地でも様々な団体が立ち上げられ、頻繁に武装蜂起を起こした。それらは清軍に弾圧されたが、敗退しながらも徐々に革命理念を広めていくと、次第に清軍の兵士をも革命運動に取り込んでいった。

孫文は革命の指導理念として、漢民族の独立と団結（民族）、民主主義（民権）、人民への富と土地の分配（民生）を意味する「三民主義」を掲げた。清の朝廷は満洲を出自とする女真（じょしん）族（満洲族）に由来し、中国の大部分を占める孫文らの漢民族とは異なる種族であった。歴代の中国王朝ではモンゴル人（元）による王朝期などがあったが、つまりは大多数の漢民族が他の民族から支配を受けていたわけである。孫文の掲げる「民族」には漢民族による団結と復興を目指す意味があり、異民族支配から脱する運動として共感された性格があった。

一九一一年一〇月一〇日、湖北省武漢市の武昌で起きた蜂起では、革命理念に共感した兵士らを主力とした革命組織が激しい戦闘の後に市中を占拠し、清からの独立を宣言した（武昌蜂起）。すると、各省もこれに続いて次々に清朝からの独立を宣言した。

孫文は革命資金を集めるために米におり、武昌蜂起には参加していなかったのだが、新聞でそれを知ると欧州を経由して各国の支持を求めながら帰国し、翌一二年の元日に選挙によって臨時大総統に選出された。清からの独立を宣言した各省の代表者らの協議によって、アジアで初となる人民主権の共和制国家として「中華民国」の建国を宣言し、首都を南京に定めた。中国の歴史上ではじめて君主制が否定された。

孫　文

袁世凱

各省の反乱独立に対し、清朝では最大の実力者であった袁世凱が孫文らの革命勢力との妥協を図ったことから革命が成立した。袁世凱は、自身が皇帝の溥儀を説得して退位させる代わりに和議を結ぶとの条件で、停戦を申し出たのである。

袁世凱は李鴻章のもとにいた軍人で、かつては閔氏が政権を担っていた当時の朝鮮に赴任し、日本の勢力に対抗しながら朝鮮政府に影響力を及ぼした人物であった。甲申事変において朝鮮に駐屯した清軍を指揮して開化派や日本軍を撃退したのはこの袁世凱である。また、日清戦争の反省から清の近代化（戊戌変法）を進めようとしていた改革派が西太后を排除しようとした時に、その改革派の策動を密告して西太后に加担したのも袁であった。李鴻章の死後には、地方官の筆頭である直隷総督を引き継いだ。西太后からの信頼も得て、軍の近代化を担い、その軍事力を政治的な基盤とした。西太后が死去すると後ろ盾を失って一時は失脚するが、辛亥革命の勃発に対してこれを鎮圧できる人物が他にはないとされて復権した。失脚の憂き目にあっていた袁は、復権を機に自身が権力を得ようと、辛亥革命をその機会に利用することにした。そのため、軍事的には優位に革命派を鎮圧していたにも拘らず、密かに孫文らの革命側と連絡をとり、水面下で和議を画策したのであった。

　孫文は軍事的には劣勢であったため、袁世凱が皇帝を退位させるのであれば、自身は臨時大総統の地位を袁に譲ると声明した。これで地位が確保された袁世凱は革命側に付き、溥儀に退位を迫った。退位の条件として、当時六歳の溥儀と皇族が当面はこれまでと同じ生活を送れるように、新政府が今後にわたって費用を支給するとの優待条件を付した。最大の軍閥を率いる袁世凱の説得によって、二月一二日に溥儀は退位し、清が終焉した。袁世凱は朝廷を説得した見返りに臨時大総統の職を譲られ、諸外国も中華民国を承認した。

　ところが、大総統に就任すると袁世凱の独裁的な姿勢が目立つようになる。自身の下に強力な中央政権を築こうと権力を強化し、首都も北京に戻された。列強からの借款に基づく開発路線を敷き、ついには孫文らの革命派を弾圧するようになった。革命派は一九一三年七月に袁世凱に対抗するべく挙兵して挑んだが（「第二革命」）、軍閥を率いる袁世凱に武力で勝つことはできず、孫文らは日本に亡命した。この「第二革命」の失敗により袁世凱の独裁はさらに強化された。

そしてこの後、一九一四年から第一次世界大戦がはじまると、袁はその渦中に自らの皇帝の就任を目論んで即位を宣言した。国号も「中華帝国」に改めたが、日本を含めた諸外国から反対が出た上に、国内でも強い反発が出た。中国の南方では反対の挙兵まで起こり、反帝政運動が展開され（「第三革命」）、内外から圧迫を受けた袁世凱はやむなく退位を表明すると、ほどなくして失意のうちに死去した。

5　悪化する日米関係と条約改正の達成

「第三革命」に至るまでの辛亥革命の動乱の過程で、日本は一九一二年七月に「第三次日露協約」を調印した。以前に露との間で満洲の勢力範囲を分け合った「第二次日露協約」に次ぐ協約である。対象地域をそれまでの満洲から内モンゴル（「内蒙」／現：中国の内モンゴル自治区）にまで拡大する完全な秘密協定で、満洲に接する内蒙の東部を日本が、内蒙の西部を露が勢力圏化しようとの内蒙の分割案であった。これによって満洲問題は蒙古と接続され「満蒙問題」に拡大されていく。

この協定の背景は、一つには辛亥革命を契機として「外蒙」（外モンゴル／現：モンゴル国）が清からの独立を図ったことがあった。独立に際しては露が支援したので、将来的に外蒙は露の勢力圏化することが予測された。そのため日本は満洲に接している内蒙については、事前に分割案を定めておこうとしたのである（この後露は一九一三年に中国と「露中宣言」をとり交わし中国の外蒙に対する宗主権を認める代わりに外蒙の経済権益を承認させた）。

もう一つの背景は、一九一一年に米が英仏独との「四ヵ国借款団」を形成し、清に借款を供与したことであった。清朝はその借款を元手に清国内の鉄道を全て国有化しようとの計画を立てたのだが、清朝政府による鉄道の管理に対して地元の資本家たちはこれに反発した。資本家らの反対運動は革命家の運動と結びつき、反政府運動として盛り上がった結果が一〇月の武昌蜂起へと結びついていったのであった。米の借款の目的には満洲への進出も含まれていたことから、「第三次日露協約」はこれを阻止するための協約でもあったのである。

これまで日露協約は主として米の満洲進出を阻止する目的から締結されてきており、米への対抗を意味するものであったが、日米関係の悪化は日露戦争直後から潜在的に進行していた。発端となったのは、満鉄の経営に関する約束を日本が守らなかったことである。日露戦争の終結過程で、米の実業家で鉄道王と言われたハリマン（Edward Harriman）が、日本が取得することになった満鉄を共同経営したいと提案し、東京において桂首相との間に非公式ながら覚書を交わした（「桂・ハリマン協定」）。ところが、「ポーツマス条約」を結んで米から帰国した小村外相は、賠償金を得られなかった講和の中でなんとか取得できた鉄道経営は日本が独自に行うべきとして猛烈に反対した。その結果、政府はハリマンとの約束を反故にした。その後も米は満鉄を米・日・英・仏・独・露・清の列国で共同管理する「満洲鉄道中立化案」を提案したが、日本は日露協約を背景にこれを拒否したのは先に見た通りである。米にとって満洲は鉄道の資本を投下する有望な市場であった。米にとってみれば、日露戦争時の外債で多大に支援したにも拘わらず、日本は機会均等を拒否した上に、戦争の相手国であった露と共同して今度は米を排除しようとしてきたことになる。

他方、日本側にもこの間には米を警戒するだけの経緯があった。米国内では以前から日本人移民が差別を受けており、一九〇六年にはサンフランシスコ市で公立学校への日本人学童の入学を拒否する条例まで制定された。日本人移民は明治元年からハワイへ開始され、日露戦争の頃までには西海岸へも多く移住していた。学童の排斥は直接には日本人を狙ったものではなかったのだが、その直前におきたサンフランシスコでの大地震に対して日本から義援金を送っていたにも拘らず、直後に排斥が起きたことから対米感情が悪化した。カリフォルニアでは日露戦争後から日系移民が急増し、その数はこの時期には三万人から四万人に達しており、現地では黄色人種への人種的偏見とともに、移民の安価な労働力によって仕事が奪われるという危機意識が醸成されていた。事実としても、従業員が一万人を越える黄色人の独立経営企業が三千社以上も存在していた。過熱化してきた人種差別への対応として、出稼ぎ目的での渡米を禁止する措置が求められ、一九〇八年には日本が移民を自主規制するとの「日米紳士協定」が締結された。この協定では、中国での門戸開放・機会均等も確認されたが、移民の自粛については「紳士協定」という名の妥協的措置で、日本人への差別を解決するものではなかった。

また、米はこの一九〇八年には艦隊の世界周航を実施し、海軍力を世界に誇示する示威活動を行ったが、その主な動機は日本に対する威圧であった。そして、「桂・タフト協定」の背後で、米はフィリピンについて日本の攻撃を想定した防備計画を正式に立てるようになった。

この後もカリフォルニア州では移民問題が続き、一九一三年には州議会で日本人移民の土地所有は認めないとした「外国人土地法」（排日土地法）が制定された。これにより日系一世は土地所有が出来なくなった。後述するが、後に大統領となって民族自決や理想主義を提唱するウィルソン（Woodrow Wilson／民主党）も大統領選挙におけるカリフォルニアでの集票のために「排日土地法」を黙認している。このような米での差別問題が報道される度に、日本国内では激しい反米論が展開された。日米両国とも外交レベルでは親善の必要を確認し合っていたが、その下では関係悪化が進行していった。

こうした日米関係の悪化は日本外交の柱となる「日英同盟」にまで影響した。一九一一年七月に改定が行われ、日英同盟の対象国から米が除かれたのである。もしも日米間に戦争が起きたとしても、英は参戦を回避できるようにとの改定であった。戦争が想起されるまでに日米関係が悪化したと判断されたと言える。また英との間では、改定からほどなく起きた辛亥革命への対応をめぐっても齟齬が生まれた。辛亥革命の際に日本は満洲権益や居留民の保護を理由に出兵したが、事前に英に承認を求めると、英は革命への干渉は最小限度にとどめるべきで日本の軍事行動は支持できないと回答してきた。英も当初は列国での干渉を計画しようとしていたのだが、日本側が満洲については日本が単独で守るべき権益で、満洲への出兵だけは列国共同ではなく日本が単独で行うと主張したところ、英は出兵自体に反対してきたのだった。日本のとりわけ陸軍では中国政策に関しては日英同盟が頼りにならないと認識するようになり、日本外交の基軸であった日英同盟は揺らぎはじめた。

但し、この年には日清戦争直前に結んだ「日英通商航海条約」・「日米通商航海条約」が満期終了を迎えたために、小村外相が条約の更新を機に関税自主権の完全回復を遂げようと交渉を行い、英米との間に新条約が結ばれている。新条約によって関税自主権を回復したことで、日本は不平等条約からの完全脱出を達成した。

米との関係悪化がありつつも条約改正を達成したことには、日露戦争の勝利によって日本の地位が格段に上がっていたことが表されている。幕末の締結から半世紀以上が経過していた。不平等条約を改正した日本は、結果として「力」によって国際社会での地位を獲得した。それは、三国干渉時には理不尽に屈した「力の政治」による抑圧を、「強国に対する勝利」を以って挽回したとの経験になった。これにより、日本が列強から対等に扱われるには軍事力でその地位を勝ち取らねばならなかったとの自己認識が生まれた。そして、その経験はこの後の日本にとって実に不幸な経験となる。

第9章 第一次世界大戦と日本の外交
―「総力戦」と日米関係

世界の対立構図を変化させた日露戦争は、日本を「一等国」の地位に押し上げた。日本は日英同盟を背景に露に接近する方針を選んだが、露と協力して満洲の権益を得ようとすることは、米との対立を新たに生んだ。米では日本人に対する人種差別が起きていたが、当時の人種差別の背景には、独の皇帝ヴィルヘルム二世が露に三国干渉の実行を教唆（きょうさ）した際にも持ち出した黄色人種（おうしょくじんしゅ）に対する警戒論があった。ヴィルヘルムはその後も、日本がアジアで台頭することの脅威を説き、欧州の団結を訴えた。

「世界に人類の運命を決する大きな危機が近づいている。その第一回の戦争は、我ら白色人種のロシア人と、有色人種・日本人との間で戦われた。白色人種は不幸にして破れ、日本人は白人を憎んでいる。白人が悪魔を憎むように憎んでいる。しかし、我らにとって日本軍そのものが危険なわけではない。日本が統一されたアジアのリーダーになることが危険なのである。日本による中国の統一。それが世界に脅威を与える最も不吉なことである。」

これが、黄色人種が世界に厄災をもたらすとの「黄禍論（こうかろん）」（yellow peril）である。露仏同盟によって孤立することを恐れたヴィルヘルムは、時には経済的脅威として、また時には軍事的脅威として黄色人種問題を提起し、欧州にとっての共通の敵を作ることで孤立を回避しようとした。自身の世界政策への批判をかわすために「より大きな敵」を創出したわけである。日露戦争によって再編された国家間関係の中で、地位を上昇させた日本を危険視する時、その理由付けに黄禍論が利用された。

1　世界の対立軸とドイツの戦略

日露戦争後の世界の対立構図は、協商関係で結ばれた英・仏・露による「三国協商」と、独・墺・伊による「三国同盟」とに二極化する傾向を見せた。協商関係が成立する過程には、デルカッセ外交に見た通り、仏が独への包囲網を築こうと積極的に立ち回った経緯があったが、但し、英露は必ずしも対独包囲網を目的にしてはいなかった。

ヴィルヘルム二世が画家のクナックフス(H. Knackfuss)に描かせた「黄禍論図」(1895年)　右奥で仏像が燃えている

それに対して、独は「三国協商」の目的自体が独への抑圧にあると捉えた。墺との同盟を外交の主柱とする独にとっては、墺が今後においても列強の一角に位置づくことが重要となっていた。また独は帝国海軍を設立して英と競合したが、その影響から欧州には激しい軍拡競争が起きた。一九〇八年～一三年の間に、列強の軍事支出は国家予算の半分を超えるようになり、その過度な支出は各国自身の足かせにもなりつつあった。英独両国は通商においては互いに依拠し合う関係に陥りつつあったのだが、同時に英は独の海軍に対抗して大型戦艦を建造し、独との間で建艦を競った。

一方、独は露仏同盟に対する軍事的な対抗策を独自に練っていた。露と仏に地理的に挟まれている独にとって、戦争に訴えることは極めて不利に思われた。戦争をはじめる前から挟み撃ちにされている状態なのである。そのため、この不利な状態を解決する軍事作戦が独の参謀総長シュリーフェン（Alfred von Schlieffen）により提唱された。

もしも開戦になった際、露仏両国から同時に挟み撃ちされることを避けるために、最小限の兵力で露軍を抑えておき、一方の仏をまずは全力で短期間のうちに撃破して、その後に露と交戦するという時間差を用いた二正面作戦の計画である。

ヴィルヘルム2世

仏との戦端が開かれれば、当然ながら独仏間の国境が前線となり、そこに両軍が集中することになる。まともにぶつかっては短期殲滅（せんめつ）はできないので、独軍の主力を大きく迂回（うかい）させて仏軍の背後に回る作戦にした。但し、迂回の際にポイントとなるのは交戦国ではないベルギー（白）を侵犯して行軍し、仏の北側から回り込むとした点で、それは第三国を巻き込むことで仏軍の意表を突く奇策になっていた。

独の全陸軍七八個師団のうち、一〇個師団のみを露との東部戦線にあてて、残りの六八個師団の全てを仏との西部戦線に向ける。西部戦線では、独仏国境の前線（仏軍の正面）に九個師団を配置しておき、他の五九個師団をもって白を侵犯し（または蘭も侵犯する）、仏軍の背後に回るとした。約六週間で仏を制圧し、次いで鉄道輸送により迅速に対露戦線に全部隊を送る想定を立てた。かくして露仏同盟への対処としての二正面作戦を解決する短期決戦計画「シュリーフェン・プラン」が立案されたのである。

独軍では「シュリーフェン・プラン」が発案された一八九七年頃から何度かの手直しを経て、一九〇五年までには大体の戦争計画としてこれを定着させた。その後、各国も大戦の勃発までの間に軍拡に取り組み、一九一二年には独墺・露仏の間での陸軍の拡張競争も行われた。

軍拡競争が繰り広げられる最中の一九一一年に、アフリカのモロッコとコンゴをめぐって独仏間が衝突する「第二次モロッコ事件」が起こると、独仏間には交戦の緊張が高まった。日露戦争の最中に起きたモロッコ事件の再発と言える危機である（140頁）。独は仏の植民地の譲渡を狙って軍艦を派遣し、武力行使に訴えたのだが、これに対して英が仏との間に直ちに軍事協定を締結し、もしも独仏間で軍事的な衝突が起きた際には仏を支援するとして、独との交戦も辞さない構えを見せた。英が明確に仏を支援したのはこれがはじめてのことであった。

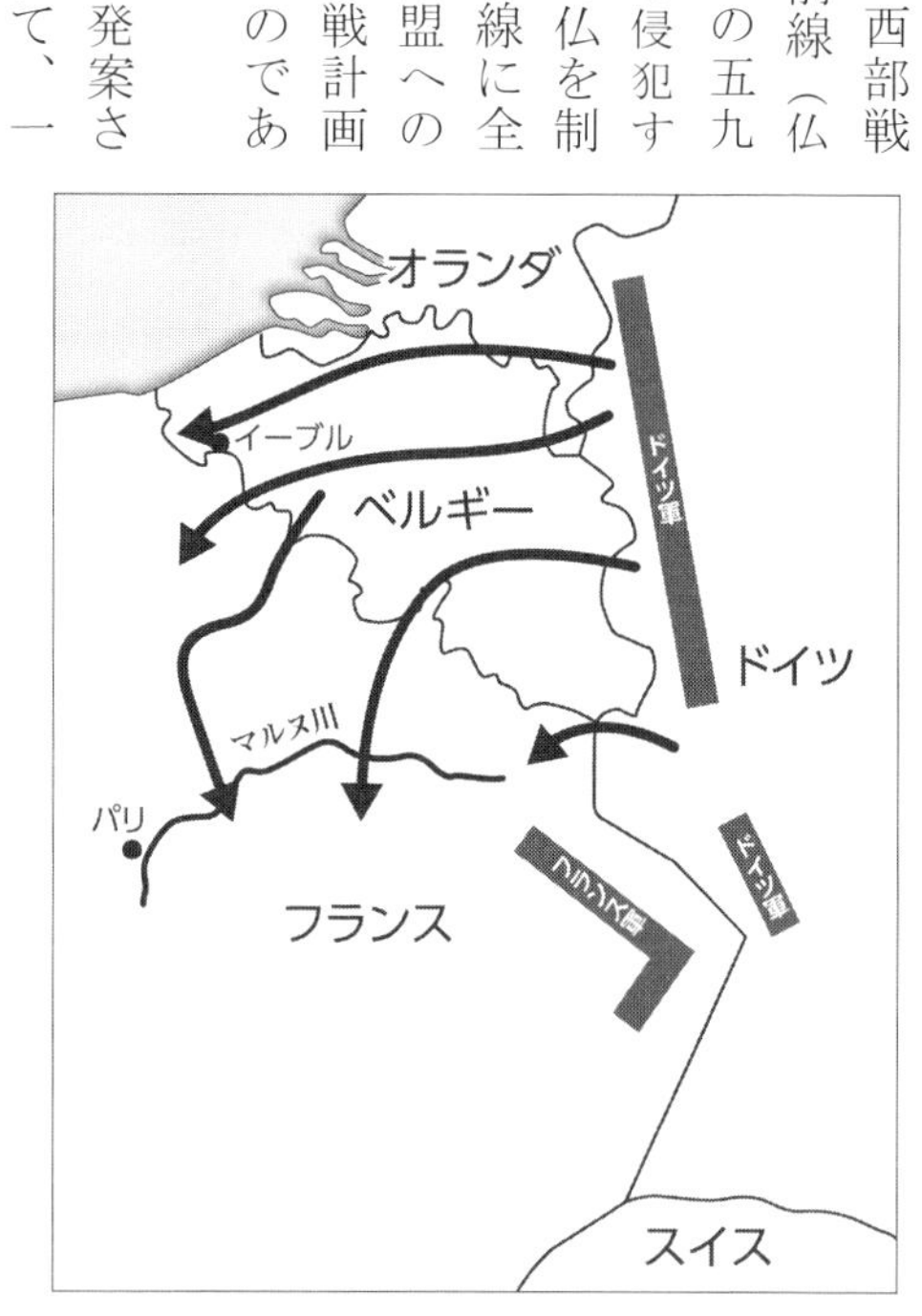

「シュリーフェン・プラン」

英の仏支援の表明によって、独は仏との和解に転じることにした。独はコンゴの一部を切り取って取得したが（カメルーン）、以後の仏のモロッコ支配を認めざるをえなかった。そして独の国内世論では、英に対する敵愾心（てきがいしん）が高揚した。「第二次モロッコ事件」における独の砲艦外交は、英仏間を却って緊密化させてしまった。それは「三国協商」の対独包囲網としての性格を実体化させることになり、二極対立の構造化を自ら進めていってしまったのであった。

２　対立焦点としてのバルカン半島

露と墺が勢力争いを続けていたバルカン半島では、とりわけブルガリアの支配権をめぐって両国の角逐（かくちく）が続いていた。日露戦争後に英に接近した露にとっては、バルカン方面への進出は必然的な選択になっていた。

それまでのバルカン半島を支配してきたのは、かつて史上最も強大な帝国の一つに数えられたオスマン帝国で、中東の大帝国として近代までの六〇〇年間存在してきたが、一六世紀に最盛期を迎えた後は墺に領域を侵され、欧州の列強が力を増すと、次第に欧州に依存せねば存立できなくなっていった。衰退するにつれて広大な版図への支配力は低下し、一八二一年にはギリシアがオスマン帝国から独立しようと戦争を起こした。これに対し露のニコライ一世（二世の曾祖父）がギリシャを支援すべく介入すると、英仏も加わり、露英仏の三国によるギリシャ独立への共同支援が実施された。オスマンは敗北し、ギリシャが独立を勝ち取ると、露も黒海の東岸を得た（但しクリミア戦争に敗れて失う／24頁）。

またオスマンは、支配下にあったエジプトとの間でも一八三一年から四〇年の間に二度の戦争を行った。この戦いでは、エジプトの中東進出を警戒した列強がオスマン側を支援したために勝利したが、オスマン

バルカン半島

はエジプトの独立を事実上認めざるを得なくなった。そして五三年に「クリミア戦争」を迎える。地中海への南下を企図した露に対して、英仏連合がオスマンを支援したが、列強はその後のオスマンに対しては経済進出を行うようになり、オスマンは徐々に半植民地化していった。

露が再び南下を試みた七七年の「露土戦争」ではオスマンが完敗し、バルカン半島ではセルビア・モンテネグロ・ルーマニアの三国が独立した。それまでにオスマンは立憲君主制を採用して生き残りを図っていたが、露土戦争による非常時を口実に憲法を停止し、君主が独裁できる専制政治を復活させることで権威の回復を図ろうとした。君主の専制支配に対し、九〇年代からは憲政の復活を望む運動が次第に起きてきた。列強による分割への危機意識を背景とした「青年トルコ人」と呼ばれる活動家らによる改革運動である。彼らの運動は、当初は弾圧されていたが段々と隆盛し、一九〇八年には政権を奪取して立憲制度を復活させた（青年トルコ革命）。

そしてこの「青年トルコ革命」の混乱に乗じて、墺がボスニア・ヘルツェゴヴィナを併合し、イタリアがオスマンの支配していた北アフリカの割譲を求めてオスマンに宣戦布告（伊土戦争）するなど、トルコ革命の影響は欧州各地に波及した。敗退を重ねたオスマンに対して、バルカン諸国（セルビア・モンテネグロ・ブルガリア・ギリシャ）もそれぞれの領土を拡大しようと、オスマンに次々と宣戦布告した（バルカン戦争）。この時バルカン諸国は露の支援を後ろ盾に領土拡大を目指して戦争を起こしており、それは露が墺に対抗してバルカン進出を果たそうと諸国を支援してのことだった。

「伊土戦争」の最中にバルカン諸国の攻撃にあったオスマンは、伊とは直ぐに講和してバルカン諸国に対抗した。しかし、露の支援を得ていた諸国に勝つことができず、その結果イスタンブールを除くバルカン半島の全領土を喪失した。

バルカン諸国はオスマンからバルカン半島全域を奪取したが、但しその領土をめぐっては、バルカン諸国内でも紛争となった。特にブルガリアが広大な領土を取得したことに対して他の諸国が反発し、戦争が終結した翌月に早くもブルガリアと他のバルカン諸国との戦争が起きた（第二次バルカン戦争）。ブルガリアが孤立したのを狙って、失地回復を図ったオスマンとルーマニアも参戦した。露がバルカン諸国を支援すると、露に対抗する墺はブルガリアを支援しようとしたが、孤立状態のブルガリアは敗れ、前の戦争で得た領土のほとんどを失うことになった。

このように第一次大戦に至る過程では、バルカン半島への勢力拡大を目指して対立する露と墺、それに介入して勢力均衡を図る英仏、さらに墺との同盟を機軸に英仏露に対抗する独との対立が交錯し、その中でバルカン諸国がそれぞれの独立と領土拡大を目指していたのである。それまで支配国であったオスマン帝国は「欧州の瀕死の病人」と揶揄されるまでに衰退し、バルカン半島は宗教と民族問題を焦点に「欧州の火薬庫」となった。それは勢力均衡論のように冷徹に計算された拮抗状態ではなく、臨界点に達しつつあったのである。そして、その中で民族統一運動を激化させたセルビア王国での事件が世界大戦勃発の引き鉄となる。

3 「第一次世界大戦」──連鎖する軍事同盟

セルビアは露土戦争の結果にオスマンから独立した国であり、露によって独立できた国であったが、露土戦争に勝利したはずの露の影響力は、ビスマルクのベルリン条約によって抑制されたため（第6章1参照）、当時のセルビアは露ではなく墺に接近した。一八八二年には墺の承諾の下で王制に移行し、以後も親墺の立場をとる王家が統治していた。それが一九〇三年に軍事クーデターによる政変によって国王と妃が処刑されると、代わって王位に就いた新王朝はセルビア民族主義を掲げて、墺の影響下から脱することを試み、露に接近する外交に転換した。一九〇六年には墺との間に貿易摩擦が起こったが（セルビアの主要輸出品である豚に墺が関税障壁を設けた──「豚戦争」）、結果としては墺からの経済的自立性を高めることになり、セルビアの墺に対する反抗意識は高まるばかりであった。そこへトルコ革命に便乗して墺が隣国のボスニア・ヘルツェゴヴィナを併合したため（〇八年）、関係悪化はさらに促進された。ボスニアにはセルビア人も多く居住しており、セルビアはボスニアの編入を望んでいたからである。

墺によるボスニア併合に際しても、露がそれを阻止しようと対抗する姿勢を見せたが、墺の地位を守ろうとした独が露に最後通牒を送ると、露が譲歩し、戦争は回避された。但し、セルビアは墺への敵対意識を強め、その後のバルカン戦争でも露の支援を受けたことから親露・反墺を立場とする国になっていた。

①無計画な大規模戦争

一九一四年六月二八日、渦中のボスニアの州都サラエボを訪問した墺の皇太子夫妻が暗殺者集団に殺害された。暗殺者の中にセルビア人がいたことから、墺はセルビアに犯人の引渡しと裁判を要求し、最後通牒を突き付けた。欧州ではそれまでに国家元首や首相などの暗殺が頻発しており、要人の暗殺が珍しくもないと見られていたのだが、この事件では、ボスニアとセルビアの二国が組織的に関わっているとされた点で他の暗殺事件とは異質とされた。即ち、国家的陰謀によるテロと見られたのである。墺の要求には、墺の裁判官が裁判を行うことが含まれており、それはセルビアの国内法に抵触したことからセルビアが墺の要求を断ると、墺は七月二八日に独の支持を得た上でセルビアに宣戦を布告した。これに対して露がセルビアの支援ために国内に総動員令を発して戦争準備をはじめた。独は露の総動員令の撤回を求めたが、露がそれを拒否すると、独は八月一日に露に宣戦布告し、翌二日にはベルギー（白）に対して独軍の通過の許可を求めた。「シュリーフェン・プラン」実行のためである。しかし、白はこれを拒否した上に英に助力を求めた。

「シュリーフェン・プラン」の最大の問題点は、当時の白が永世中立国に定められていたことであった（白は一八三〇年に蘭から独立して成立し、三九年に永世中立国に定められた）。白の領土を侵犯すれば、国際的な非難を浴びることは免れない。そのためヴィルヘルム二世は、プランを策定した当初から白の了解を得ようと、白に軍事同盟の締結を求めていたのだが、白がこれに応じなかったことから同盟は実現していなかった。そして八月二日の通過要請も拒否されたわけである。プランに拘ったが故に、もはや独には国際的な合意を破って、中立を宣言する白を侵犯するより他に選択肢がなかった。独は、三日には露仏同盟に従って動員をはじめた仏に宣戦を布告し、四日には白にも宣戦布告することになった。

独軍の主力部隊はプラン通りに白との国境に向かって集結した。プラン実行のために中立国の白に宣戦を布告し、そしてプラン通りに白に侵攻した（一部は蘭領も通過。但し武装中立を宣言した蘭は独軍の通過を許可した）。国際条約に定められた中立を無視した軍事行動である（国際法上の中立条規では、中立国には交戦国のあらゆる物資を通過させることができない。従って蘭が独軍に与えた通過許可も条約に抵触している）。白から支援を求められていた英は、白の中立を守るように独に通告していたため、独軍の白国領の侵犯は英に参戦の口実を与えることになり、英も独に宣戦を布告した。他方、伊はこの開戦が三国同盟の想定外であるとして中立を表明し、三国同盟から離脱した。

戦争が一度開始されると、その後にかけて欧州各国が軍事同盟を連鎖発動させて次々と参戦していった。トルコとブルガリアは同盟国側として参戦し、セルビアや露と交戦することになる。その構図は「第二次バルカン戦争」における対立がそのまま反映されて敵味方に分かれたものだった。列強各国は諸利益をかけて参戦し、いずれかの列強と同盟や協商関係にあった各国も本意・不本意を問わず参戦していくのである。そのことは、この戦争を仲裁できる第三国が存在しなくなったことも意味した。

墺のセルビアに対する宣戦布告から開始された戦争は、参戦各国の誰もの予想を遥かに超えて、一九一八年一一月一一日までの四年三ヵ月に及ぶ大戦争となり、それは世界的な食糧不足を抱えながら、二千万人以上もの死傷者を出す前代未聞の大戦争へと発展するのである。

開戦に際して、独にはバルカン情勢に対する見通しに大きな誤りがあった。前節で見た通り、トルコ革命を背景に墺がボスニアの併合を強行した一九〇八年時の紛争でも墺と露の間に戦争の危機は起こったが、独が墺を支援して強気に露に最後通牒（つうちょう）を送ると、露はこれに譲歩してボスニア併合を黙認した。今度の大戦の発生時もその対立構図は変化しておらず、その対立関係がそのまま反映されたが故に、独は今回もまた露の譲歩を引き出すことが可能だと考えていた。そのため墺の地位を守ろうとした独は安易に開戦を支持した。何といっても露は南下に成功したことなど結局はなかったのである。ところが、この露に対する判断は全くの誤りであった。〇八年時の露がやむなくボスニア併合を黙認したのは、未だ日露戦争の打撃から立ち直っていなかったためであり、独墺に対抗する軍事力を回復していなかったからであった。しかし、その後の六年間で国力を回復させた今、親露政府となったセルビアを見捨てるような外交を見す見す行いはしなかった。

こうした予測からはじまった戦争は、すぐに終息するものと考えられ、各国とも戦争目的を明確にしないまま、長期戦争の展望や共同作戦の計画もなしに戦争に突入したのであった。大多数の国民も戦争はその年のうちに終わるものと思い込んでおり、戦争に志願した者の中には自身が戦場に出る前に終戦しているのではないかと心配する者さえあったという。バルカン情勢から発した戦争は、無目的・無計画に開始されたが故に世界大戦になるのであった。

②参戦各国それぞれの思惑と誤算

「シュリーフェン・プラン」は、露軍が集結する間に仏を撃破するとして、対仏戦と対露戦の間に時間差をつくり出すことで挟み撃ちを避ける計画であった。しかし、独軍は途中から仏の防御線を突破できなくなり、その進撃は停止してしまう。特に最も北側を迂回する独軍の最右翼の部隊は、極端に長い行軍距離を強いられるわけであるが、それは武器弾薬など三〇kgの荷物を背負い、真夏の炎天下の下を毎日二五キロ進軍するノルマを三週間にわたって続ける過酷な行軍であった。白の全土を占領し、仏領に侵攻してパリの日前にまでは迫ったが、後方部隊との距離もかけ離れていくと食糧の補給すらできなくなった。独軍の右翼は想定していた迂回を達成することが困難と見て、パリの西側まで回り込む予定ルートを断念し、パリの手前で南下した。独仏の両軍はマルヌ川で対峙したが、両軍とも相手を突破することはできず、次第に塹壕に立てこもる持久戦に落ち込んでしまう。その上、東部では露軍が予想よりも早く戦線に到着し、結局は露仏と同時に交戦することになった。独が想定した時間差をつくり出すことはできずに、最も避けるべきであった二正面同時作戦を行うことになったのである。

また「シュリーフェン・プラン」は、墺との間で共有されたわけではなかったため、墺軍にも開戦当初から誤算が続いた。独軍は対仏線に集中する最初の六週間は、墺軍が露を抑えてくれることに期待していた。一方、墺は自軍がセルビアに侵攻する間、独が露を抑えてくれるものと想定していたのである。墺のセルビア戦はこの戦争の本筋であったし、そのために独が露を牽制する関係になっていたのであるから、墺側の思い込みには無理からぬところがあるが、露軍が早くも侵攻してきたため、墺は慌てて対露戦線に兵力を割いた。そして、それが原因となり墺はセルビア侵攻に失敗した。

初戦で小国セルビアに敗北した墺軍は軍事力の弱さを露呈した。墺軍は多民族国家ゆえに軍内部で使用される言語さえも統一されておらず、軍の近代化にも後れを取っていた。独との間で連携のとれない墺軍は対露作戦にも失敗し、被害を拡大させた。

しかし、一方の露軍もまったく望ましい戦果をあげてはいなかった。東部戦線において、露軍は少数の独軍を圧倒して進軍してきたが、部隊間の相互連携を上手くとることができず、電信での作戦指示に暗号を使わずに伝達して情報を漏洩させるなど準備不足や不備が目立った。開戦から間もない八月末、独領内に侵攻してきた露軍に対し、無線を傍受した独軍が鉄道輸送を駆使して露軍を包囲した上で攻撃すると、一五万の兵力をもって二三万の露軍を殲滅した。露軍は兵力で勝っていたにも拘らず退路も断たれた状態で一方的な砲撃を受け、死傷者七万人・捕虜九万人以上の大損害を出した（タンネンベルクの殲滅戦）。独軍の被害は一万人強に過ぎなかった。

この戦いは歴史的逆転勝利とされ、戦いを指揮したヒンデンブルク（Paul von Hindenburg）は一躍独の英雄となり、彼の写真があらゆる新聞や街頭に貼り出された。戦勝の報道は西部戦線におけるマルヌ川での膠着状況を覆い隠してしまい、独の国民を歓喜させた。以後、東部戦線においては独軍が露領に進撃を開始するが、戦争の当初において既に「シュリーフェン・プラン」での想定とは全く異なる戦いを遂行することになったのであった。

一方で、露は露土戦争以来の確執があったトルコ（土耳古）とも戦わねばならなかった。その戦いはコーカサス山脈で行われた（168頁地図）。土軍は露に侵攻したものの、年末には豪雪と極寒に対処できずに惨敗した。しかし、黒海と地中海に面する地の利から、露の貿易ルートを封鎖し続けた。英仏が土の地中海封鎖を解こうとして、土領への上陸作戦を強行したが、独の支援を受けた土軍はこれを阻止した（ガリポリ作戦―上陸を阻止した土軍の司令官がケマル・パシャ。英海軍の大臣がW・チャーチルである）。上陸作戦の強行と失敗は連合国に大被害をもたらした。欧州側の通商ルートを喪失した露は、戦時体制を維持するための通商をウラジオで支えることになり、それは日本への経済依存を発生させることになる。

　バルカン半島では、ブルガリア（勃爾瓦利／勃牙利）が独の説得によって同盟国側に付いたことで、独墺―勃―土が陸路で連絡できるようになった。独は、勃が「第二次バルカン戦争」でセルビアなどに奪われた領土の提供を条件に参戦を求めたのであった。独墺勃の三国はセルビアを三方から攻撃し、一五年一一月までにセルビアを制圧した。

　他方、独墺との三国同盟を抜けていたイタリアは一五年四月に連合国側に寝返った。英仏は伊を味方につけるために墺の領土を割譲させる条件で伊を引き入れたのであった。墺の領土を狙う伊は墺に対する宣戦布告を行い参戦した。伊と墺は約六〇〇キロにわたって国境を接していたが、そのほとんどは山岳地帯で、狭隘（きょうあい）な山岳部での戦闘となった。山岳戦は膠着（こうちゃく）しがちで伊軍は正面突破を繰り返したが、損害を重ねるだけだった。

　一六年八月には中立していたルーマニア（羅）が墺の領土割譲を狙って連合国側として参戦した。露と交戦していた墺は、一六年四月に開始された露の攻勢で疲弊し再起不能に陥った。羅はビスマルク体制の中で独墺との同盟を組んでいた国であったが、墺が瓦解する様子を見ると、露の誘いもあって領土を求めて参戦したのであった。しかし、羅軍は実戦経験も乏しい旧式軍で、独墺勃の反撃にあって四ヵ月で敗北し、逆に大半の領土を占領されてしまった。

一方で、露も墺と相打ち状態となって大損害を出していた。そのため翌一七年三月には戦争の負担を背景に国内で革命が起こり、戦線を維持できなくなっていく。露の離脱後には、連合国が極秘に墺と単独講和を結ぼうとする動きもあった。再起不能の墺を引き抜いてしまい同盟を瓦解させようとの画策である。これは事前に独に発覚して失敗したが、その頃からは墺自身も単独で戦線から離脱したいと望むようになった。

③「国家総力戦」と米国の参戦

大戦は欧州大陸での陸戦を主に展開されており、海軍力はそれぞれの根拠地を防備するに留まっていた。英が北海と大西洋の水域を、仏が地中海を、そして独はバルト海の制海権を保持したまま膠着状態になっていた。

大戦に至るまでに、海軍力において英仏の優位は変わらなかった。各列強はマハンの「Sea Power」論を背景に建艦競争を行っていたが、英海軍はこの世界的軍拡競争の中で、新式の大出力機関を搭載した大型戦艦「ドレッドノート」を建造した。蒸気タービンの開発により、従来の戦艦を上回る大きな船体を有しつつも高速での航行を実現した。在来艦の二倍以上の主砲を搭載しており、斉射・長距離砲戦に強い革命的な「大鑑巨砲」のモデル艦として一九〇六年に進水した。(余談であるが、日本ではこのドレットノート級戦艦を「弩級」戦艦と表記し、その後登場することになるさらに大型の戦艦を「超弩級」戦艦と呼んだ。「超ド級」という表現の語源である。フォークギターのドレットノート型も同艦の名に由来する。)

独海軍は、建艦競争では英の海軍力に追い付くことはできなかったため、劣勢のまま英海軍と対峙(たいじ)することになり、そのため英の艦隊を奇襲攻撃しては直ぐに離脱する戦法によって英艦隊を徐々に削っていく戦術をとろうとした。味方艦の損害はなくして英艦隊を漸減(ぜんげん)していき、最後に艦隊決戦をしかけるという計画である。しかし英海軍は、独のこの戦法に乗ることはなく、主力艦隊を温存させていた。

そこで独は膠着する戦況の打開を求めて、新たに英を屈服させるための作戦を立てた。英は食料を輸入に依存していたので、これを絶つために貿易輸送船を潜水艦で沈めて兵糧攻めにする「対英封鎖」作戦である（潜水艦は米で開発され一九〇〇年以降に各国も建造に着手していた。独語では潜水艦をUnterseeboot と言うことから独の潜水艦は「Uボート」と呼ばれた）。独は北海を航行する商船を攻撃対象にすることを声明し、航行する船舶に対する無制限・無警告の潜水艦攻撃を開始した。しかし、英に物資を輸送する船とは第三国の商船などであり、独は中立していた米国の船までも撃沈させることになった。

貿易の封鎖は先に英が独に対して行っていたため、今度は独が反対に英を封鎖しようとしたものであったのだが、英が臨検や拿捕によって封鎖を行っていたのに対し、独は潜水艦で無警告に攻撃をしかけ始めたのである（実は英が行った独への封鎖も中立国の自由貿易を侵害しており、当時の海洋法に違反していたがチャーチル海相により実施されていた。独では七六万もの餓死者が出る）。

「シュリーフェン・プラン」に続いてまたも国際法に違反する作戦に対し、米が参戦を決意した。米は今次の大戦が民主主義を守る正義の戦いであるとして一九一七年四月に宣戦を布告するのである。露が後述する革命によって脱落することになるのだが、それに代わって、資力・工業力のある米が参戦したことは連合国側を活気づけた。独の無制限潜水艦作戦は、打開策となるよりむしろ敵を増やしてしまったのである。

ロシア革命が推移する中で米が参戦した裏には、米の財閥が英仏に戦費を貸し付けていたことがあった。特に、最大の投資銀行であるモルガン商会が巨額の戦費を投資しており、その回収のためには英仏に勝利してもらわねばならなかった。既に英仏の経済は破綻状態にあり、ロシア革命がさらなる負担を強いたのである。モルガン商会を中心としたウォール街の財閥は参戦を求めて、中立を保っていたウィルソン大統領に圧力をかけた。それまで中立していた米は、英仏に兵器や鉄・食糧を輸出したことで貿易量が四倍にも膨れ上がり、世界一の軍需景気に沸いていた。そして参戦を決定すると、圧倒的な物量で対独戦線に迫る。

そして未曾有の大戦は、戦争の形態を新たな段階へと進めていった。後に「国家総力戦」と呼ばれるようになる全国民の動員体制の創出である。大戦は、戦闘機・戦車・潜水艦・重砲・機関銃・毒ガスといった新たな兵器・技術を登場させた機械化戦争となった。航空機と潜水艦の登場によって、それまで地平・水平線の上で行われてきた戦争が、空中・海中へと三次元的に拡大した。機関銃や重砲が大量配備され、大砲の威力も格段に向上していたことから、それまでの戦争での死傷率とは比較にならないほど砲撃での被害が拡大した。砲弾を大量に消費する物量戦となり、白兵戦による衝突はほとんど起こらなかった。また大艦巨砲の出番もほとんどないまま終結するのだが、そのような機械化戦争は人員の配置をいたるところで極大化させた。

独では、兵力で連合国を上回ることができないため、国民を稼働して兵器を増産することで劣勢を挽回しようと計画がなされ、占領地の住民を強制移動させて労働力を増強するなどした。国内では男性に兵役か軍需工場での労働を義務づけ、社会全体を軍事独裁の体制に移行させていった。砲弾・弾薬の大量消費は各国にも起こり、またその上に食糧不足も世界的に起きたことから、全国民を戦争のために稼働させて戦線を維持する体制が各国で打ち出された。戦場だけでなく工場にも大量動員が行われたことで、社会の諸領域に影響が及んだ。英では一〇〇万人の女性が動員されて作業に従事した。兵士としても従軍し、露では戦争未亡人の部隊もできた。これらの女性の参戦は戦後に女性の参政権に結びつく。前線と銃後は一体化し、戦場でも国内でも大量の住民を巻き込んで、占領地では大量の難民を発生させた。そして軍人と一般市民、前線と銃後とを区別することにはほとんど意味がなくなったことから、敵国の殲滅に戦略目標が定められるようになっていく。

従来の戦争では日露戦争の時のように、戦費を銀行・外債によってどこまで借入できるかが重要な鍵となったが、今やどれほどの労力（人的物資）を稼働できるかが重要となった。この「国家総力戦」の影響から、作戦や技術よりも、経済力・技術力が命運を分けるようになったのである。

４　日本の参戦―山東省と南洋諸島の奪取

独と交戦する英は、香港をはじめとするアジア権益の防衛も行う必要があった。独が三国干渉後に得た膠州湾には独の艦隊が小規模ながら配備されており、港や商船が攻撃を受ける可能性があったのである。しかしながら、英は極東にまで手を回すことはできないため、日本に対して独の軍事的脅威から英商船を守るよう要請した。それは日英同盟の枠内において日本の援助を依頼したものであった。

これに対して、日本では第二次大隈重信内閣の外務大臣・加藤高明（かとうたかあき）によって積極的に参戦が進められた。加藤外相は一九一四年八月七日の夜に早稲田にある大隈の私邸で開かれた臨時閣議において以下のように述べた。

「日本は今日同盟条約の義務に依（よ）って参戦せねばならぬ立場に居ない。条文の規定が日本の参戦を命令するような事態は今日の所では未だ発生しては居ない。たゞ一は英国からの依頼に基く同盟の情誼と、一は帝国が此機会に独逸の根拠地を東洋から一掃して国際上に一段と地位を高めるの利益と、この二点から参戦を断行するのが機宜（きぎ）の良策と信ずる」

つまり、日英同盟は欧州での戦争に対する拘束力をもたないため日本が参戦する必要はないが、「良策」であるので参戦すると言うのである。外務大臣が参戦の立場にいないと断言しながら参戦しようとするのには驚くものがあるが、政府は大戦を権益拡張の機会と捉えていた。翌朝には天皇（一九一二年に即位していた大正天皇・嘉仁（よしひと）に上奏して裁可（さいか）を得たが、加藤は他の機関での審議などを一切経ることなく、閣議のみで参戦を決定したのであり、日本の参戦は第二次大隈内閣が主導したことでなされたのであった。

英の要請は参戦ではなく、あくまでアジアでの通商を守るための防御措置であったのが、日本はそれを根拠に参戦までしようと乗り出した。日本の積極的な参戦の意向に対して、米は日本が中国での領土拡大を狙っているのではないかと懸念して、英が日本に軍事行動の機会を与えたことを危険視した。英も日本が参戦の意向までをも示したことから、独の領有する南洋諸島を狙っているのではないかと心配しはじめていたところだったので、米の懸念も受けて、英は日本へ出した要請を撤回することにした。しかし、加藤は参戦の正式決定を後から覆すことはできないとして英の制止を振り切り、独へ最後通牒を送った。日英同盟を理由にしながらも、英との合意がないまま参戦したのである。

日本の強引な参戦に対しては、蘭も自国の領有する東南アジアの植民地に被害が及ぶことを警戒した（蘭は中立しつつ英独両国と関係を保っており、植民地のインドネシアでの貿易を続けていた）。そのため日本は、米・仏・露・蘭・中の公使らに対し、日本には領土拡大の野心はないとの表明を行い、参戦するのは独が中国に持つ権益を日本が中国に代わって奪い返すためであるとした。これにより、独の山東省の権益を日本が奪取した後に、これを中国に返還するとの条件で、八月二三日に対独宣戦布告を行った。日本の行動を察知した独が、日本の参戦を防ごうとして山東権益を中国に返還しようと交渉を始めていたのだが、返還が決定されるより前に急ぎ宣戦したのである。日本が参戦したことで戦域が中国にも及んだのであり、大戦のアジアへの拡大を招いたのであった。

加藤外相と内閣がかくも積極的に参戦したのは、大戦の機会を利用して、満洲の権益の問題を解決しようとしたためであった。日本が日露戦争で得た遼東半島の租借権には期限があり、一九二三年には中国に返還することになっていた。そしてそれは既に九年後に迫っていたのである。満鉄も三九年には中国側が買い取ることになっていた。日本側はこの租借期限を延長することを課題としていたが、租借の延長は中国側には利点がないため、何らかの交換条件なしには達成の見込みがなかった。そこへ大戦が起きたために、これを機会とすることが「機宜の良策」であると言っていたわけである。こうした見方は内閣だけでなく、当時の政治家や活動家など多数の意見でもあった。例えば、井上馨も大戦を好機と捉えて「今回欧州の大禍乱は、日本国運の発展に対する大正新時代の天佑」として大隈内閣の参戦決定を支持したことがよく知られている。それは、欧州が大戦で手一杯となっているうちに、日本は他の干渉を受けることなしに満洲権益の延長を図れるとの意味だったのである。

世論でも軍需景気による経済の活性に期待がかかり、財界から好戦的な主張がなされるようになった。新聞メディアの多くもかつて三国干渉に加わった独への報復戦であると交戦を煽（あお）る報道を行った。それらの影響から多くの国民が参戦に賛成した。政党も世論が参戦に沸き立てばそれを批判することはできず、むしろ強硬な意見が台頭するようになった。

そして、実際に景気は飛躍的に伸びていくことになる。欧州では物価が高騰し、只でさえ日本商品の輸出が有利な状況となった上に、欧州各国がアジア・アフリカ貿易から撤退したため、この間の貿易を日本が独占的に担える状況が生まれた。欧州各国へも兵器・軍需品・食料などを輸出して戦時下の需要を担った。特に海運業と生糸貿易では顕著に利益が上がり、造船や海運業では「船成金（なりきん）」と呼ばれる利得者が生まれた。他にも、沖縄の「砂糖成金」など日本商品の輸出急増による「大戦景気」の受益者を発生させた。米でも同様に好景気が発生したが、それは日本の対米輸出をさらに拡大し、好景気が支え合う連鎖反応を起こすと、オーストラリア（豪州）や南米などの未開拓市場への輸出まで拡大した。

日本の保有する金貨は五倍にもなり、一九一四年時には一一億円以上の債務があったのが、戦後の一九二〇年には二七億円以上の債権を保有していた。借金国から一転して巨額の債権を持つ国となったのである。大戦はまさに「天祐」と思われた。

戦闘においては独の有する各権益を奪取した。山東半島の鉄道・鉱山、膠州湾、南洋諸島である。大戦の当初、中華民国の袁世凱政権は中立を表明したが、日本はそれを無視する形で参戦した。

一四年九月一日から陸軍は約二万九千人をもって山東省に上陸を開始し、青島(チンタオ)要塞に砲撃をしかけた。青島要塞は独が膠州湾を租借してから建設された海軍基地で、東アジアにおける独の根拠地となっていた。その後、青島は天津に次いで中国で二番目の国際貿易港に発展し、青島要塞の独軍は守備兵の約四千人強でこれを守備していた。日本軍は圧倒的な火力と兵力で要塞を攻略したが、この戦いは英軍との共同作戦として、中国に駐屯する英国軍とインド兵一五〇〇名程度が加わって行われたものだった。それは日本の暴走を抑えるための参加であった。しかし、小規模の英軍は士気が上がらず、青島攻略を指揮した陸軍中将・神尾光臣(かんおみつおみ)は英軍の干渉を嫌って共同作戦には否定的な姿勢をとりながら作戦を推移させ、一〇月末日に要塞を陥落させた。英軍との共同の体(てい)は一応最後まで保たれたが、もはや日英同盟とは無関係に軍事作戦が行われていた。

神尾中将が戦勝の報告のために帰国する際、横浜から列車で東京に入ったが、折しも辰野金吾(たつのきんご)の設計した東京駅が完成したため、神尾の帰還の祝勝に合わせて東京駅の開業式を行った。凱旋(がいせん)将軍として駅に降り立った神尾が、東京駅の利用者の第一号となった。

膠州湾に配備されていた独の艦隊に対しては、海軍の艦隊が攻撃を行った。しかし独の艦隊は、大戦の勃発時にはほとんどの艦船が南太平洋上に脱出しており、青島に残存していた船は修理中などのほとんど戦闘能力をもたない艦で、青島要塞の陥落までには自沈した。洋上に出ていた艦船のほとんども独へと帰港する過程で英海軍に撃滅された。

また海軍は一〇月に独の領有する南洋諸島のうちの赤道以北の島々を占領した。膠州湾を脱した独の艦隊が、欧州での無制限潜水艦攻撃に並行して南太平洋やインド洋で通商破壊を行っていたが、英は日本に全面的に依拠しなければ太平洋・インド洋の安全を確保することができなくなっていたため、英は太平洋だけでなくインド洋や地中海でも協商国側の商船を護衛するよう日本に艦隊派遣を要請してきた。このような英の態度を見た海軍は、南洋への進出を強く希望していたことから南洋諸島の占領を決意した。大戦の勃発によって米の対日世論が一時的に収まっていたことも日本海軍にとっての追い風となっていた。赤道以南については英にともなって参戦した豪州とニュージーランド（新西蘭）が占領した（当時の豪と新は自治領であったが外交権は英が保持した）。日本はこの軍事行動についても、領土的野心はなく、南洋諸島の占領は講和会議までの一時的な占領であると説明したが、その二ヵ月後には加藤外相が英に対して南洋諸島を永久に保持したいとの意向を秘密裏に伝えている。

５　「対華二十一ヵ条要求」―国恥と失態

青島が陥落すると、加藤外相は中国側と山東省の権益について交渉を行うことにした。独は膠州湾を一九九七年までの九九ヵ年の間租借するとしていたので、この山東権益を奪い返して中国に返還するのと引き換えに、期限が迫る満洲の権益の延長を認めさせようとの交渉である。また、日本は「第三次日露協約」で内蒙古の東部を勢力圏とする約定を露との間で結んだが、それには中国の了承があったわけではなく、実際の利権も何ら有していなかったので、この機に内蒙東部での日本の地位を中国側に認めさせたいとの希望もあった。そのため国内では、辛亥革命の時から既に中国の混乱に乗じて出兵してでも満洲・蒙古の権益を拡張すべきとの強硬な意見が政党の一部や民間の運動団体などから噴出していた。日本にとっての大戦は、そうした満蒙問題の解決に打開策が必要とされていた状況の中でもたらされた機会なのであった。大戦に参戦してからも各勢力から満蒙問題解決のための献策が外務省に殺到していた。

加藤は袁世凱政権に対して、日本は山東省を中国に返還させるために独と戦ったのであるから負担した費用について何らかの見返りを求めたいとして、非公式外交によってその代償を要求した。ところが加藤の要求は、山東省や満蒙権益についての交渉だけでなく、中国の内政にまで関わる項目を含んだ多岐にわたる要求で、帝国主義的な野心をむき出しにしたものに見えた。それが「対華二十一ヵ条要求」（一九一五年一月一八日）と呼ばれるものである。その内容は

第一号：独の山東省の権益の譲渡について（四ヵ条）

第二号：南満洲と内蒙古東部における日本の特殊な権益について（七ヵ条）

（旅順・大連の租借を九九ヵ年延長することを含む）

第三号：漢冶萍公司（八幡製鉄所に鉄資源を供給してきた製鉄会社）の日中共同経営および鉱山採掘権の取得について（二ヵ条）

第四号：福建省の港湾・島嶼を他国に譲渡しないこと（一ヵ条）

第五号：政治・軍事・財政および警察官庁に日本人顧問を招聘すること

／揚子江中流域に日本の鉄道敷設権を認めること（七ヵ条）

以上の計二一ヵ条にわたる要求である。

このうち、日本人顧問の任用を含んだ「第五号」は、中国だけでなく欧米列強からの干渉を招くことが予想される内容であった。実際に日本人顧問を送り込めば、中国の内政に干渉して主権をも侵害することになり、それは列強間で合意していたはずの門戸開放や機会均等の原則をも無視することになる。そのため加藤は列国の干渉を防ごうと、「第五号」の内容だけは秘匿して交渉内容を公表した。しかし、袁世凱はあえて列強の干渉を招いて日本の要求を挫折させようと「第五号」の内容をリークしたためにそれが発

覚し、列国からは強い反発が起きた。米は通商の機会均等と門戸開放を守るように主張し、英・露・仏を引き入れて反対を表明した。すると、英も「第五号」にあった揚子江での鉄道敷設が英の権益に抵触し兼ねない点から強く反対し、日英同盟の破棄までほのめかしたほどであった。過大な要求は国際問題化し、日本は列国から不信を抱かれる結果となったのである。

加藤の強硬な外交は、中国国内での日本商品の不買運動や、在日留学生による反対運動・救国貯金運動などの反日運動を呼び起こした。辛亥革命後の中国では主権回復が目指され、列強に奪われた権益を取り戻していこうとしていたのである。そのような中で日本が求めていた満洲の租借期限延長は、中国が進もうとする方向性と全く相容れない要求だった。しかし、大隈内閣は三月に総選挙を控えており、権益拡張に高揚する世論の期待にも応える必要があったことから、参戦した以上は利権を拡張せずには収拾をつけられなかった。さらに、陸軍省と参謀本部がそれぞれ中国に対する交渉案を作成して加藤に建言するなどして強く権益を求めた。また強硬外交を求める議員や、「支那通」と呼ばれた在野の運動家などからも利権拡張が訴えられた。与党の内部にも強硬派の党員が多く存在しており、加藤はそうした国内事情をも抱えながら強気な交渉をせねばならなくなっていた。

しかしながら、問題になることが予測されていないながらも何故に加藤がかくも強硬な交渉をしたのかについては実は明確には分かっていない。加藤は過剰な要求と知りながらも「第五号」を袁世凱に突き付け、案の定それが国際問題を引き起こしてしまったということなのであろうか。結果としては、あまりに強圧的な要求と、加藤が「第五号」を隠蔽しようとしたことが海外紙でも批判的に報じられるようになったことから、加藤は引責辞任に追い込まれることになるのだが、そもそも加藤はどのようなつもりで「第五号」を作成したのであろうか。

加藤自身も第五号が問題となることは分かっていたし、だからこそ列強に秘匿しようとしたのである。

また二十一ヵ条要求はかねてからの満蒙についての様々な強硬意見を背負ったものであった。しかし、加藤はあくまで自身の主導によって対中外交を進めていたのであり、第五号も国内の圧力に無理強いされたわけではなかった。例えば第五号の日本人顧問の任用は、陸軍が軍事顧問を送り込むことを求めたことから盛り込まれたものであったが、加藤自身がそれを政治・経済の顧問にまで拡張して成案したのであった。加藤は確かに各方面からの要請を受けつつ二十一ヵ条を作成したが、それは外相としての自身の判断によって作成したものだったということである（加藤は中国との交渉に臨んであえて第五号を入れておき、後からこれを取り下げることで他の要求を通し易くする「交渉カード」にしようとしていたとの見方もあるが近年はその見方が見直されつつある）。恐らくは、加藤自身が判断したところの絶対的な要求が第一〜四号の内容で、第五号については各方面の要望を雑多に一応のところ盛り込んでいたものだった。それは加藤が国内の総論の上に自ら立とうとするものであったと思われる。外交は外務省が主導するとの意思表明でもあった。当初の交渉プランでは、第五号は第四号までを通した上で可能であれば要求するとした付随条項で、（交渉開始後に「希望条項」と言い換えられる）、それは国内の強硬派や陸軍への対処としても入れておいたものであった。加藤は第一号から順に交渉していき、最後に第五号の交渉をやるだけやってみるといった姿勢だったが、実際には交渉に入る以前に紛糾してしまったというところではなかったろうか。交渉途中の三月の総選挙では戦時を背景に「挙国一致」が求められたために大隈内閣の与党が圧勝したが、その間に国内世論が強硬意見に沸くと、次第に加藤は第五号の達成にも拘るようになり、四ヵ月にわたる二十一ヵ条要求の交渉の中で第五号については方針を一貫させることがなかった。加藤も外交の成果として通せるものなら通したいのであるから強気に交渉してみせたのであろう。しかし最後には、英から第五号の削除を求める厳しい通牒を受け、それが決定打となって妥協することになった。

いずれにしても、加藤は列国からの抗議を受けて、部分的に諸要求を撤回・変更しながら交渉を進め、結局は第五号を棚上げする形で袁世凱に最後通牒を発した。列強が袁世凱に対して日本と軍事的衝突を起こさないよう忠告すると、袁世凱は列強の干渉を呼び込んで日本に圧力をかける方法がこれ以上は効果をあげないと判断して屈服した。袁世凱は日本の要求を受け入れた五月九日を「国恥記念日」として中国国内の反日世論を高揚させる象徴とした。

袁世凱は「二十一ヵ条要求」を受け入れたことで中国国内から激しい批判を受けた。すると、自らの政治権威の巻き返しを図るために、辛亥革命によって否定されたはずの皇帝制度を復活させて、自身が皇帝となろうとする。大隈内閣は、この袁世凱の帝制運動が日本にも多分に影響を与える重大事で看過できないとして、英露仏に呼びかけた上で袁世凱に帝制実施の延期を勧告した。中国国内でも袁世凱の皇帝即位に反対する「第三革命」が起こった。

列国の反対も受けた袁は一六年一月に帝制の延期を発表したが、大隈内閣は三月に袁世凱政権の打倒を閣議決定した。ところが、それから僅か三ヵ月後の六月に袁世凱は病死する。袁の後継には、北洋軍閥に属していた段祺瑞が就いた。

日本国内では、諸外国からの批難をあびた「二十一ヵ条要求」が外交上の失策であったとして内閣の責任が追及され、加藤が辞任した後にも陸軍の軍備拡張をめぐる予算問題が起きると、大隈内閣は政権の続投が困難となり辞職に追い込まれた。大隈内閣の後には陸軍の寺内正毅を首班とした内閣が登場する。

他方で、米は中国の領土保全と門戸開放を原則とする姿勢を崩そうとはしなかった。日本が帝国主義外交を貫徹しようとする一方で、米は中華民国（袁世凱政府）に対しても早くから承認を与えて借款を提供した。対する袁世凱も日本の権益拡張を抑えるために、米を対日問題に関与させようと接近を図った。米は植民地・租借による権益を求めることはせず、中国国内に米国系の銀行を設立するなど良好な関係の上で経済進出を展開した。日本とは正反対の進出方法であったと言えよう。

また、英も早くから袁世凱との連絡をとって中華民国に承認を与えた。英は袁の帝政は認めなかったが、中国における自らの権益を保持しようと努めた。それらの意向は辛亥革命に干渉しようとする日本の方針とは合わず、第八章5でも述べたように日英間に齟齬をきたす原因となっていく。

6　中国の南北分裂―寺内内閣の対外戦略

一六年六月に袁世凱が死去した後、中国では軍事クーデターが頻発し、各地に軍閥が割拠する状況が生まれた。北洋軍閥は内部分裂を起こし、覇権をめぐって派閥争いが起きたが、それを平定した北洋軍閥筆頭の陸軍総長であった段祺瑞(だんきずい)が北京で実権を掌握した。

他方、袁世凱に追放されていた孫文が、軍閥争いと北京の混乱を見て、一九一七年九月に中国西南部の軍閥を利用して広州で独立政権を樹立した(「広東政府」)。孫文の「広東政府」は辛亥革命が目指した国会開設が実現されない状況を打破するために反中央政府として出現したのである。ここから中国には、段祺瑞を中心とする「北京政府」と、孫文を中心とする「広東政府」の二つの政権が成立し、南北に分裂した。

また一方、日本国内では一六年一〇月に成立した寺内正毅内閣が対中外交の転換を図っていた。大隈内閣では袁世凱の帝政運動に反する「反袁政策」を採っていたが、寺内内閣は大隈内閣の外交方針を否定して、段祺瑞の「北京政府」(北方派軍閥)を援助する「援段政策」を採用した。

広東省・広州

寺内内閣の主要閣僚には、朝鮮支配を重視した人物が挙げられる。朝鮮総督を務めた陸軍中央の軍人である寺内を頂点に、内務大臣には台湾での植民地官僚としての実績が評価された後藤新平（98頁）が就任し、大蔵官僚で朝鮮銀行総裁も務めて「朝鮮組」と呼ばれた勝田主計（しょうだかずえ）が大蔵大臣に就任していた。また、外務大臣には一〇年にわたって駐露大使を務め、ロシア通とされていた本野一郎（もとのいちろう）が就任したが、「日露同盟論者」として知られていた本野の起用は、日露関係を良好に保ちながら満蒙権益の保護を図り、そこから朝鮮支配を安定させようとの方針が表われている。それまでに締結されていた三度の「日露協約」ではいずれもこの本野が全権を務めていた。

日露戦争後に日本に接近した露は、満蒙の権益を日露協約によって分け合うことで確保しようとした。また両国は、米が中国に進出するのを阻止しようとする点でも利害が一致していた。露の日露戦争後の経済は独からの輸入に依存するようになり、輸入額の半分を独の輸入品が占めていたほどであった。それが大戦によって途絶えたため、日本からの輸入に頼ることになった。それは日本にとっては大戦景気の一要因を作り出したが、露にとっては日本の軍需物資の輸入なしには戦線を維持することができなくなるという依存状況を作り出した。そうした状況を背景に、寺内内閣の成立前一九一六年七月に朝鮮総督の寺内が主体となり「第四次日露協約」が結ばれた。全権大使はやはり本野である。露への武器・軍事物資の援助を約し、満蒙権益の相互承認を再確認した上で、第三国による中国支配を阻止しようとの秘密協定であった。大戦を背景としたこの協約はそれまでの日露協約とは異なり、混沌とした中国情勢を捉えて、対象の範囲を中国全土に広げており、可能な限り日露両国のみで中国分割を行おうとする軍事同盟としての性格を帯びている。秘密協定部分では第三国と交戦する場合の相互防衛を約束しており、今や日露協約は中国全土の権益を分け合うための攻守同盟となった。そして、寺内内閣組閣後の対中外交「援段政策」に代表されるのが、寺内の私設秘書役であった西原亀三（にしはらかめぞう）による「西原借款」である。

段祺瑞

寺内内閣は、段祺瑞の政権に対して友好を建前とした約一億四五〇〇万円の無担保融資を内容とする軍事経済援助を行った（一六年度の日本の国家予算が六億円弱）。西原は一七年一月に寺内首相と勝田蔵相の私的な使節として派遣され、分裂した中国を段祺瑞政権が統一できるように援助した。折しも日本は大戦景気によって輸出超過が発生していたため、その資本を供与して、将来の親日的政府による中国統一を成そうとしたのである。要するに「西原借款」とは、段祺瑞に対する政治的な先行投資であった。そしてそれは外務省や横浜正金銀行など正規の外交ルートとは別に行われた。

また、同じ一七年一月には英の海軍省から駆逐艦を地中海に派遣するよう要請があった。地中海で独の無制限潜水艦攻撃が始まったために、それへの対応が求められたのである。寺内内閣は、日本が山東省と南洋群島を領有することを英が承認するとの交換条件で応ずることとし、二月一〇日の閣議で派遣を決定した。地中海およびアフリカへ艦隊を派遣することになり、英はそれと引き換えに日本が独の権益を引き継ぐことを認めた。日本は「対華二十一ヵ条要求」によって連合諸国との間に溝ができていたことから、関係改善を図る機会としても艦隊派遣を引き受け、また改めて米の主張する領土開放の原則を承認する意向も示した。派遣された艦隊（防護巡洋艦と駆逐艦八隻。八月にはさらに増援する）は終戦まで輸送船の護衛に当たった。アジアの外に出ることなく大戦の参戦国となった日本は、アジアの外に出て協力することを条件に領土の拡張を図った。それは最小限の負担しか負わずに、利益を獲れるだけ獲ろうとした姿勢を改めざるを得なかったということでもあった。

山東省と南洋諸島の権益を得ることを交換条件にした際には、仏・露・伊のいずれもこれに反対はしなかったのだが、列強との合意は日本が南洋を領有するための法的な根拠を示すものでは何らなく、米の掲げる領土開放原則には抵触しかねなかった。結局日本は領土的野心がないとの表明が単なる口実でしかなかったことを自ら明らかにしたようなものであった。そのことを最も嫌ったのは米であるはずであったのだが、ところがその米が一七年四月に参戦することになったので、連合国の一員同士として日本との提携が必要になるのである。

米は、寺内内閣の西原借款が中国の自主的な成長の妨げになると判断しており、日本に対する心象をますます悪化させていたが、対独戦争を遂行するために中国問題を一時的に棚上げし、一一月には日本との間に「石井・ランシング協定」を締結した。これは、特使として派遣した石井菊次郎とランシング国務長官（Robert Lansing）との間で結ばれた中国権益に関する協定で、中国の独立・門戸開放・機会均等の原則を前提にしつつも、山東省の権益獲得と、日本の領土に接している満洲については特殊な権益として日本の優位性を認めるとの内容であった。それは米の外交原則と、日本の求める中国権益との間に妥協点を定めたものであり、また米が欧州戦線に傾注するための手続きであった。

この間の一七年八月一四日には、段祺瑞の北京政府が独・墺に対して宣戦布告し、参戦を表明した。軍隊を欧州に送ることはしなかったが、協商側の連合国を支援するために後方支援の労働者を欧州へ派遣した。労働力を戦地に送ろうとの考えは、日本に「二十一ヵ条要求」を突き付けられた際に国際的な発言権を得ようと袁世凱政権の下で考案されたものであったが、独墺への宣戦布告によって国交を断絶すれば義和団事件以来続いている賠償金の支払いを破棄することができるという利点があった。特に義和団戦争で連合軍の指揮をとった独への賠償金額が最も多かったのである。これにより北京政府は戦後に戦勝国に位置づくことになる。

第10章 国際連盟の創設と「理想主義」
―国際秩序の転換

世界大戦は、帝国主義外交の産物である軍事同盟網によって極大化した戦争であった。参戦の連鎖により拡大したのであったが、その連鎖の原因は「勢力均衡論」(バランス・オブ・パワー)による国際秩序に他ならず、それは世界に帝国主義の限界を痛感させた。そして大戦後には、大規模戦争が繰り返されることのないように国際秩序の転換を図る動きが表れる。つまり、国際社会は予想を超えた戦争の惨禍を顧(かえり)みて、軍事同盟の連鎖や軍拡競争を必然とする現実主義そのものの転換を求めるようになるのである。

1 「ロシア革命」とシベリア情勢―「労働者にパンを!」

世界大戦の渦中には帝政ロシアが崩壊する大変転が起きた。一九一七年の三月に民主制を目指す反帝政の革命が起こり、皇帝ニコライ二世を廃位してロマノフ王朝を滅亡させると、臨時政府が樹立された(「二月革命」―革命は三月に起きたがロシア暦では二月)。戦争によって発生した食糧問題は皇帝の権威を失墜させていた。革命は国民の生活苦を背景として、戦争の即時停止を求めた運動であった。しかし、臨時政府は直ちに戦争を停止することができなかった。ロシアは大戦を開始した主要国の一つであり、諸外国が戦争を継続する中で単独で抜け出すことは困難に思われた。革命に成功しても、諸外国の承認を得なければ新たな国家として存続できないのであり、連合各国の意向を無視して戦争を止めることに躊躇したのである。

すると、革命後になおも戦争を継続する臨時政府に対して、ウラジミル・レーニン（Vladimir Ul'yanov）率いるボルシェビキ（革命主流派の意）が戦争の即時停止を求め、今度は臨時政府に対する革命運動が起こされた。「労働者にパンを！」と訴える大規模なデモを展開し、一一月には武装蜂起した（「一〇月革命」）。社会主義の成立を目指す第二弾の革命運動は臨時政府を崩壊させると、大戦後には他民族を抑圧することのない世界の実現を期すとして、他国に対して賠償金を求めたり、領土を併合したりしないことを声明した。大戦の原因になったバルカン半島をめぐる領土問題の中心にいた露が「無賠償・無併合」を自ら約束し、野心的姿勢を一転させたわけである。そして「ソヴィエト共和国」を樹立した（ソヴィエトとは「評議会」のこと。各地の評議会による連合体がソヴィエト連邦であるが「ソ連」の成立は後の一九二二年となる）。日本が米との間に「石井・ランシング協定」を締結した五日前のことであった。

レーニンはソヴィエト政権樹立の翌日に「平和に関する布告」を決議し、交戦する各国に即時平和を実現するための行動を起こすよう呼びかけた。敗戦した国に対して賠償金を請求せず、領土も奪うべきではないとした「無賠償・無併合」を唱えるとともに、民族の自決権を主張して、永久的な平和構築を表明した。露の領内では、地主から土地を没収して農民に分配し、国内に居住する全民族に領土権を認めるとした。またそれだけではなく、露が獲得していた他国への賠償金の請求を放棄し、さらに秘密外交の否定を声明して、露がそれまでに結んでいた各国との「秘密協定」を全て暴露した。

これによって列強が露と密かに約束していた交渉が全て白日の下にさらされた。その中には当然ながら「日露協約」も含まれており、四度にわたって結んできた「日露協約」はこれで御破算となった。日本は露との間で、英米が中国に進出するのを共同で阻止しようとの密約を交わしていたことを暴露された上で、日英同盟と並ぶ外交の基軸を失ったのであった。

また、英仏がこの大戦中の一九一六年五月に結んだ秘密協定が存在したことも明らかにされた。しかもそれは、大戦に勝利した後に英仏露の三国でオスマンを分割しようとの内容であった（「サイクスピコ協定」）。これが問題であったのは、英が中東のアラブ国家の独立運動や、ユダヤ人の居住地をパレスチナに確保する約束をしていたにも拘らず、実際には列強の間で現地を分割する計画を立てていたことが暴かれた点であった。アラブ（ムスリム）とユダヤは対立していたにも拘らず、英はその両者に領土を与える約束をしていたことが分かり、そのうえ実際には自らがその地を得ようとしていたことから「三枚舌外交」と批判された。現在に続くパレスチナ問題の発端である。

2　「日露協約」の残影

秘密協定の暴露は各国に様々な衝撃を与えたが、革命の影響はそれだけではなく、兵数一四〇〇万人を超える露軍が独との戦争から撤退し、東部戦線が消滅することも意味した。挟み撃ちから解放された独は息を吹き返し、露軍の捕虜にされていた独軍の兵士が帰還したことで兵力も増強された。これによって独は短期的ではあったが再び英仏に大攻勢をかけるようになった。

協商国として一緒に戦っていた露を崩壊させたソヴィエト政権の登場に対し、英仏を主とした諸国はパリで連合国会議を開催してその対応を協議した。そして、ソヴィエト政権を承認せず、革命を阻止するために干渉すべきとの内容が話し合われた。また、再び独を挟み撃ちにできるように、東部戦線を再度つくり出そうとした。つまり、離脱した露に代わって独を東側から攻撃する部隊を送り込もうとの計画である。そのためにウラジオから兵を上陸させ、シベリア鉄道で独軍の背後に回る案が考案された。折しも独とソヴィエトの間で休戦協定が成立し、講和交渉が開始されたため、独への挟み撃ちは急がれた。英仏両国は一七年一二月に秘密協定を結んで対露政策を策定し、対独戦争の遂行に必要な限り革命への干渉を行うとの方針を定めた。しかし、英仏軍にはシベリアまで兵を回す余裕はなかったため、日本と米にこれを依頼する案が出された。シベリアへの派兵と鉄道を押さえる要請である。シベリアには日本と米が露の支援のために送った軍需物資が大量に置かれており、これがソヴィエトとの講和成立後に独軍に渡るような事態になってしまうことも危惧された。

日本は、英仏からの依頼とは別個に、翌一八年の一月に居留民保護を目的にウラジオに軍艦二隻を派遣したが、欧州戦線への合流や革命への干渉については米が強く反対していたため、英仏の依頼は断った。政府内では本野外相が積極的に出兵を請け負おうとしたが、閣内でも米の承認がないことが問題視され、結局は取り止めとなったのである。また東部戦線への派兵には日本の利益が見出せなかった。

英仏による革命への干渉を認めなかった米のウィルソン大統領は、一月一八日に、大戦が終結した後の平和実現に向けた「一四ヵ条の平和原則」を発表した。その中には、各民族は自身の同意によって支配・統治されるべきであり、他の民族や国家からの如何なる支配も強要されるべきではないとの主張が含まれた。これはレーニンが「平和に関する布告」において主張した民族自決権を受けて出されたものであった。米はロシア革命に対する方針を英仏とは共有できなかったことから、単独で戦争目的を再定義する声明を出すことになったのである。但し、ウィルソンも露の戦線離脱を単に傍観する態度だったわけではなく、革命後も協商国に協力してくれることを望んでいた。露の離脱を引き留めたいとの思いもあったが故に、レーニンと民族自決の理念を共有していることをアピールしたのであった。

しかし、レーニンはこの一月に革命軍（赤軍）を組織し、露国内の反革命勢力や列強の干渉に対峙する姿勢を見せた。そして三月には英仏の懸念した通り、独ソ間での講和条約が成立した（「ブレスト・リトフスク条約」）。これによってソヴィエトは、大戦の最中に単独で独軍と講和して戦線から抜け出してしまった。露国内では、ボルシェビキを共産党に改め、他の党派はすべて追放して共産党の独裁体制を築いた。首都もモスクワに移転させた。

日本は、四月にウラジオで日本人居留民が殺害される強盗事件が起きたため、それを根拠に海軍の陸戦隊五〇〇名を上陸させた。海軍にはウラジオを占領したい希望が暗にはあったものの、なおも単独でウラジオに小規模の上陸を行ったのみで、英仏の求めたような大規模派兵による東部戦線の構築や革命干渉は行わなかった。そしてこの四月には本野が病のために辞職した。後任の外相には後藤新平が就いた。ところが翌五月になると、一度は中止となった出兵問題が再燃する。それにはシベリアに広がった革命の影響と、それまで露軍の一部として独と戦闘していたチェコ・スロバキア軍の問題があった。

露の全土では食糧不足が深刻化していた。革命運動はレーニンの要請からシベリアにも拡大し、シベリアの「地方ソヴィエト政権」が誕生した。そして、食料不足の解決のために余剰生産物を統制しようと、土地の国有化を断行した。独と講和した後も英仏の干渉と戦わなければならなかったレーニンは「戦時共産主義」と称して、地方から中央へ食料を集めようと、余剰な農作物を強制的に供出させる政策を採った（「穀物独裁」）。市民の食料は配給制となり、工場も全て国有化された。「すべてを戦場に」と謳い、統制に反対する市民は軍事警察力で取り締まった。これらは革命を防衛するための緊急措置ではあったが、社会主義革命の理念を歪めており、余剰作物を取り上げられて却って貧しくなった農民や労働者の意欲を著しく減退させた。

そうした中で、シベリア・ソヴィエトは食糧確保のために中国領の北満洲一帯をソヴィエトの勢力下にあると見なして、北満の国有化をも進めようとした。しかしながら、北満が露の権益に含まれると見なすのは、日本との間に結ばれた「日露協約」においてのみ確認されるものであり、それを破棄したソヴィエトには中国領の満洲に行動を起こす根拠は何らなかった（仮にあっても中国主権の侵害であるが）。ソヴィエトの動向に対して北京政府の段祺瑞は、鉄道を遮断して農作物の輸送を停止し、満洲と露の国境線を封鎖した。これによって、満洲からの食料供給に頼っていたシベリア一帯の食料危機は一層深刻化することになった。

3 「シベリア出兵」—陸軍の独自外交と満洲戦略

中世から墺の支配下にあったチェコとスロバキアでは、大戦に際して現地に住むチェコ人とスロバキア人（双方ともスラブ系人種・独立国をもてずに東欧州・バルカン地域・露などに分布する民族になっていた）が墺軍に動員された。彼らは東部戦線で露軍と戦闘したが、露軍の中にも露に在住していたチェコ人らが動員されており、双方とも士気が上がらなかった。特に墺軍側ではチェコやスロバキア地域を支配する墺のために戦おうとする兵士などはほとんどおらず、簡単に露軍へと投降していった。墺のチェコ・スロバキア兵は露軍の捕虜となると、今度は露軍の一部として墺と戦うようになり、露を後ろ盾に墺からの独立を勝ち取るための戦いを始めた。協商国側に付いて戦えば独立できるとの希望は、約四〇〇年間も自身らを支配してきた墺へ反旗を翻すのに十分な動機であった。ところが戦争中に露が革命で崩壊し、革命派は戦争を停止してしまったため、東部戦線の消滅とともに独立のための戦争も継続できなくなった。それでも戦争の継続を望んだチェコ人・スロバキア人の部隊は（以下、「チェコ軍」と記す）、一八年五月に反ソヴィエトの軍事行動を起こし、反革命の旗手となった。
チェコ軍は西部戦線に移動し、英仏軍と合流して戦闘を続けようと望んだが、そのためには独墺軍を突貫して仏側に出なければならない。チェコ軍は五万人規模の部隊に膨らんではいたものの、独墺を突き抜けて西側に出ることは不可能なため、仏政府と連絡をとりながら、シベリア鉄道でウラジオまで移動することにした。そこから日本や米の協力を得て太平洋を横断し、さらに北米大陸と大西洋をも横断して英仏軍に合流しようと考えたのである。つまり、独墺の西側へ回るために世界を一周して西部戦線にたどり着こうとの計画であった。

かくしてチェコ軍はシベリア鉄道で移動を開始した。鉄道の利用はソヴィエトの了解を得ていたが、地方ソヴィエトには必ずしもその連絡が届いておらず、ウラジオに向かう沿線の各駅で行軍の停止や武器の放棄が要求された。そこに、ある駅で露軍の捕虜になっていた独軍の兵士が居合わせ、チェコ軍との間で揉めはじめると、チェコ軍とソヴィエトとの間でも武器の引き渡しをめぐって紛争に発展してしまい、ついには鉄道沿線の各地でチェコ軍とソヴィエト革命軍（赤軍）との全面衝突が起きた。チェコ軍は各地で奮戦して赤軍との戦いに勝利し、各都市を制圧しながらウラジオへ向かった。英仏はチェコ軍の戦果を喜び、彼らが占拠した都市に、革命に反対する露国人による反革命政権を立てていった。チェコ軍は英仏の期待する革命干渉の役割を帯びたのである。

チェコ軍がシベリアまで到着すると、革命に反対する露の政府軍（白軍）と赤軍との間で戦闘が続いていた。赤軍が優勢を占めていたが、食糧統制によって却って食糧不足に陥ったシベリアの現地農民たちがソヴィエトに対する反感を募らせていた。食糧問題が深刻化する渦中に到着したチェコ軍はここでも奮戦し、シベリア一帯の革命派の拠点であったウラジオストック・ソヴィエトを崩壊させたが、次第に赤軍に包囲され、ついには完全に孤立した。

反革命の旗手としてシベリアで孤軍奮闘するチェコ軍に対し、英仏はこれを救済する必要があるとして、改めて日米両国に出兵を打診した。今度は東部戦線の再構築としての依頼ではなく、民族の独立を目指すチェコ軍の人道的救済としての依頼であった。それは、民主主義を守るためとして参戦し、「民族自決」の実現を戦争目的に掲げたウィルソンの声明と合致したため、米もチェコ軍を見殺しにすることには大義が立たなかった。さらに革命に反対する露国人からも要請の声があがったこともあり、それらの事情から米は出兵論に転じて、一八年七月に米側から日本への共同出兵を提案してきた。

日本では、それより前の五月に段祺瑞政権との間に、東北アジアの安全を共同で防衛するとした「日支共同防敵軍事協定」を締結していた。この協定によって、日本軍が中国領を通過することが認められたことから、日本は北満洲以北への軍事行動を起こせるようになった。シベリア問題への対応として、「西原借款」を背景に陸軍が主導して段祺瑞政権と結んだ協定であるが、それは寺内内閣の下で陸軍が独自外交を展開しはじめたことを意味していた。

この上に米からの共同出兵の依頼を受けた内閣は、八月二日に出兵を宣言し、派兵を行うとともに北満洲を事実上占領した。それは、失われた「日露協約」で得ていたはずの満洲の権益を取り戻そうとする行いであった。即ち、「日支共同防敵軍事協定」は「日露協約」の代替戦略だったわけである。そればかりか、陸軍の一部では日露協約が消滅したことは、むしろ日本が北満にまで勢力を拡張できる好機と捉えられていた。北満を露の勢力圏としていた日露協約の拘束から解除され、日本が満洲全土、さらにはシベリアまでをも勢力圏にできる機会が出来（しゅったい）したと、日露協約の消滅を前向きに捉える立場まであったのである。参謀本部では、以後にどのような情勢になろうとも中国支配を進めることが方針とされていた。

シベリア出兵は、日米を主力に英仏軍も加わった連合国の共同出兵として開始された。米国は自ら日本に共同出兵を打診したものの、シベリアへの軍事行動を起こせば、日本がその機会を利用してシベリアの支配に乗り出すのではないかと警戒し、ウラジオに限定した小規模の出兵を行うことを提案した。当初は米の同意がないことから出兵に反対していた寺内内閣は、米側からの打診を得たため出兵を決定すると、段祺瑞との軍事協定も発動させて大規模出兵を企図した。

米国との間では、米軍が七千人を派兵するのに対し、日本軍は最大でも一万二千人以下の兵力を共同派遣することと、チェコ軍の救済後には直ちにシベリアから撤兵することが合意されていたのだが、日本は一〇月中旬までには米との合意を無視して、米軍の一〇倍以上の七万人強の大兵力を派遣した。北満を占領し、その上ウラジオだけでなく沿海州やさらに西方へ兵力を展開した。陸軍の独自外交の上に実施された大規模派兵はチェコ軍の救済を逸脱しており、米との間に摩擦を生じさせた。

この直後の一一月に独の降服によって大戦が終結する。結局チェコ軍はウラジオから各国の船で欧州に輸送され、西部戦線に合流することはなかったが、チェコ軍がシベリアに至るまでに目覚ましく活躍したことから、連合国側はチェコ・スロヴァキア独立を支援し、「チェコスロヴァキア国民会議」を臨時政府として承認した。他方で、その過程ではチェコ軍の活躍を背景に白軍が盛り返すことを恐れたレーニンがニコライ二世を処刑した。ニコライは家族とともに秘密警察の監視下で生活していたが、一八年七月に監禁先で銃殺された。

日本国内では、シベリア出兵によって兵隊の兵糧としてのコメが国外に持ち出されたために米価が高騰し、それに対する抗議デモが起きた。富山県の漁村の主婦数名に端を発する「米騒動（こめそうどう）」である。富山には江戸時代から女性も一揆に参加していた地域性があり、そうした経験が継承されていたようである（困窮する主婦らの抗議活動自体は以前から頻繁にあった）。当初の主婦らの請願運動は暴力的な性格ではなかったが、当時の新聞で大々的に報道され、さながら一揆のようだとされた。実際には、不足するコメが投機の対象となり、買い占め行為などが起きたために米価高騰を激化させており、困窮する労働者のストが全国的に発生していた。大戦景気は「成金」を出現させても国民生活を直ちに豊かにしたわけではなかった。日本の生産力は四倍にもなり、とりわけ工業化を進めて輸出を激増させたが、それによって海運業や電力事業が拡大しても、その業種を支える技術者や下請け業の労働者には必ずしも富の配分はなかった。景気とともに物価も上昇していくと、生活苦を迎えた船の荷揚げ労働者や電気工らが各地でストを起こしたのである。

百万人規模の米騒動とはそのストに連結して拡大したものだった。コメの輸出反対運動が大阪・京都・名古屋に飛び火すると瞬(また)く間に全国に広まった。政府は皇室からの恩賜金によってコメの廉売などを行ったが根本的な解決策にはならなかった。また朝鮮や東南アジアからコメを輸入したが、その影響から各国でも米価が高騰するようになり、東南アジアや香港では食糧危機が起きた。その上、そうして輸入した外米には関税がかかり結局国内の米価は低下しなかった。各地で暴動が起きると、寺内内閣はこのデモの鎮圧に軍隊を動員して武力鎮圧を図った。国民に銃を向けた政府の措置はマスコミその他に強く批難され、寺内内閣は支持を失い退陣を余儀なくされた。

その後のシベリアでは、大戦を終えてもなお一九二〇年の初頭にかけて連合軍が赤軍と各地で交戦したものの、その多くは敗退していった。日本軍は大規模出兵とはいえ、七万強の兵力もシベリア各地に散開して配置させると、広大なシベリアを抑えるには不足であった。シベリア各地に点在する日本軍に対し、赤軍は兵力を集中させて局所的に攻撃した。日本軍は零下三〇度の極寒の地での戦闘に苦しんだが、それに対して赤軍は実戦の過程で戦闘能力を高めていき、次第には住民の支持も得ていった。

こうした状況を見た英仏両国は二〇年一月に革命に干渉する方針を放棄し、露への封鎖解除を宣言した。米国も出兵を打ち切ったが、その中で日本だけは兵を撤退させなかった。シベリアにいる日本人居留民の生命財産が保証されず、革命派の勢力が朝鮮・満洲に波及するおそれがあると主張して戦闘を継続したのである。陸軍は満洲・シベリアの利権拡張を諦めようとせず、列強各国の意向を無視してシベリアに残存したのであった。二〇年五月に日本軍の将兵と居留民の約七三〇名余りが赤軍に殺害される「尼港事件」が起こると、日本は事件の賠償を求めるために北樺太にも部隊を派遣し保障占領を行った。こうして日本はロシア革命への干渉戦争をひとり継続するのである。

4　パリ講和会議とヴェルサイユ体制

独軍は露との単独講和によって短期的には勢力を挽回したが、その後の英仏軍の攻勢に耐え切れなかった。両陣営にそれぞれ被害が出たが、英仏軍の損耗は米軍から補充できたのに対し、独軍はもはや補充ができなかった。米は陸海軍の戦力を多量に欧州に送るようになり、連合軍は物量において優位に立ったが、米はそれと同時に「スペイン風邪」(米の渡り鳥から感染したとされるインフルエンザ)をも欧州に持ち込んだ。インフルエンザは独軍兵士にも感染すると、その後は食糧不足から栄養失調になりがちだった独軍にむしろ多く感染被害を出した(各軍は病気の蔓延を秘匿したためその後にスペインで流行するまで病は認知されなかった)。

独は英仏との西部戦線に集中するために他の戦線から戦力を引き抜くようになっており、手薄となった他の戦線が崩れ始めると、同盟国側の諸国は次々に脱落していった。墺は国内で各民族が自治を求めて独立を要求するようになり、一九一八年一〇月についに独との同盟を破棄して単独講和に踏み切った。それに前後して独でも講和が模索されるようになり、一一月には休戦協定が結ばれた。独との休戦に際しては、独の交戦能力を奪う厳しい条件が附されたが、ロシア革命の影響から独の領内でも革命運動が起きようとしていたため、独は講和を急いだ。

講和会議は、一九一九年一月よりパリで行われることになった。翌二〇年八月にかけて開かれたこの会議の中で、大戦処理と戦後の世界秩序を再構築する「ヴェルサイユ体制」が築かれることになる。独は大戦の責任を求められ、その処理が会議の焦点となった。独の植民地は列強が分割して統治し、独墺の支配下にあった東欧は独立することになった（主にスラブ人の領土／またフィンランド・後のユーゴスラビアなども独立）。また独には軍備制限と賠償が求められた。独の陸軍は一〇万人に制限され、参謀本部は廃止されて対外作戦を行う能力を失った。海軍も軍艦の保有が制限され、潜水艦や航空戦力の保有は一切禁止された。多額の賠償金が請求され、当初の総額は一三二〇億マルクとされたが、それは独が一〇〇年かけても通常の方法では払いきれないほどの額であった。

　これらを定めた講和条約が一九年六月二八日にヴェルサイユ宮殿で、独と連合国二八ヵ国との間に調印された（「ヴェルサイユ講和条約」）。この六月二八日の日付は、大戦のきっかけとなったサラエボ事件の日にちであり、独に対する制裁としての条約がヴェルサイユ宮殿で調印されたのも、かつての普仏戦争の意趣返しとしての意味があると言われた。独がその普仏戦争で得たアルザス・ロレーヌも仏に返還された。

　そしてヴィルヘルム二世が退位を迫られた。大戦の遠因には彼が掲げた世界政策をあげることができる。それは交戦相手を増やし、拙速な作戦を採る原因をつくってしまった。英との対抗が必至だった世界政策を、ヴィルヘルムが時には強硬に展開していたのには、独が英の世界的支配に対抗していくことで、英の支配に苦しむ諸国が独に味方するはずであるとの期待もあってのことだった。だがヴィルヘルムは必ずしも強硬姿勢で政策の貫徹を求め続けていたわけではなかった。むしろ戦争の危機がある度に躊躇し、強気に振る舞いながらも逡巡していたのが彼の姿で、大戦に際してもバルカン半島での限定的な局地戦争を期待していたし、無制限潜水艦攻撃も本人は躊躇したのを国民的英雄となっていたヒンデンブルクが強く要請したのを抑えることができずに実施したのであった。退位したヴィルヘルムは蘭に逃亡して、一九四一年に死去するまで隠棲（いんせい）生活を送った。かたやヒンデンブルクは戦後に大統領になる。

一方、墺ではチェコの独立を契機に墺帝国内の諸民族が次々に独立を宣言した。墺の降服直後には帝制を否定する革命が起こり、盟邦のハンガリーも完全な分離独立を宣言した。領土の大半を失った墺はオーストリア共和国へと再編されて、一九三八年にナチスドイツに併合されるまで存続することになる。

同盟国側の他の敗戦国もそれぞれが講和条約を締結した。「サンジェルマン条約」（墺／九月一〇日）、「ヌイイ条約」（ブルガリア／一一月二七日）、「トリアノン条約」（ハンガリー／二〇年六月四日）、「セーブル条約」（トルコ／八月一〇日）であるが、これら全てをまとめて「ヴェルサイユ条約」と呼称することもある。

パリ講和会議には三二ヵ国が参加していたが、実質的には米英仏の三国によって主導されていた。ウィルソンが「一四ヵ条の平和原則」で提唱した「以後の世界において秘密外交を廃止すること」・「経済と海洋における自由」・「軍備縮小」・「独に侵略された各国の主権回復」・「民族自決」などの平和原則を基調としており、この会議から外交上の共通語として英語が用いられるようになったことは米の影響力の高まりを示している（欧州ではラテン語が外交上の共通語となっており、各国の宮廷用語であった仏語も一六世紀頃から用いられた。ヴェルサイユ条約では英語と仏語の双方を正文に使用できると規定され、現在に至っている）。

しかし、米が平和構築の理念を推し出そうとしたのに対し、英仏は損害を取り戻そうとの意識が強く、独に対する報復の性格はぬぐい切れなかった。独への制裁に見る通り「無賠償・無併合」の理念は実現されず、また民族自決や国際協調の理念を枠組みにしながらもソヴィエト政権の参加は認められなかった。それればかりか講和会議の開催から一年後の二〇年一月まで、ロシア革命への干渉戦争が続けられたのは前節の通りである。戦勝国は賠償金で経済復興を図り、列強の植民地はほぼそのまま残された。民族自決も東欧の他では実現しなかった。

5　国際連盟の発足とその世界史的意義

「ヴェルサイユ体制」は戦勝国が敗戦国や植民地を抑圧する世界の構造を再形成した。それでは、大戦への反省や教訓がまったく活かされなかったのかと言えば、決してそうではない。その中では帝国主義を否定する世界秩序の大変革が起きようとしていた。

ウィルソンの平和原則の第一四条では、新たな世界秩序を構築する国際平和機構の創設が呼びかけられていた。平和維持のための国際機構を創設しようとの考えは、英仏伊の間でも共有されており、講和会議の準備段階として行われていた連合国の総会議で既に議論されていた。そのためパリ講和会議が開催される段階では、国際機関の創設は既定方針となっており、「ヴェルサイユ講和条約」の第一章に「国際連盟憲章」として明文化されることになった。

こうして組織された「国際連盟」は、四二カ国の加盟国を得て、一九二〇年一月一〇日に発足した。英米が協同で起草した案を骨子に、英・仏・伊・日の各国を中心とした委員によって連盟の規約が作成された。日本の委員は、講和会議に派遣された牧野伸顕全権と珍田捨巳駐英大使である。「国際連盟規約」の前文には、加盟国は「戦争に訴えざるの義務を受諾」することが記され、もしも国交断絶に至るような紛争が起きたとしても武力解決には依拠しないという理念が掲げられた（第一二条）。これは、以後の紛争は連盟の審査に付さなければならないとの規定であり、戦争を法律によって禁じようとする世界的な試みの第一歩であった。

それまでの帝国主義世界において、戦争は国家の権利であった。しかし、軍事同盟の連鎖でしか非戦争状態を生み出せないとする緊張した世界観は、世界大戦の大惨事をもたらした。その反省から、世界を潜在的な戦争状態と見なす現実主義に対して、国家間の経済的な相互依存性に着目することで世界を一つの共同体と見る世界観「理想主義」が登場した。国際連盟創設の世界史的な意義は、まさにこの理想主義へと世界のルールを書き換えたことである。それにより「勢力均衡論」は否定され、もはや世界は潜在的戦争状態の中にはなくなった。即ち、帝国主義が否定されて、国際協調と民族自決を基礎とする秩序へとルール転換されたのである。

このことは、牧野伸顕の意見書からも知ることができる。牧野は講和会議への出発直前の一八年一二月八日の「臨時外交調査会」（臨時外交調査会は一七年六月に寺内内閣が大戦の諸問題について国内意見を統一できるように設置した機関）に提出した意見書で、講和会議に臨むにあたって、日本はまず国際協調主義へと転換されつつある世界の潮流を理解せねばならないと述べた。欧州では人道思想が発達し、戦争反対の主義が隆盛している。国家は「世界一大経済組織の一部分に過ぎず」とする観念が発生しており、講和会議では永久平和のための国際組織が主要な議題となることが明らかであるとした。そして、日本はシベリアからは撤兵すべきで、義和団事件の賠償金もこの際放棄するのが良いと建言した。レーニンやウィルソンの声明を意識した意見になっている。また、国際連盟への参加についても、やむを得ず順応するというような態度ではなく、率先して賛同するようでなければならないと主張し、時流を理解する必要を訴えたのである。牧野が世界秩序の転換の意味を理解していたことが分かる。

こうした理解は牧野だけではなく、例えば政治学者で衆議院議員であった植原悦二郎（うえはらえつじろう）も一九二一年七月の『国際連盟』という雑誌で、これまで「世界の平和を維持するには、各国のバランス、パワー、すなわち権力の均衡に依って維持出来るものと思って」いたのが、大戦によって「従来の権力均衡に依って世界の平和を維持することが出来ないと云うことを知った」と述べており、「勢力均衡論」が否定されたことをはっきりと認識している。

かくして創設された連盟では、最高意思は総会によって決定し、決議を行う際には全会一致を原則にするとした。本部はスイスのジュネーブに置かれた。その中で、日本は英・仏・伊と並んで常任理事国となり、また新渡戸稲造（にとべいなぞう）が事務次長に就任したことで、日本は平和組織の中核としての役割を担う立場となった（新渡戸は一九〇〇年に日本文化を外国に紹介しようと『武士道』を英文で著したことから国際的に認知されていた。『武士道』はローズベルト米大統領から高く評価され、各国で翻訳された。日本語版が出たのはそれより後の一九〇八年のことであった）。

しかしながら、人類史上初の国際平和機構としての連盟には、発足当初より大きな矛盾が内包された。戦争の否定を理念とした連盟には、現在の国際連合における国連軍のような武力はなく、そのため国際紛争の仲裁に対して強制力を持ち得なかった。平和維持のための具体的な実行力がなかったのである。またそれ以上に問題であったのは、創設を主導した米と、新たな大国として登場しようとするソヴィエト政権、そして敗戦国の独が不参加となったことである。

米には他国からの干渉や米の行動を制約する一切のルールを嫌う保守的な勢力（共和党）があり、「モンロー主義」（他国不干渉主義）と呼ばれたその立場を伝統的な外交方針としていた。他国に干渉せず、その代わり米に干渉させない主義である。共和党からは連盟参加に反対する意見が多く出され、民主党のウイルソンは議会の上院において賛成を得ることができなかった。上院は大統領の理念よりも伝統外交を守り、米は提唱国でありながらも自らが連盟に参加することができなくなったのである。連盟への加盟は講和条約に含まれていたため、米は講和条約自体に調印することができなくなった。そのため一九二一年に個別に独との条約を締結することになる。

また、講和会議に参加できなかったソヴィエト政権と独も連盟への参加を認められなかった。戦勝国は、露が大戦の原因をつくった国の一つであったにも拘らず、大戦を途中で離脱したソヴィエトとどのような関係を結んでいくか躊躇した。その後のソヴィエト政権が安定するのかも不確かであったことから連盟への参加も呼びかけなかったのである。国際連盟はレーニンの声明を発端として、ウィルソンが提唱したにも拘らず、その主要な二大国が不在のままに創設されたのであった。

現在から見れば、当時の連盟には紛争仲裁の強制力をもたないという欠陥だけでなく、戦争に至らない武力紛争については想定されてすらいないことも指摘すべきであるし、この国際的合意に違反する国が現れた場合でも経済制裁を行うのみという強制力の無さが問題である。しかし、そうした欠点を抱えながらも、弱肉強食を当然とした帝国主義時代から、戦争を法概念によって禁止しようとする「戦争違法化」の時代へ向けて国際社会を前進させた。それは帝国主義時代を終焉させる「新外交」として、近代から現代への時代の転換を意義付けるものであった。

6　日本と「新外交」―国際協調路線

日本が連盟の常任理事国となり大国の地位に位置づいたパリ講和会議は、日本にとってはじめて参加する大規模な国際会議であった。首席全権は西園寺公望、他には牧野、珍田の他、駐仏大使や駐伊大使らを全権とした約六〇名が派遣された。

日本は独が領有していた南洋諸島を実質的に領有することになり、赤道以北の南洋諸島のうち、米領のグアムを除いた、パラオ・ヤップ・サイパン・テニアン・トラックの各諸島を得た。これらは理想主義の理念からは否定されるはずの領土拡大であった。

講和会議において、英仏は基本的には理想主義の理念を支持しながらも、既得権益としての植民地を解放する考えはなかった。民族自決は、それまでに既に行われている植民地支配を特別扱いとして除外する条件つきで唱えられていた。そのため敗戦国の植民地の処置については、残存する帝国主義と民族自決との折り合いがつくように、「委任統治領」という新たな形式が考え出された。

委任統治とは、連盟の監督下でその地域の行政と教育に責任を負うという意味で、軍事利用ができないなどの条件の下にその地を管理することを指すが、それは新しい植民地支配の実態を覆い隠すための方法でもあった。日本の他、英・仏・白・豪・新（ニュージーランド）によって敗戦国の植民地を分け合った結果であり、民族自決が適用されない地域が生み出されたのである。

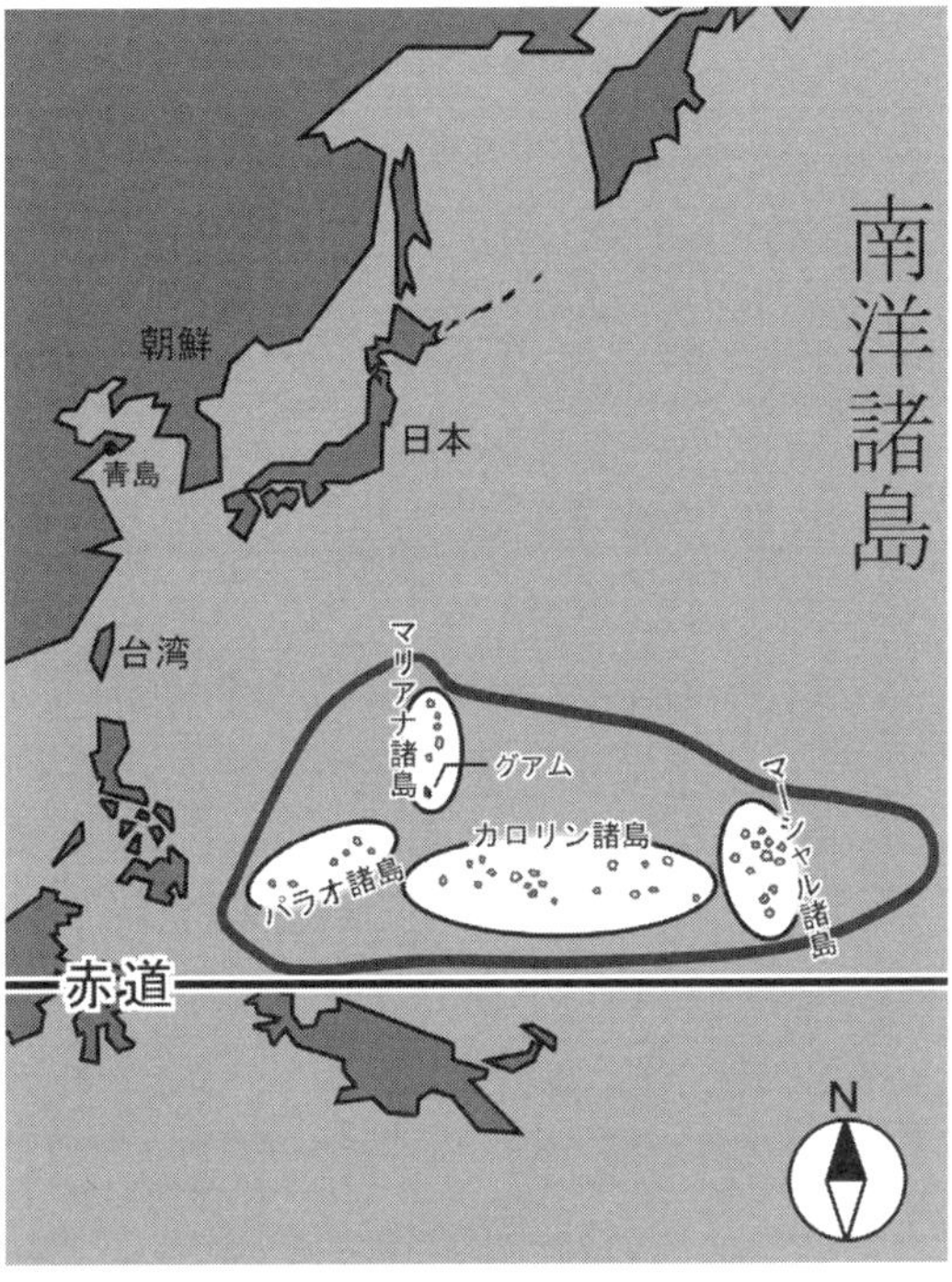

また、日本代表は会議において山東省の権利取得を強く主張した。「対華二十一ヵ条の要求」は結局のところ決着していなかったので、独が有した山東権益は講和会議に附されることになり、米・英・仏・伊と日本の五大国によって討議された。中国代表の顧維鈞が日本への権益譲渡に反対する演説を行うと、牧野はこれに強く反論した。また米が仲裁しようと山東省の国際管理を提案したのに対しても、山東権益の譲渡はすでに段祺瑞との間で決していると主張した（山東密約）。日本が権益を獲ることは英仏との密約においても容認されていた。米だけが中国を擁護する形となったが、日本は決して譲ろうとせず、珍田大使

南洋諸島

は権益譲渡を認めないのであれば日本は会議を脱退するとほのめかした。日本の主張に対して、国際連盟の創設を優先したい米は妥協を選択した。結局、日本は山東省の領土については将来的に返還するとの条件で、独が保持していた経済的特権を得ることになった。そのため山東省については委任統治領としてではなく、日本の占領が認められ、しかもそれが中国の頭越しに決定されたのであった。

中国の代表団（中国は北京政府・広東政府の合同の代表を派遣）はこれに抗議したが、英仏は取り合わず、米も日本の協力なしには国際連盟の創設が不可能であったことから介入を避けた。英仏が中国の抗議を受け付けなかったのには、段祺瑞が承認していたこともあるが、それだけでなく、日本の植民地を認めなければ、自国の植民地問題にも波及して不都合が生じるかもしれないことを懸念したからである。この結果、大戦後には主権を回復できると期待していた中国はその期待を裏切られ、講和条約の調印を拒否することになった。

連盟に参加できなかった米は、大戦で経済成長を遂げた上に、結局は山東権益まで得ていった日本の動向を憂慮していた。そこで米は、中国での機会均等を実現できるように日・英・仏へ呼びかけて、中国に対する共同での借款を提案した。この提案は、一八年七月の時点で「西原借款」による日本の権益独占を阻止しようと提案されていたものであったが、改めて米英仏日の四ヵ国による国際借款団を形成することで、権益を得ながらも中国の主権保護と領土保全・機会均等の原則を守ろうとした案であった。

日本国内ではほどなく寺内内閣が退陣し、九月には政党を基盤とする原敬（はらたかし）内閣（立憲政友会）が成立していた。原は国際協調を外交方針とし、講和会議に対しても基本的には英米と協調する立場で臨んだ。米の提案には、中国での日本の有利な地位を覆して、米も満洲へ進出できるようにとの狙いも含まれていたが、原内閣はそれでも積極的に借款団へ参加することにした。国際借款団は、競合や独占を排して、各国が協同することで一層中国の需要を拡大させる行動であり、今後においても経済的な外交（借款外交）が原則になると理解して積極的に参加を進めたのである。つまり今後は帝国主義外交が行われなくなるとの理解である。

原はむしろ進んで借款団に加わることで、米との関係を緊密にし、欧米の資本力を東洋の発展に利用することこそが得策であると考えた。欧米の資本を中国に投下させることで、日本もそれによる経済発展の成果を享受できるとの考えから、国際借款団への参加を選択したのであった。また、列国が計画している鉄道の規模が雄大なのに比べて、日本にはそれに単独で対抗できるほどの資金があるわけではないので、積極的に協調することが最善の策であるとした。かくして、二〇年一〇月に「四国借款団」が形成された。寺内内閣の「援段政策」は打ち切られ、中国外交のルートも本来の外務省ルートへと復元された。

武力による収奪ではなく、経済進出によって国家の発展を図る「理想主義」の外交は、かつての帝国主義外交（旧外交）に対する「新外交」（理念外交）として、国際的な原則となった。その中で国際借款団が成立したことには、国際連盟の役割を補完した意味がある。連盟に参加できなかった米には、日本を抑制する手段がなかった。アジアにおいて国際協調の合意を形成する方法がなかったのである。そのため、中国への投資にも新外交の原則を適応させた国際借款団は、アジアにおいて「小さな連盟」を構築したとも言えるものであった。そしてまた日本はその提案を積極的に選択した。

大戦後の世界は帝国主義を否定し、世界は弱肉強食の潜在的戦争状態から脱した。連盟に参加する各国が規約により集団で安全を保障し、違反した国があった場合には全加盟国が協力して互助や制裁を行う「集団安全保障」の原理がつくられた。従来、国家の主要な関心は軍事力の拡大であったが、以後は軍事力の強弱に拘わらず、いずれの国家も平等に主権が守られる世界が目指されようとした。その中核を担う国際連盟において、日本は理事国となり新外交の進路を選択したわけである。新外交は国際政治の原則となり、ウィルソンはノーベル平和賞を受賞した。

★戦争違法化の国際的取り組み★

一八九九年「ハーグ条約第一回平和会議」：戦争のルール化と国際仲裁裁判所の設置
一九〇七年「ハーグ条約第二回平和会議」：国際紛争平和的処理条約（宣戦布告義務化）
一九一七年「レーニンの平和に関する布告」：民族自決権・平和構築主張
一九一八年「ウイルソンの十四カ条原則」：民族自決・領土獲得禁止・国際組織創設
一九二〇年「国際連盟」発足：平和的手段による紛争の解決
一九二一年「ワシントン軍縮会議」：軍拡・建艦競争の廃止
一九二五年「ジュネーブ議定書」：毒ガス・生物化学兵器の使用禁止
一九二八年「パリ不戦条約」：戦争を違法とする国際的合意の形成

第11章

「ワシントン体制」と戦争違法化の世界

歴史学者のホブズボームはフランス革命から大戦までを「長い一九世紀」と呼称したが、同じ時期を「戦争の近代」と呼ぶことも可能であろう。その帝国主義戦争が蔓延した世紀から、人類が戦争違法化の国際社会を成立させようと国際連盟を創設した意義はまさに時代の変化を意味づける画期と評価できる。

しかし、大戦の講和条約では中国が調印を拒否したまま問題の解決に至っておらず、機能不全を抱えた連盟の行く末も不確かなままであった。そのため、アジアではヴェルサイユ体制の構築では解決できなかった中国問題の解決が図られ、そして欧州では戦後の体制から排除された独の復興問題の解決が図られようとした。その中では、日本を抑え込むことが課題となり、一方では独をいかに復興させるかが課題となった。アジアではヴェルサイユ体制を補完する新秩序が構築されるが、しかしそれは新たな対立機軸の成立を内包していた。

1 「民族自決」とは誰の権利か?―パリ講和会議の裏側

国際正義を求めたはずの講和会議では、植民地を解放するはずが、実際には新たな支配としての委任統治方式が考え出された。そうした講和の性格は、賠償金や民族自決の理念もねじ曲げた。賠償問題では、米が平和構築の理念を押し出そうとしたのに対し、英仏は損害を取り戻そうとの意識が強く、独に対する報復の性格はぬぐい切れなかった。独への制裁に見る通り「無賠償・無併合」の理念は実現されず、多額の賠償金が課せられた。そもそも米が参戦したのは、モルガン商会を中心とした財界が英仏に貸し付けた戦費を回収する意図をもっていたが(177頁)、その財界がまさに資金回収のために賠償金を求めたのである。ウィルソン大統領は、自国の財界を説得することができず、無賠償は実現しなかった。

また民族自決や国際協調の理念を掲げながらもソヴィエト政権の参加は認められなかった。そればかりか講和会議の開催から一年後の二〇年一月まで、ロシア革命への干渉戦争が続けられた。戦勝国は賠償金で経済復興を図り、列強の植民地はほぼそのまま残された。民族自決も東欧の他ではほとんど実現しなかった(しかも東欧の自治独立もソ連の革命に対する防波堤として英仏に認められた性格がある)。

墺ではチェコの独立を契機に墺帝国内の諸民族が独立を宣言した。墺の降服直後には帝政を否定する革命が起こり、盟邦であったハンガリーも完全な分離独立を宣言した。領土の大半を失った墺帝国は、オーストリア共和国へと再編された。

①「三・一独立運動」(韓国)

大戦中にレーニンが唱えた民族自決の理念は、植民地各国に民族運動を喚起した。それは日本の支配を受けていた朝鮮においても例外ではなかった。一九一九年一月に講和会議が開催されることが知られると、朝鮮の主権を回復したいとの機運が高まり、二月には日本の韓国留学生が独立の請願(せいがん)運動を起こした。

東京の神田に集まった約六〇〇人の学生が「独立宣言書」を作成すると、日本政府や各国の大使館に送付した。デモも行われたため、警官がこれを取り締まったが、学生の多くは朝鮮半島で運動を継続しようと帰国していった。朝鮮ではその直前の一月二一日に高宗が死去していた。「ハーグ密使事件」により退位させられてからは日本の監視下で生活していたが、急死であったために、日本側に毒殺されたのではないかとの憶測が流れていた。独立運動は高宗の国葬が予定されていた三月三日にむけて活発化していき、朝鮮各地で宗教団体や学生らの抗日デモへと拡大した。朝鮮の各都市に波及したため、日本の憲兵（陸軍の兵科の一つで軍事警察のこと。韓国では普通警察を兼ねて治安維持も担当した）と警官隊が国葬を迎える前の三月一日に運動を弾圧した（「三・一独立運動」）。運動に参加した朝鮮人は五〇万とも二〇〇万とも言われ、今も明らかではないが、逮捕者の中から少なくとも二万二千人以上の受刑者が出された。

独立運動は武力鎮圧されたが、その後の朝鮮総督府はそれまでの武断的な支配方法から「文化統治」へ変えざるを得なくなった。憲兵警察制度は普通警察制度に改められ、それまでは禁止していたハングル語の新聞刊行が許可された。政治集会や結社の立ち上げも一部は認可された。学校施設においては日本人と朝鮮人の共学制が実施されるなど、韓国ナショナリズムを無視することはできなくなった。

②「五・四運動」（中国）

中国でも大戦を契機として主権回復が期待された。ところが、山東半島の独の権益が日本に譲渡される結果となり、しかもそれは段祺瑞が日本側との密約で認めていたからだと分かると、中国国内での民衆の不満が強く高まった。中国も戦勝国の一員であるはずが、講和会議では自国の山東問題に関与することすら満足に認められなかったのである。講和会議の内容が伝えられると、五月四日に北京の学生ら約三千人が反日デモを起こした、講和条約の調印拒否と、「二十一ヵ条要求」の廃止を訴え、日本との「二十一ヵ条要求」や「西原借款」の交渉を担当した外務官僚である曹汝霖の屋敷を焼き討ちするなどした（「五・

四運動」-この時に大規模なデモ行進が行われた北京の道路には現在も「五四通り」の名がついている。主要幹線道路の一つである)。この結果、本国での講和反対運動の高揚を知ったヴェルサイユの中国代表団は条約の調印を拒否することにしたのである。中国は後の二〇年六月に条約を承認し、連盟にも加盟することになるが、北京政府内では五・四運動の責任を求められて段祺瑞が失脚した。

ところでパリ講和会議では、日本代表が人種差別を解決するために、差別の撤廃条項を連盟の規約に入れるべきであると提案していた。日本の提案は、チェコスロバキア・ルーマニア・ブラジル・中国の賛同を得たが、米英仏の反対により採択されなかった。米では相変わらず日本人移民が問題視されており、また豪州が顕著な白人主義であるためにそれへの配慮から英も反対した。豪が反対したのは、国内で予定されていた選挙を気にしての反対だったのだが、豪の代表は人種平等が採択されるなら会議から脱退すると訴えた。山東権益に拘る日本も、人種差別を是とする豪も、講和会議からの脱退をカードにして各国に妥協を迫ったわけである。日本が差別撤廃を訴えたのは、主に米との間に蓄積されてきていた移民問題のためであるが、人道主義を重んじるとしながらも連盟は一部の人種への抑圧に向き合おうとはしなかった。牧野が連盟への参加を推したのも、新外交の理念に共感したというよりは、経済的利益を得るためとの判断が強かったが、それでも差別問題を提起した日本の主張自体は正義であったはずが、各国の合意を得ることが優先され、連盟の規約は差別問題を解決する性格ではなくなった。しかし日本も人種差別の是正を求める一方で、朝鮮や中国の民族自決を認めようとはしていない。それは中韓に対する蔑視観の表れと言える。民族自決を掲げた戦勝国の正義は、自身らに向けられた民族運動を擁護しようとはしなかった。

③大戦後の外交問題

日本はこれまで、英露両国との関係を外交の基軸として対外関係を考えてきた。朝鮮半島を焦点とした軍事外交戦略を形成したことから、清・露との対決に備えて、段階的に英との同盟を結んできていた。

「日英同盟」はグレイトゲームへ参画して露と対決することを意味し、日露戦争後は東アジア秩序の構築に利用しようとされた。

　また日露戦争後には、朝鮮支配の安定確保のために露の報復を警戒しながらも、露への接近が図られた。露との間では満蒙分割の合意をつくってきたが、その「日露協約」はロシア革命で瓦解した。満洲をめぐっては米との間で徐々に関係を悪化させ、英との間にも中国問題への方針の食い違いが起きていた。日本外交は基軸を失いつつある中で大戦に参戦し、その過程では英米との一時的な宥和や協調を見せながらも、諸懸案を残したまま戦後を迎えていたのであった。いまや日本は五大国の一角となり、連盟の理事国にまでなりはしたのだが、何より中国問題は何ら未解決のまま残っていたわけである。

2　「ワシントン体制」の形成―アメリカの日本封じ込め戦略

　パリ講和会議では中国問題を解決し切れなかった。それを背景に、米は日本との関係悪化から太平洋に海軍力を集中的に配備するようになり、日本と英も新艦隊の編制を発表するなど、軍縮を目指すはずの国際的合意の実現が危ぶまれる状況にあった。こうした国際情勢への懸念から、米は懸案解決のためにまた新たな国際会議を提唱する。それが一九二一年の「ワシントン会議」であった。

　米では前年の大統領選挙でウィルソンの後任候補が敗れ、共和党のハーディング（Warren Harding）が大統領になっていた。従って、独墺との講和条約を締結したのはこのハーディング政権である。共和党の保守系候補としてモンロー主義への回帰を訴え、連盟への参加も拒んでいたが、平和維持を目的に世界的な海軍の軍縮を実施しようとした。但し、ウィルソンの協調外交のように理想主義の理念を世界に広めようとするものではなく、米が安定的に国力を発展させられるように敵のいない環境をつくるための保守的外交によるものであった。「ワシントン会議」を呼びかけたのはそうした目的からである。
会議には米・英・日・仏・伊・白・蘭・葡・中（北京政府）の九ヵ国が参加した。いずれも中国または環太平洋地域に租借地や権益をもつ国である。北京政府からは、外交官として長く実績がありパリ講和会議でも代表を務めた顧維鈞が出席した。日本の全権委員は原敬内閣の海軍大臣・加藤友三郎、徳川家達（貴族院議長）、幣原喜重郎（駐米大使）、埴原正直（外務次官）らであった。会議は二一年の一一月から翌年二月にかけて開催され、中国問題と海軍力の競争的拡大問題の解決が図られた。

会議ではじめに成立したのは、米・英・日・仏の四国で調印された「四ヵ国条約」であった。太平洋地域における権益を相互に尊重するとして、領土の現状維持を約した。また以後に太平洋地域で外交上の問題が起きた際には、この四国で共同会議を開くことが取り決められた。これによって「日英同盟」は破棄されることになった。

続いて、史上初の海軍軍縮条約となる「五ヵ国条約」が英・米・日・仏・伊の間で調印された。戦艦の保有制限を主とした軍縮で、日本は英米に対して六割までしか戦艦を保有できなくなった。戦艦の保有率（総トン数）を英米の五に対して、日本が三、仏伊が一・六七の割合としたのである。日本の保有が制限されたのは、大西洋と太平洋の両洋を守備する必要がある米に比べて、日本が海軍力で防護すべきなのは太平洋のみであるため、米の六割でよいはずだとの理屈であった。英は既に取得しているインドやアジア権益のために保有が認められたが、英にとっても海軍力を米と同率にすることは、多大な譲歩であった（「二国標準主義」の放棄）。

日本側に不利な内容であったが、「五ヵ国条約」では太平洋諸島における軍事施設や軍備の現状維持も約され、それにより米はフィリピンやグアムの基地を増強できなくなるため（要塞化の禁止）、それが日本側との妥協点でもあった。保有比率を超える戦艦は破棄せねばならず、建造中の場合も建艦を停止するものとされた。戦艦・空母は一〇年間建造停止となったことから、日本海軍は新艦隊の建造計画を中止し、戦艦の赤城・加賀をそれぞれ空母に改造することになった（両艦は後の真珠湾攻撃の主力空母となる）。

そして、最大の焦点である中国問題の平和的解決を目的とした「九ヵ国条約」が、全参加国の間で調印された。門戸開放・機会均等・領土保全の三原則を前提に、中国権益の独占禁止が合意された。この中で、日本は山東権益の保持に拘って中国と争ったが、英米の調停が入り、山東省の鉄道の利権を部分的に残した他は全て返還することになった（「山東還付条約」）。英も威海衛を返還し、山東省全域が中国領として返還された（但し、威海衛には租借期限が迫っており、そもそも返還が予定されていた）。「対華二十一ヵ条要求」から解決していなかった山東問題はこれによりようやく決着した。

またこの会議の席上で、一八九六年の「露清密約」の全貌が中国の代表から初めて明らかにされた（113～114、131頁参照）。露が日本を仮想敵にして東清鉄道の権益を得ていたことが分かり、当初の露との協調方針（日露協商論の立場や、「山縣・ロバノフ協定」・「西・ローゼン協定」）がまったく成立していなかったことが知らされたのであった。

ハーディングの主導する「ワシントン会議」は、理想主義の実現のために開催されたというわけではなかったが、しかし権益の相互尊重を図る「四ヵ国条約」や、中国の侵略を禁止する「九ヵ国条約」には、軍事同盟としての旧条約を否定した意味において理想主義の潮流が反映されていることは指摘できる。軍事同盟（旧外交）の連鎖が大戦の惨禍を生んだとの認識が前提となり、世界初の海軍軍縮が達成されたのである。海軍の軍縮は、近隣国とのバランスのみで行える陸軍の軍縮よりも実現が難しかった。国際的なバランスをとらずに自国のみが軍艦を減らすことは困難であるため、世界的な合意が必要となるからである。とは言え、建艦競争は次の戦争の温床となるばかりでなく、経済負担が大きいため各国にとっての負担になっていた。海軍軍縮は大戦後の厳しい経済状況を背景に達成することができたのである。

このように、アジアにおける各勢力の現状の変更を認めない新秩序としての「ワシントン体制」が成立したが、それは「ヴェルサイユ体制」とひと組のアジア版秩序を意味していた。

3 アメリカの外交戦略から見た「ワシントン体制」

日本と米は双方ともに大戦によって好景気を迎えたが、日本の景気は大戦時の特殊な条件がなくなると一転して不振となった。各国において戦時の需要を賄(まかな)うために拡大してきた生産は、戦争の終結にともなってその必要を失い、すぐに生産過剰の状態になった。各国が「物の作りすぎ」状態となったが、日本の場合には戦時中の好景気によって購買力が上がったことから輸入が拡大しており、それは戦後に輸出が伸びなくなった後にも落ちることがなかった。そのため輸入超過が続いていき、日本円は海外にどんどん流れて不景気になっていったのである。米の好景気によって一時的に輸出が回復することがあったが、入超が止まることはなかった。日本の大戦景気は米国市場が支えていたところも大きかったため、米との関係なしには日本の国際協調路線も成り立たなかった。そのような中での「ワシントン体制」の形成は、日本の勢力を減退させることそのものを目的にしていたが、それは米の戦略上どのような意味をもったのかをさらに確認してみる。

米は日本の中国権益の拡張を危険視したが、そうした日本の排他的行動を「日英同盟」が擁護してしまう可能性を懸念した。実際のところ日英同盟が日本の権益拡張を擁護するのは、日本が英の権益に抵触しない限りにおいてのことであるが、今後の中国問題で米が日本と衝突することになった際、日英同盟が妨げになる可能性があると思われた。そうした心配もまた米が連盟に参加できなかったことが原因になっている。

日本はアジアで唯一の常任理事国であったので、連盟はアジア問題において日本を抑制できるのか定かではなかった。その日本は南洋諸島も得たことで太平洋にも勢力を拡張したが、米が不在の連盟には中国または環太平洋の問題において日本を抑制する存在がなく、調整能力を持たない可能性があったのである。連盟を主導するのは英であるため、米が日本を抑制しようとする場合には英と対立することはできないのであり、その際には日英同盟が障害となり得た。そのため米は日英同盟の解体を狙ったのである。「四ヶ国条約」では共同会議の開催を定めたため、以後のアジア・環太平洋情勢は特定の二国間のみによる取り決めでは何事も変更できなくなった。これによって二国間同盟の役割はなくなり、日英間の特殊な関係は消滅した。かくして日英関係の疎遠化が図られたのである（他方、英においてはカナダなどの領地から日本との同盟の弊害が訴えられていた）。

また、軍縮条約では日本の海軍力を抑え込むのと同時に英米の戦力の均等化が図られていたが、米の海軍力が英と同等になるのは、米が世界第一位の海軍国に並ぶほど海軍力を保持するという意味でもある。英は、大戦に約五〇〇億ドルにも及ぶ多額の戦費を投入し、他の連合国への援助も行っていた。連合国側の戦費の半分近くを英が背負っていたが、米からの借り入れにも多大に依拠しており、その額は四三億ドルにもなった（当時の戦艦の建艦費用が日本円で三千万円弱）。つまり大戦の勝利は、英の凋落と、それに代わる米の覇権と引き換えにもたらされていたのである。

「五ヵ国条約」の規定以後に保有された超弩級の大型戦艦は、世界において、米が保有する三艦（コロラド、メリーランド、ウェスト・バージニア）と、英の二艦（ネルソン、ロドニー）、そして日本の二艦（長門、陸奥）の七艦のみとなった。これらは「ビッグ・セブン」と呼ばれるようになるが、このうち日本の戦艦「陸奥」は会議の開催までに完成しておらず、廃艦となるところであったのを日本が既に完成していると主張して廃艦を避けたのものであった。既に保有していた「長門」は一六インチ砲を搭載したが、同じサイズの砲を搭載した戦艦は米が保有するメリーランドのみで、陸奥の保有を認めるか否かによって日本の戦力が大きく変化した。結果として英米は陸奥の保有を認めることになるが、その代わりとして英米も建造予定であった戦艦を二隻ずつ建造できることになり、それによって七艦が揃(そろ)うことになった。もし日本が陸奥を破棄していれば、超弩級戦艦は世界に長門とメリーランドの二艦のみとなって「ツー・トップ」になったはずであるが、最終的に米は各国の軍拡に歯止めをかけることに成功している。

しかも日本はこの会議で政府から代表団に向けて発していた暗号電が米に傍受されており、米は日本が保有比率をどこまで譲歩するのかをあらかじめ把握した上で交渉していた。日本側が比率をなるべく引き上げようとする交渉は徒労に終わり、米は日本から最大限の譲歩を引き出した。後にこのことが分かると、海軍は暗号機の開発に精力を注ぐことになる。日本は英米とともに三大海軍国の一国となっていたが、以後の海軍は国際協調路線の中で軍備の維持を図っていくしかなくなり、さらにそれによって国防戦略も変更せざるを得なくなった。

そして「九ヶ国条約」では、機会均等を原則にすることで、中国での各国の勢力範囲を打破した。清国分割によって形成されていた縄張りを解体するための規定である。また門戸開放がはじめて国際的な文書の中で明文化された。これによって、大戦中に日米双方が植民地支配を認め合った「石井・ランシング協定」が破棄された。日本が満洲の権益において優先的な立場を有するとした合意は消滅したのである。また、日本はこのワシントン会議においてシベリアからの撤兵も約束した。その後もソヴィエトとの関係は断絶させたまま北樺太(からふと)に駐兵を継続したが、二二年の一〇月までに沿海州からの撤兵を政府方針として決定し、その後は予定通り撤兵を開始した。

日本は国際協調外交を方針に諸問題を受け入れたが、米にとっては日本を抑制することが「新外交」をアジア秩序の原則にする要件となっていたわけである。

4「ワシントン体制」への反対機軸—「国共合作」と「日ソ基本条約」

ソヴィエト共和国は、一九二二年一二月に近隣のベラルーシ、ウクライナ、ザカフカースの共和国と合邦し、「ソヴィエト社会主義共和国」を成立させた。これより、共産党を中枢として、ロシア人を中心としながらも八〇以上もの民族から構成される連邦国家の「ソ連邦」となった。

また、ソヴィエトはワシントン会議の会期中、シベリアや樺太から撤兵しない日本に対し、列国の非難が日本に向けられるように宣伝した。当時シベリアには「極東共和国」という民主主義を表明した独立国が存在していた。シベリアの一部（バイカル湖以東）を日本軍が占領していたため、そこにソヴィエトとの緩衝地帯として二〇年四月に建国を宣言したものである。中央ソヴィエトが日本との衝突を回避するため設置した性格から、民主主義を標榜しつつもソヴィエトとの密接な関係があった。そして、ソヴィエトと極東共和国は日本の孤立を図って、日本が「二十一ヵ条要求」の時と同様にシベリア対しても排他的に利益を求めているとの声明を出していた。

日本はシベリア出兵以来、ソヴィエト政権とは国交断絶の状態にあった。北樺太には依然として日本軍が駐留していたが、日本はシベリアからの撤兵を決定した後、国際協調路線の上に対ソ関係の正常化を図った。一九二三年に着手し、翌二四年から正式な直接交渉に入ると、さらに翌二五年一月に日ソ間における初の外交条約が結ばれた。日本がソ連を承認し、両国の国交樹立と内政の相互不干渉を定めた「日ソ基本条約」である（「日本國及「ソヴィエト」社會主義共和國聯邦間ノ關係ヲ律スル基本的法則ニ關スル條約」）。

条約には北樺太占領の原因となった「尼港事件」（203頁）の処理も含まれた。ソ連側は条約の附属公文で日本政府に対する遺憾の意を表明し、日本は北樺太の天然資源の開発利権を得ることを条件に日本軍を撤退させて保障占領を解除した。北樺太には石油や石炭が埋蔵されており、米の石油資本も油田の開発を希望していたものであった。日本にとっては、多額を投じて何も得るところがなかったシベリア出兵の代償を、この北樺太の資源の獲得によって多少なりとも回収した意味があった。

日本がシベリア問題で対立するソ連と国交を樹立したのには、「ワシントン体制」によって孤立したことと、経済的な理由とをあげられる。中国では、五・四運動を背景に段祺瑞政権が崩壊したが、段が失脚した直接的な原因は英米が他の軍閥を支援したために政権争いに敗れたからであった。段は天津に逃亡したが、その失脚により「西原借款」は全くの無駄となった。つまり、英米は段祺瑞の勢力拡大によって日本の影響力が高まることを阻止するために、段に敵対する軍閥を支援し、段政権を追い落とさせたのである。日本は満洲権益を保護する必要があったが、有効な手立てを失っていた。

日本がワシントン会議やソ連との関係において国際協調を守ることは、このように中国問題で失われた信頼を取り戻すためにも行わざるを得ないところがあったのである。

また、世界各国が戦後の経済再建を必要とする観点から、ソ連市場の価値を見直しはじめていた。日本も英米も輸出の拡大を必須とし、政治的な主義主張や思想との相違があったとしても、ソ連との通商上の交流を必要とするようになったのである。各国は、革命政府としてのソヴィエトがロシア国民を代表する政府とは認めないとしながらも、通商関係を回復しようと動き出しており、その中で日本だけがソ連市場に加われないことは損失になると考えられた。そこに一九二三年九月の関東大震災によって不況に追い打ちがかかると（推定損害額は五五億円と言われる）、ソ連との通商により実利を得ることは、財界やメディアからの強い要望としても表れた（沿海州地方との貿易を求める関西財界の声と、オホーツク海の漁業関係者が対ソ関係悪化による経済的損失を訴えていた）。

他方で、ソ連は中国との関係強化を図り、孫文の広東政府と提携した。孫文の広東政府はそれまで中国統一をめざして北京政府との内戦に度々挑んでいたのだが、段祺瑞軍に勝つことができなかった。孫文が目指してきたのは、革命運動の当初に日本に留学していたことに見る通り、かつての日本が明治維新で行ったような欧化運動による近代化の推進であった。ところが、世界大戦によって欧州は酷く荒廃し、先進国であったはずの諸国も没落状態に陥った。占領地では難民も大量に発生しており、そうした状況が西洋文明の成れの果てのように思われた。またパリ講和会議の結果、山東密約で日本に権益が譲渡され、主権の回復がなされなかったことも孫文を失望させたと言われる。惨状を呈す西欧はもはや革命のモデルにはならなくなり、そこへ新潮流として現れた共産主義に新たな期待がかかるようになった。

孫文は一九一九年に結成した「国民党」を政治基盤として運動していたが、二三年一月にソ連に接近する方針を定め、共産主義を取り容れる「容共」を打ち出した。ソ連は中国に対しても「無賠償・無併合」を方針に租借地などの利権の返還や、義和団事件の賠償金の免除を約束しており、ソ連側も反帝国主義・反植民地主義を共有すべく国民党との提携を進めた。中国ではレーニンの革命主流派をモデルとした「中国共産党」が一九二一年に陳独秀や毛沢東らによって結成されており、中ソそれぞれの共産党が同志として世界的革命を目指そうとしていた。そこに孫文が「容共」に転じたため、ソ連は孫文の国民党と中国共産党とを連携させようと、孫文との提携を図ったのである。そして二四年一月、北京政府に対抗する共同戦線として国民党と共産党が提携した。これを「国共合作（こっきょうがっさく）」という。

この「国共合作」には、単にソ連と広東政府がお互いの政府を承認し合うこと以上の意味があった。それは、双方が「ヴェルサイユ体制」・「ワシントン体制」に排除された政府同士であったことである。「ワシントン体制」は中国の主権を侵害しないとのルールを立てたが、同時に門戸開放によって外国資本が流入すると中国の資本は圧迫されていった。国民生活は窮乏したが、ワシントン会議のメンバーであった北京政府は列強との協調を優先して、国民生活の改善に積極的に取り組むことはなかった。孫文の広東政府は会議への出席を求めたが招かれなかった。

孫文は広東政府を承認しないワシントン会議を批判し、会議で中国の主権回復を強く求めない北京政府に対しても批判した。毛沢東に至っては、ワシントン会議とは「日英両国が中国という盗品を分配し、米国がそれに参加しようと画策するもの」で「盗品の山分けの会議」であると糾弾した。こうした中での「国共合作」は、「ワシントン体制」への反対機軸を創り出した意味があり、列強が構築した秩序への反発を意味していた。つまり、新しいアジア秩序としての「ワシントン体制」を揺るがす中ソの提携こそが「国共合作」であったと言える。

ソ連ではレーニンが病床にあり既に引退状態であったが、後継者の一人であったスターリンが孫文との提携を推し進めていた。レーニンは孫文が「国共合作」の方針を明示した翌日に死去した。翌年の二五年三月には孫文も病死したが、蒋介石を総司令官とする国民革命軍が後継し、北京政府を打倒して中国を統一するための「北伐」を継承することになる。

日本とソ連の国交樹立はこうした動きの中で行われていた。日本は経済的実利の獲得と、中国権益を保護するためにも、政治思想の違いに拘わらずソ連との国交樹立を選択することにした。国内では共産主義の思想の流入に備えて、「国体（こくたい）」（天皇制）に対する反対運動を取り締まるための「治安維持法」が制定されることになるが、日本を抑圧するワシントン体制下において、ワシントン体制の枠外にいるソ連との国交は、孤立する日本が国際協調を守りながらもバランス戦略をとる意味があった。とりわけ、「国共合作」がワシントン体制の反対機軸として成立した時、それは日本が米からの圧力や中国情勢とどのように向き合うのかの分岐点となっていたのであった。

5 戦争違法化と国際協調の時代

大戦の責任を問われた独は民主的憲法を定め、男女平等の普通選挙で選ばれた大統領の下に内閣を組織する半大統領制の「ドイツ共和国」(ワイマール共和国)として再建された。そのワイマール憲法では世界で初めて「生存権」を含めた「社会権」が制定され、当時の世界で最も民主的な憲法となった。しかし、経済においては懲罰的な賠償金の支払いのために無理に紙幣を増刷し、ハイパーインフレを引き起こした。戦時に発行した国債が無価値となったこともあり、独のマルクの価値は戦時に比べて一兆分の一にまで下落した。現金の価値がなくなり、貨幣経済は麻痺した(当時の世界経済は「金本位制」のため紙幣が価値をもつにはその裏付けとなる金の保有が必要であったが、独の中央銀行は支払いのために金の保有がないまま紙幣を増刷した。但し独の中央銀行は連合国の管理下にあったため、連合国が無理な増刷をさせていたとの見方もある)。

このような戦後の独で首相となったシュトレーゼマン(Gustav Stresemann)は、独の平和的な国際復帰を目指す協調外交と、賠償金の支払いを履行する方針を打ち立てた。しかしながら、途方もない賠償金額の支払いは実質的には不可能であったことから、米の提案により新たな賠償金の支払い方法が提案され、事実上の減額が行われた(ドーズ案)。独に借款を与え、支払期限についても猶予した。シュトレーゼマンは賠償金の支払いを誠実に履行する姿勢を見せ、新マルクへの切り下げ実施や(デノミネーション/一兆マルク=一ライヒスマルクへ切替)、協調外交を堅持することでさらなる減額の交渉を試みた。仏や白は賠償について厳しい態度で臨んだが、それに対しても独は協調姿勢を守り、その後は米の資本の投下を促したことで工業生産を劇的に回復させることになる。

しかし、独を抑え込むためのヴェルサイユ条約を受け入れるシュトレーゼマンの国際社会に対する低姿勢は、国内では反発も生んでいた。一九二三年一一月には右翼活動を展開していたナチス党がインフレを理由に共和国政府を打倒しようとクーデターを決行した。講和条約が屈辱的であるとして批判し、賠償金によって苦しめられている状況を打開しようとする反動的な排外運動であった。これを指揮していたのがアドルフ・ヒトラーである。クーデターは軍部や警察によって鎮圧されたが、シュトレーゼマンは責任をとって首相を辞任した。一方のヒトラーはクーデターに失敗した反省から、その後は選挙による合法政権の樹立を目指すようになる。

シュトレーゼマンは辞任に追い込まれたが、その後にヒンデンブルクが大統領となると、その下の内閣で外相を務めることになった。協調外交は継続され、独は「ヴェルサイユ体制」への参加を求めるようになるが、諸国の独に対する不信や反感はなかなか払拭されなかった。そこでシュトレーゼマンは、独の国際的地位を改善するために仏のブリアン外相（Aristide Briand）との関係を築きながら、独が国際連盟に加盟するための会議を提案した。これを受けて、英・仏・伊・白・波蘭（ポーランド）・チェコスロバキアの七ヵ国による会議がスイスのロカルノにおいて開催された。そして独はこの会議を通して、独を抑え込むための倫理的な根拠になっていた平和や人権の価値を自ら前面に押し出すことで信頼の獲得を図ろうとする。

独はヴェルサイユ条約の定めた領土の規定を遵守することを前提に、改めて仏・白に対する軍事的な敵対行動を行わないことを誓約し、その上で参加七ヵ国の間で安全保障条約を締結することを提唱した。連盟が築いた集団安全保障体制の中に、さらに地域的集団安全保障をつくろうとの提案である。これは独が国際協調の手法に則って新外交を展開していることを示しており、ヴェルサイユ条約を補強する意味があった。そして英仏との合意を基に、その提案を具体化させる「ロカルノ条約」が締結された。

独が自ら集団安全保障を打ち出したことには、独が地位の回復を勝ち取る上で大きな意味があった。独は単に理性的な国に再生されただけでなく、倫理的価値を理解しており、諸国と協調して平和秩序を担っていくことができる国家になったと自己演出をしたのである。また万が一の保証として、紛争が起きた場合でも国際仲裁裁判所または国際連盟理事会へ付託するとの規定も付した。そして、独は誓約との引き換えに、自らの国際連盟への加盟をこの「ロカルノ条約」発効の条件としたのである。

独の加盟は翌年に満場一致で承認され、常任理事国にまでなった。つまり、本来的には独を抑え込むための集団安全保障の価値を独が自ら評価して、さらに率先して理念に掲げることで、反対にこれを利用したのである。そうすることで独は平和秩序の共同保証者となり、国際的地位を自己回復した。そして、この独の行動は戦争違法化の世界的取り組みを促進させもした。

一九二七年に仏のブリアン外相が米との間で、戦争違法化を正式に明文化することを発案した。これに対して米のケロッグ国務長官（Frank Kellogg）は、それを多国間による条約にしようと各国へ呼びかけた。それは翌二八年に、戦争放棄を誓って本格的な戦争違法化を具現化した「パリ不戦条約」（ケロッグ・ブリアン協定）として形となる。その第一条では、「戦争に訴えることを非とし」「国家の政策の手段としての戦争を放棄すること」を厳粛に宣言するとされており、続く第二条では以後の世界はいかなる原因によるとしても戦争を問題解決の手段にはしないことを約すとされた。世界が戦争それ自体を否定することが公言されたのである。「不戦条約」は日本を含む一五ヵ国の原加盟国が調印し、その後は六三ヵ国にまで拡大された。戦争を法概念で禁止する戦争違法化の国際合意が形成されたのである。

近代国家は法治概念によって権利を尊重する制度を築いた。しかし、国家が保障するのは国家の内にいる国民の権利であり、国境の外の存在である他者に対して保障を行う一切の義務はなかった。そのため各国が法治を秩序に据えながらも、国際社会は無秩序の弱肉強食が支配的慣行になっていたわけである。人類はその段階を経て、国境を越えて法治概念を世界的に拡大し、戦争を違法化する時代へと移行させたのである。この「不戦条約」は「国際連盟規約」・「ロカルノ条約」との三鼎（みつがなえ）の関係にあり、非人道的な罪を訴追された独がその立場から自ら脱して、平和構築に寄与した意義があった。シュトレーゼマンとブリアンはともにノーベル平和賞を受賞した。

第12章

「戦争違法化」の価値

「戦争違法化」は近代以前の価値観を大きく転換した点に何より意義をもつ。それは従来の弱肉強食の世界観を非道・残虐・罪悪とし、人道・自由・正義の価値を対置することで帝国主義を否定したのであった。戦争の悔恨（かいこん）から理想主義の理念が共有されたが、但し、「新外交」は直ちに国際政治の原則となったわけではなかった。

1 もう一つの反対機軸―独ソ提携

ワシントン会議の会期中に、欧州では独（ドイツ共和国）の多額の賠償金について合議するための国際会議が開催されていた。独の巨額の支払いが実質的に不可能であることは大戦後ほどなく明らかとなっていた。連合国側でもそれは認識され、特に英は独が共産主義化することを懸念して、独の賠償金の支払い方法を再検討する必要があると考えた。但し、大戦の経済負担から回復できずにいた英は、一方でソヴィエト共和国（ソ）との通商の回復も求めた。そのため二二年一月に連合国間で「カンヌ会議」を開催し、賠償問題とともにソとの国交回復を合議した。そして、続く四月の「ジェノバ会議」で連合国とソとの国交を樹立しようとした。

ジェノバ会議は、独が初めて各国と対等の席に着いて参加し、またソにとっての初めての国際会議となった。会議の主題はソの国際的承認だったわけだが、独ソの二国はこの会議の裏で密かに連絡を取り合い、ジェノバ近郊のラパロにおいて極秘に接近した。独ソ両国もまた連盟に排除された国同士であった。

大戦中に独ソのみで講和した「ブレスト・リトフスク条約」は独の敗戦によって破棄されていたが、その後の独ソ間では二〇年頃から軍事・経済両面での協力関係が密かに進められていた。独の軍部や重工業の資本家、また外務省「東方派」（親ソ派）と呼ばれる人脈はソとの協力を重視していた。ソも各国の労働者を決起させようとの「革命外交」が伸張せず、活動を続ける条件が次第に限られてきたことから独への接近を図った。両国の接近もまた、ヴェルサイユ体制から疎外されていた両国の協力関係を意味しているのである。

独にしてみれば、ジェノバ会議において単にソが国際的に承認されるのであれば、ソへの賠償金の支払いまでが付け足されてしまう可能性も懸念された。そこで両国は抜け駆けして国交を回復し、相互に賠償放棄を約した（「ラパロ条約」）。これによって独はソを承認した最初の国になった。独ソは特別な関係を築き、それをもって引き続きジェノバ会議に臨んだ。

会議では、共産主義国家として成立したソが、欧州の他の資本主義諸国とどのように関係を構築できるかが問題になった。英のロイド・ジョージ首相（Lloyd George）は、ソを援助するための国際借款団の結成を含む広範な経済復興計画を構想していたのだが、仏と白がロシア時代の借款の完全返済や資産賠償を求めたことから、ソと衝突した。ソも英仏に対して、大戦中の革命干渉による被害への賠償を請求して対抗した。

また会議では、大戦前の独が各国に有した資産も争点となった。しかし、独がソに対する請求権（帝政ロシア時代のシベリア鉄道建設を主とする対外債務）を放棄すると、ソも独に対する一切の賠償請求権を放棄して見せた。それこそ「ラパロ条約」による密約の効果であり、独ソ両国が互いの地位を向上させようとした動きであった。結局ジェノバ会議は何ら合意に達せず終了し、独ソ接近の機会を与えただけに終わった。

こうした独ソ提携の背景には、二〇年にソがポーランド（波蘭）との戦争で大敗していた事情もあった。一八世紀以来、独・墺・露に分割支配されていた波蘭は、ヴェルサイユ体制の下で独立が認められたが、その後にソとの間で国境線の画定が問題となった。革命後の不安定なソに対し、波蘭は一八世紀以前の旧領の回復を企図するが、それはバルト三国の他、ベラルーシとウクライナをも含む領土であった。そして波蘭はソ連邦のウクライナに侵攻した（ソヴィエト‐ポーランド戦争）。

赤軍が反撃に出て、国境付近まで押し返すと、そこからは赤軍が波蘭の領内へ進軍した。ソは波蘭へ侵攻したことで波蘭の社会主義勢力が蜂起することを期待したが、波蘭の労働者らはそのような行動を起こすことはなかった。赤軍は包囲戦には失敗し、波蘭から撤退したのだった。

ソは波蘭軍を国境まで押し返した際に講和を結ぶ機会があったにも拘わらず、レーニンは波蘭での革命が成功すると読んで進撃を選んだ。ところが、波蘭ではむしろソ軍の侵攻に対する反感がわき起こった。波蘭の労働者は祖国防衛を求め、ソ軍になど味方しなかったのである。結果、波蘭はベラルーシとウクライナの一部を取得し、東部国境を画定させた（リガ条約）。敗れたソにとっては赤軍の強化が重要な課題となった。

一方で、当時の独の軍部は秘密裏に再軍備を図っていた。そのためラパロ条約には、ソ連領内における独軍の軍事訓練を認める秘密条項も後に追加調印された。これにより、独はヴェルサイユ条約で一切の保有を禁止された航空兵力や戦車の開発訓練、国内には設置できない毒ガスの実験場などをソから提供されることになった。そして独軍の将校がソの将校の教育を行うことで、ソが求めていた赤軍強化に貢献した。

こうしたラパロ条約は、独ソ両国がヴェルサイユ体制に暗に対抗しつつ国際的地位を高めていこうとする策略であった。

2 「不戦条約」の成立背景

独のシュトレーゼマン首相は、先に見た通り、賠償金の支払いを履行することで独の国際復帰が認められることを目指した。しかし、途方もない賠償金額の支払いは実質的には不可能であった。支払いができない独に対し、仏は白とともに独の責任を求めてルール地方を保障占領した。そもそも無理な支払いである上に、工業地帯を取り上げられれば支払い能力はさらに低下する。それは独の支払い意欲を減退させ、経済もさらに悪化させた。独は紙幣の増刷で乗り切ろうとしたために壮絶なインフレが起こり、マルクの下落によって国民生活は破綻したのである。

こうした事態に対し、米が新たな賠償金の支払い方法として提案したのが「ドーズ案」で、独の支払い可能な額を再設定して、米が借款を与えたのであった。独は米の資金を借りて英仏に賠償を支払い、英仏が米からの借入れを支払う循環構造がつくられた。

シュトレーゼマンによって、独が率先して国際協調の手法に則って新外交を展開し、国際連盟と協調して平和秩序を担っていくことができる国家になったと自己演出をした「ロカルノ条約」は、戦争違法化を明文化する「不戦条約」の成立を促した。但し、それは仏が独を信頼したり、連盟加入を歓迎した結果ではなかった。

　実際には、仏の独に対する疑念はロカルノ条約を経てもなお消えはしなかった。そのため仏は、欧州の地域的安全保障の中に、米も関与させたいと考えたのだった。一方、米はブリアンの提案に対して多国間協定への逆提案を行ったわけだが、それはまた米が仏との二国間条約に縛られることを嫌ったためだった。崇高な「不戦条約」はこうした米と仏との駆け引きの産物でもあった。ここには「戦争違法化」をめぐる米と欧州との理念の相違がある。

　大戦の深刻な被害と後遺症に悩む英仏にとって、今後の安全に軍事力の存在は不可欠であった。連盟は相互援助によって集団安全保障を生み出すが、それと言うのは、再び独が侵略国となった時に全加盟国が制裁を与える体制である。つまり仏や白だけが独の侵略に向き合わねばならないのではなく、欧州全体が安全保障を請け負うようになったのであり、仏の認識はそうした保障の上にあった。

　これに対して米は、欧州の安全保障に拘束されることを避けた。共和党のケロッグは、やはり米の利益優先の観点から不戦条約を考えた。米国内では兵士や遺族に対する年金・補償金の支出が負担とされ、戦争自体が忌避(きひ)されていたことも背景になっていた。「共和党」（米の利益追求・ハーディング）と、「民主党」（理想主義を世界に拡大したい・ウィルソン）との外交理念が同じでないのは先に見た通りである。

　帝国主義は否定されても、理想主義外交が直ちに貫徹されたのではなかった。しかし、大戦後の米には戦争が忌避されたが故に、戦争違法化への取り組みを真に進めようとする動きがあった。連盟への参加を拒否した上院においてさえも、不戦の意義を認める議員が少なからずおり、戦争違法化の決議案が度々提出されていた。そこには戦争の性格を問わず禁止したいとの希望があり、米にとっては遠く海を隔てた他国との交戦は否定し得えるものだった。

　即ち、武力制裁を前提とする欧州の安全保障観と、できれば戦争の一切を根絶したい米の理念との相違であり、米には集団安全保障（連盟）には反対するが、不戦条約には賛同するとの論理があったことが解る。

そして、一切の拘束を嫌い米国の権利を追求する共和党の姿勢から、不戦条約には重大な条件が付された。「不戦条約は、いかなる点からも自衛権の制限を意味しない」との条文である。これによって「自衛のための戦争」は認められるとされ、以後の戦争は現在に至るまで「自衛戦争」の名の下に行われることになる。

しかしながら、国際政治のレジーム（基本的な枠組み）は、万国対峙の状態から集団安全保障体制へと変わり、他者を武力で抑圧して権益を拡張することを国益とした価値観は、平和の実現こそを国益とする価値観へと変わろうとしていた。「自衛戦争という抜け道」が残されたにしても、戦争の時代であった「近代」は、平和・人道を普遍的価値とする時代へと変わったのであり、「現代」への移行は人類の道義的成長を示している。

世界大戦の反省から世界のルールは変わった。アジアでは「ワシントン体制」が形成され、戦争違法化の流れの中で国際的な軍縮への取り組みが生じた。日本は国際協調外交を展開し、海軍も基本的には軍縮を受け入れながら英米との協調を図った。しかしその中で、陸軍は独自の進路へ向かおうとした。

帝国主義の教科書

近代日本は、文明国の水準に到達することを目標にしてきた。列強と対等な立場になるためには、東アジアの伝統秩序から脱して国際的な外交儀礼を踏襲し、西欧の近代システムに基づく国家間関係に参入する必要があったからである。そのため、日本は徳治を理念とした前近代の華夷秩序的世界観を「野蛮」として否定し、清・朝鮮との外交を条約に基づく近代的な関係に再編しようとした。一八七一年の「日清修好条規」にはその実質的な契機としての意味があったわけだが、その後も日本はマリア・ルーズ号事件や琉球漁民殺害事件と台湾出兵の処理などをめぐっては国際法に則った処置に徹したつもりであった。日清戦争においても豊島沖海戦における高陸号事件や戦時国際法を周知したことなど、国際法の遵守は列強の介入を招かないためにも意識された。

また日清戦争では、文明国としてのルールを守ろうとする日本が国際ルールを破る清に対して「野蛮」

を覚醒させるための義戦であると宣伝された。山縣有朋が戦争中に鴨緑江の九連城で記した「朝鮮政策上奏」では、日清戦争が朝鮮独立のための戦争で、世界に信を失わぬためにも朝鮮を独立させることは日本の義務であるとし、戦後は「利益線」の確保とともに「土人ヲ誘導シテ真成ナル文化ノ域」に向かわしめると述べていた。こうした意識をもって勝利した日本が「日清通商航海条約」によって清に不平等条約を押し付けたのは、日本が列強と同等の立場で清や朝鮮に向き合ったことを意味している。それは文明国が野蛮国を見る態度であり、野蛮なアジアを見下ろして指導的立場に立つとの認識であったと言える。

しかし、「文明国としての勝利」を得たはずの日本は、三国干渉によって遼東半島を返還せねばならず、力の政治を目の当たりにすることになる。国際法に則っても、力の政治に屈服せざるを得ない現実を見せつけられた経験となったが、それは既にビスマルクが示唆していた国際社会の現実でもあったことであろう。

日本が指標としていた文明国の水準とは、近代国家として国際社会に加わるための資格を問われる基準であった。それは同時に、もしその水準を満たしていなければ野蛮国として侵害されても仕方ないとする判断の尺度でもあった。日本は黒船来航とともにそれを押し付けられて受容したが、自助的努力で挽回して地位を手にしたのであるから、そうでない国の上位に立って構わないはずとの根拠になった。いずれの国も到達せねばならない水準であるとの前提から、その国の生い立ちや事情などは考慮することなく、西欧システムへの適応度を指標に、自国から見て十分な到達点に達していなければ、怠惰や努力不足の結果として自己責任を問われてやむなしとする認識になっていたのである。

清に不平等を押し付けた「日清通商航海条約」について、林董（はやしただす）（陸奥宗光外相の下で当時の外務次官を務め、その後に条約改正や日英同盟に尽力した外交官）は、後の一九〇一年時点で回想して、以下のことを述べた。

戦争前の清は日本を威嚇(いかく)や恫喝(どうかつ)によってさげすむように扱い、条約を履行しようとはしなかった。清からその様に扱われてしまうと、列国との条約改正でも日本は足元を見られて交渉に支障をきたした。条約改正のためには、清との当初の「日清修好条規」は破棄する他なく、日清戦争が早く起きたことはむしろ「不幸中の幸い」であったと。

この林の言は、戦争に勝ったから言えるようなことであるが、林は戦争によって清との条約を破棄できたから条約改正も可能になったと述べており、条約破棄の正当な口実になったことから戦争を肯定的に捉えているのである。つまり、勝利した結果から振り返り、もはや戦争自体が条約改正の機会そのものであったような認識になっている。そしてこれが、日露戦争の勝利によって条約改正の完全達成へと進む時、林に限らずとも、自力によって文明国へと昇りつめた達成の過程として理解されるようになる。

実際に日本が不平等な地位から脱することができたのは、結局は日露戦争での勝利によってであったため、日本にとっては、国際社会で地位を得るには軍事力で列強に対抗できるだけの現実的な力があることを示さねばならなかったという経験となった。日露戦争に勝ったが故に弱肉強食の世界観が固定観念となったのである。こうした日本の生い立ちと認識は、大戦後の新秩序として理想主義が登場した際に、「国際正義」に対する不信感を生み、とりわけ陸軍は国際秩序の転換を懐疑的に見ることになった。

山縣はヴェルサイユ体制について述べ、人類の自由のために軍国主義を撲滅して帝国主義を打破しようと無併合・無賠償を打ち出しているが、軍国主義や帝国主義とは果たしてそれほど憎むべきものであろうか。無併合・無賠償というのが果たして公平正義と言えるのであろうか。列強はこれまでに帝国主義を実行し、そのお陰で言わば裕福な大家となったが、新興勢力の日本は未だ小家でこれから発展せねばならないとして、その不公平さを訴えた。

山縣は理想主義の意味するところは理解していたが、それが平和を希求する真摯な取り組みとなることは理解していなかった。山縣から見れば、国際連盟は軍事同盟を否定すると言いながらも、その実は軍事同盟の装いを変えて再構築しただけのもので、米の主張する「機会均等」「門戸開放」も、形を変えた帝国主義的な侵略の方便にしか映らなかった。国際ルールを守っても、力が無ければ蹂躙（じゅうりん）される弱肉強食の現実にさらされた経験からである。

　こうした見方をしていたのは決して山縣ばかりではなかった。当時陸軍次官を務め、一九二四年から陸軍大臣となる宇垣一成（うがきかずしげ）も理想主義に対する疑念を抱いている。宇垣は、大戦後の世界が国際的理想と国家的現実とがせめぎ合っているとして、「希望としては戦争を絶無にし軍備を撤廃したきは山々である」が、しかし、列国対峙・自利排他の傾向が未だ世界に存在する様子を見せ付けられているので、軍備撤廃や永久平和の理想を実現しようとの勇気など出るはずがないと述べた。軍備制限論は希望に惑わされているだけの夢想で、国際協調は英米主導のルールを正義にしているだけの秩序であるとした。このように、陸軍の代表者たる彼らの認識からは、理想主義への転換に踏み切れなかった様子が分かる。

　実際のところ、ウィルソンが戦後の世界は勝者も敗者もなく、平等な諸国家間の交渉による講和であるべきだと主張したものの、独に対しては莫大な賠償が請求され、ポーランド・ベルギー（白）・デンマークにはそれぞれ隣接する領土が割譲されていた。講和後も独の賠償金の支払いが滞ると、仏と白によって独の工業地帯が占領されるなど、弱体化した独に対する厳しい制裁が課せられた。列強が植民地を手放すことはなく、委任統治として事実上の新領土も得られた。それらは帝国主義を段階的に否定していくための妥協点であったのだが、陸軍は国際正義への不信感から、世界のルール・価値観が転換されようとしていることを認めなかった。

「大陸攻勢」から侵略へ

日露戦争後から大戦期を通じて、軍部は「一等国」としての地位を守れるだけの軍拡を企図してきた。日露戦争後に策定された一九〇七年の「帝国国防方針」では、米を仮想敵国の第一位に想定して軍備の増強を図ろうとしたが、それは日本の経済力に不釣り合いな軍拡目標になっていた。にもかかわらず、大戦によって総力戦体制が求められると、次なる戦争を支えるためのさらに膨大な軍備が要求されるようになる。

大戦中の一九一七年九月、陸軍の参謀本部内で総力戦体制を構築するための計画が練られた。大戦の様子から今後の戦争が長期戦になることが予想されたので、長期戦争に備えた資源・食料・軍需生産とその労働力などの動員計画を立てた。試算の結果、次なる総力戦には九〇〇万人を兵士として動員する想定となった。それを維持するための諸資源も算出すると、国内の生産量では追いつかないため、不足する分は中国資源を収奪して賄うこととされた。そのために名護屋（佐賀県唐津市）と朝鮮半島を海底トンネルでつなぎ、大陸から物資を「補給」するとの途方もない案となっていた。あくまで数値目標ではあるものの、この中では総力戦を行うために日本と大陸とを一体の経済基盤と見なしており、しかもこれを陸軍が実行しようとする場合には、軍事領域だけでなく政治・経済・社会領域に口を出さねば達成しようのない計画になっている。即ち、総力戦体制構築を根拠に陸軍が国家経済に主体的に乗り出そうとしたものであった。

こうした想定をしたが故に、陸軍にとって中国大陸での権益拡大はますます必要視された。辛亥革命後の陸軍には日英同盟への将来的な不安や不信感が生まれていたが、「第四次日露協約」（一六年七月）によって第三国の中国進出を排除する軍事同盟がつくられると、中国支配を進める方針は露との協調の上に明確化された。その構想はロシア革命によって崩壊したが、国内では日露協約を実質的に進めていた寺内正毅が組閣することになり、その下で一八年三月に、戦時には政府が民間工場を動員できるとした「軍需工業動員法」が定められた。

同法はシベリア出兵を理由に成立したものではあったが、軍部が戦時に軍需工場の管理・収用・労働者の徴用を行うというだけでなく、平時においても軍需工業の育成を図るとしており、総動員体制づくりの初動を示す法整備としての意味をもった。戦時に必要な資源・物資をあらかじめ算出しておき、不足する資源についてはその分野の工業を政府が保護・奨励して育成を図るとしたもので、次なる戦争に必要な資源の目標数値を掲げて、それに向けて資源を生産するための法になっている。戦争に合わせて生産目標が定められる点は、従来の動員方法とは明らかに異なっており、まさに陸軍が主体的に国家経済に乗り出すための法的な裏付けであった。そうした中で、一八年五月に陸軍が独自外交を展開して段祺瑞との間に「日支共同防敵軍事協定」を結んでいたのは、このような総動員体制への動きと連動したものだったのである。

さらにその翌月の一八年六月には国防方針も改められ、満洲から中国本土へ積極的に勢力拡大を行うことで、国防資源の「自給自足」を図る方針が打ち出されていた。そして中国へ攻勢をかけるためには、米中露（ソ）の三国を同時に相手とする戦争の遂行をも覚悟せねばならず、日本は他国との同盟などに頼らずとも独力で国防を果たせるよう計画する必要があるとした。

この国防方針の改訂で、陸軍は軍事戦略を大きく転換した。大戦前の陸軍は山縣の「主権線・利益線」に代表されるように朝鮮半島の保全を即ち日本の国防としたが、これに対して、改訂された方針では大陸への攻勢と鉄道権益を焦点とした勢力の拡張が求められた。韓国併合と満洲権益獲得を経た結果、日本の本土侵略の危機を想定する必要性はほとんどなくなり、それよりも新領土の獲得が目標にされているのである。そのため改訂された国防方針は、満蒙全域を独占する上に中国への拡張を目指して、東アジア全域を視野に入れた国家戦略になった。中国資源に頼らなければ総力戦は行い得ないとの考えは海軍にもあったが、陸軍は国防のために大陸資源が必要で、その確保のためには米中ソを全て敵に回してやむなしとの方針を立てており、総力戦を理由に、国防よりも大陸での権益拡張の方が上位目標として優先されているかのような内容になった。そして陸軍は、こうした方針を定めたタイミングでワシントン会議を迎えていた。帝国主義的拡張をますます継続しようとする陸軍の志向は、中国の民族自決権を否定して武力で圧し、国際社会が目指した平和構築への秩序転換とは正反対の進路を示した。

参謀本部においてこの国防方針の改定を担ったのは、田中義一（たなかぎいち）と宇垣であったが、その田中が政界に転向して、原敬亡き後の政友会の総裁に就いて首相となった時（外相も兼任）、大陸に駐屯する出先の陸軍の部隊によって侵略のための独断専行がはじまる。それは田中の想定すらも逸脱した暴走であった。日本政府と軍部はワシントン体制下において一貫した外交シナリオを描けず、出先部隊の制御不能の事態に陥るのである。不平等な地位からの脱出に、戦争での勝利が必要だった陸軍は、新外交への転換に踏み切れなかった。

世界は戦争を否定して恒久的な平和構築を成し得たはずが、その新秩序は不戦の理念を共有しきれなかった二つの国によって破壊されることになる。その一つは再起不能になるほどの制裁を受けた国であり、もう一方は大戦において何らの犠牲や負担を負うことなく受益国となった国であった。両国は一度は国際協調の時流に乗りながらも、内部に抱え込んだ帝国主義の遺児によって旧外交による国家政策が継続され、国際秩序に抗おうとする。さらに、欧州に最悪の害を及ぼす侵略者に共謀する隠れた戦争犯罪国が存在した。昭和期の深刻な経済不況や国内の政治不信が醸成された時、目指すべき指針を得られずにいた国民は軍国主義に引きずられて軍部を支持するようになり、他方で侵略戦争の罪から逃れた共謀者の国は現在も無法の戦争を繰り広げている。それらについては続編となる『明日のための現代史』において見ることにする。

あとがき　改訂増補にあたって改めて未来に願う

本書は『明日のための現代史』〔上・下巻〕の前提となる「近代史」を内容としたが、単に歴史的経緯としての「前提」を述べてきたのではなく、「歴史総合」（歴総）に向き合うためのテキストとして、日本史と世界史を総合的に見ることによって何を学習すべきなのかの問題意識に基づいて描いてきた。筆者が大学院で国際政治学と日本史学をそれぞれ専攻したことから、政治学と歴史学の双方の視点をコンセプトに、これまでに大学で担当してきた講義内容をベースに執筆したものが本書であるが、筆者が政治学と歴史学とを行き来したその経験の中では、双方の学問的な常識が全く違っており、同じ近代の歴史を見ていたとしても、扱い方や問題意識についてはほとんど共有されることがないことを目の当たりにした。一方の研究領域では常識であっても、他方では聞いたこともないような知識だったりするのである（例えば、国際政治においてはバランス・オブ・パワーを知らぬ学徒などないが、日本史では未だほとんどなじみのない用語である）。そして筆者のこの経験は、歴総を新たに担当する教員皆が出会うことになるのではなかろうか。

歴総が課題としている「問いを立てる力」を考えるに、授業や講義における問いには大別して二種類あるように思う。一つは、その問い自体が学術的な意義をもち、歴史の理解を深めるのに適切な問いであるもの。もう一つは、その問いの内容が必ずしも良い問いと思われなくとも、それを問われたことで何事かに気づくきっかけとなる問いである。後者の問いはそれ自体が当たり前だと思われるような内容であっても、改めて問われてみれば気づくべき点があったと理解できるような性格なのであれば、それはまた「良い問い」だと思う。解ったつもりになっていたことを問い直してくれる問いである。そのことによって問われた側が、どこまで考えるべきだったのか？　何のための学習なのかを改めて理解でき、歴史を自分の問題として考えることができるようになれば、考える姿勢を促す授業に有用である。思索すべきを、検索に置き換えて済まされがちな昨今において、知識を智恵に変えられるならそれほど素晴らしい授業はない。

いずれにしても「問い」の質は重大な問題になっている。それを理解しないで授業を進めるとどんな問題が起きるであろうか。

テーマ別の授業では、そのトピックから何を学ぶのか？が意識され、その意味を問う設問が用意される傾向があるが、そこには「歴史を学ぶのか？」あるいは「歴史を通して大切な何かを学ぶのか？」という選択が潜んでいる。どちらも同じくらい大切だとは思うが、「大切な何か」を学ぼうとする余りに歴史学的思考が無視され、誤った問いを発していたら、最終的には「結果的にそれが学べれば歴史じゃなくてもいい」ことになってしまう。恐ろしいことであるが、しかし実際に、教員側が意図せずとも授業の技術や進め方の如何によって避けがたい問題になる。何より、適切に問いを立てることがない限り、その授業内容は、何らかの知識を体系化することなく無媒介にかつ無秩序に広めているだけになり、もはや歴史の授業ですらなくなってしまう。「誤った因果関係」を見切らなければ、学生が自力で同時代認識を得なければならなくなってしまい、どれほど優れたテーマが設定されていても学習目標になど到達できようはずもない。そして、テーマ別学習はとかくそのテーマが単独で成立する歴史であるかのように思わせる（例えば、「文化史」が政治史と別個に学習されるため、文化の中にある政治性が読み取れなくなるように）。さらに、そのテーマの内容が現在の社会とどう関係するのか？　そのつながりも理解することができない。だからこそ「歴史でなくてもよい」と開き直らない限りは、テーマ別においても通史的理解がどうしても必要なのである。その上での授業が担当教員には求められている。

「はじめに」でも述べたが、歴総での課題はかくにも教室で実践される授業に託される性格が大きい。そもそも教科書が優れていようと、そうでなかろうと、それがどのような授業になるかは現場の教室にかかっている。そのことは歴史学に限ったことではないが、高校の社会科の場合には、地歴科と公民科の別があり、教員免許や教員採用試験においても教科別の区分があるのに、専門科目とかけ離れたクラスを担当せねばならないこともあると聞く。専門科目が世界史でも日本史でもない教員が、自身は教わったこともない歴総を望ましいように実施するのはどれほど大変な負担であろうか。そうした苦悩に少しでも役立てばとの思いから本書のシリーズに取り組んだ。現場を背負う教員や、教員を目指す学生の勉強に貢献することこそが本書の願いそのものである。そうした性格から、主たる参考文献は書店で入手できるものに絞ったことも併せて申し上げておく。

学校での教育は、本来は現場での成果を反映して検討されることが望ましい。また、教員の養成は大学が果たすべき社会的役割であるし、受験勉強は大学入試が規定していることを思えば、何より大学の責任が問われるところであるが、教員が十分に学ぶ機会を確保できたり、必要な分の教育費が支出される社会を実現して望まれる環境をつくっていけるかどうかは結局のところ担い手の一人ひとりにかかっている。

最終的には、とにかく学校に子どもの問題（育児や躾や介護などそもそも学校教育では解決できないような問題まで）をなんでも押しつけている社会のあり方が改善されねばならないと思うのだが、そのためには問題と解決策を発信せねばならないし、そのための社会的な議論を起こしていかねばならない。地域コミュニティーからの主体的な教育が個々のニーズに合った教育を生み出し、学校が社会と学生のつながりを与えられる社会を実現し、一方では学校だけが人生の唯一のルートにならなくても豊かで幸せな人生の選択肢がある社会（かつ幸せや活躍が放任的に個人に帰されるだけではない社会）を実現できないものだろうか。まずはそのことを議論するために、少なくとも学校教育が変わっていかねばならないし、その問題意識が学校から社会へと広がらなければ実現し得ない。多くの人と協同してそうした取り組みに結びついていくことを求めて本シリーズを書いてきた。皆が願えば実現する。けれど実現までは困難な中でも思い続けなければならないから、めげずに思い続けられる助けになればと願った次第である。

末筆ながら、御後援を下さった芙蓉書房出版の平澤公裕社長には厚く御礼申し上げる。戦争の影響もあり、厳しい出版・印刷事情の中でもこのような機会に恵まれたことは何よりご温情によるものである。本書の企画や執筆に対する筆者の思いをご理解下さり、刊行させて下さった。また同じく、本書は近代史の講義を担当できたからこそ企画できたものであり、これまでに各大学で恵まれた全ての御縁と、その機会を与えて下さった山田朗先生に感謝を申し上げる。歴史教育に貢献することで皆様からのご恩に報いられるよう引き続き努力する。

本書の問題意識に含まれる「権利を知らない日本人」については他に機会を得て問題提起したい。

十二月二十三日

主要参考文献

雨宮昭一『近代日本の戦争指導』（吉川弘文館、一九九七年）。

イアン・ニッシュ『日本の外交政策１８６９～１９４２』（ミネルヴァ書房、一九九四年）。

飯田洋介『ビスマルク：ドイツ帝国を築いた政治外交術』（中央公論新社、二〇一五年）。

五百旗頭薫『条約改正史‐法権回復への展望とナショナリズム』（有斐閣、二〇一〇年）。

伊勢弘志『近代日本の陸軍と国民統制‐山縣有朋の人脈と宇垣一成』（校倉書房、二〇一四年）。

伊勢弘志『石原莞爾の変節と満州事変の錯誤』（芙蓉書房出版、二〇一五年）。

伊勢弘志『明日のための現代史』上・下（芙蓉書房出版、二〇二一年・二〇二二年）。

井上勝生『海国と幕末変革』（講談社、二〇〇二年）。

井上寿一『日本外交史講義』新版（岩波書店、二〇一四年）。

江口朴郎『帝国主義時代の研究』（岩波書店、一九七五年）。

大澤博明『近代日本の東アジア政策と軍事』（成文堂、二〇〇一年）。

岡　義武『国際政治史』（岩波書店、二〇〇九年）。

小河原宏幸『伊藤博文の韓国併合構想と朝鮮社会』（岩波書店、二〇一〇年）。

落合弘樹『西南戦争と西郷隆盛』（吉川弘文館、二〇一三年）。

勝田政治『明治国家と万国対峙』（角川選書、二〇一七年）。

加藤祐三『幕末外交と開国』（講談社、二〇一二年）。

木谷　勤『ドイツ第二帝制史研究‐「上からの革命」から帝国主義へ』（青木書店、一九七七年）。

木村靖二『第一次世界大戦』（筑摩書房、二〇一四年）。

久米邦武『米欧回覧実記』田中彰編（岩波書店、一九七七～一九八二年）。

斎藤聖二『日清戦争の軍事戦略』（芙蓉書房出版、二〇〇三年）。

進藤榮一『現代国際関係学』（有斐閣、二〇〇一年）。

鈴木　淳『維新の構想と展開』（講談社学術文庫、二〇一〇年）。

高橋秀直『日清戦争への道』（東京創元社、一九九五年）。

瀧井一博『ドイツ国家学と明治国制』（ミネルヴァ書房、一九九九年）。

瀧井一博編『シュタイン国家学ノート』（信山社、二〇〇五年）。

竹中　亨『ヴィルヘルム2世：ドイツ帝国と命運を共にした「国民皇帝」』（中央公論新社、二〇一八年）。

田中　彰『明治維新と西洋文明‐岩倉使節団は何を見たか』（岩波書店、二〇〇三年）。

千葉　功『旧外交の形成‐日本外交一九〇〇～一九一九』（勁草書房、二〇〇八年）。

波平恒男『近代東アジア史のなかの琉球併合』（岩波書店、二〇一四年）。

奈良勝司『明治維新と世界認識体系』（有志舎、二〇一〇年）。

奈良岡聰智『対華二十一ヵ条要求とは何だったのか』（名古屋大学出版会、二〇一五年）。

原田敬一『日清戦争』（吉川弘文館、二〇〇八年）。

檜山幸夫『日清戦争‐秘蔵写真が明かす真実』（講談社、一九九七年）。

福岡万里子『プロイセン東アジア遠征と幕末外交』（東京大学出版会、二〇一三年）。

細谷千博『シベリア出兵の史的研究』（岩波書店、二〇〇五年）。

町田明広『攘夷の幕末史』（講談社学術文庫、二〇二二年）。

三谷　博『明治維新とナショナリズム』（山川出版社、一九九七年）。

南塚信吾『「連動」する世界史：19世紀世界の中の日本』（岩波書店、二〇一八年）。

宮地正人『国際政治下の近代日本』（山川出版社、一九八七年）。

宮地正人『幕末維新変革史』上・下（岩波書店、二〇一二年）。

百瀬　宏『国際関係学』（東京大学出版会、一九九三年）。

山田　朗『軍備拡張の近代史』（吉川弘文館、一九九七年）。

山田　朗『世界史の中の日露戦争』（吉川弘文館、二〇〇九年）。

山田　朗『日本の戦争歴史認識と戦争責任』（新日本出版社、二〇一七年）。

著 者
伊勢 弘志（いせ ひろし）
明治大学文学部・大学院兼任講師、成蹊大学非常勤講師、桜美林大学非常勤講師。
1977年、大分県生まれ。2001年、國學院大学文学部史学科卒業。2004年、桜美林大学大学院国際関係学部修士修了。2011年、明治大学大学院文学研究科博士後期課程修了。博士（史学）。
主要著作：『近代日本の陸軍と国民統制 - 山縣有朋の人脈と宇垣一成』（校倉書房、2014年）、『石原莞爾の変節と満州事変の錯誤』（芙蓉書房出版、2015年）、『はじめての日本現代史』（共著、芙蓉書房出版、2017年）、『明日のための現代史』上・下（芙蓉書房出版、2021年・2022年）。

明日（あした）のための近代史（きんだいし）【増補新版】
――世界史と日本史が織りなす史実――

2023年 1月27日 第1刷発行

著 者
伊勢（いせ） 弘志（ひろし）

発行所
㈱芙蓉書房出版
（代表 平澤公裕）
〒113-0033東京都文京区本郷3-3-13
TEL 03-3813-4466 FAX 03-3813-4615
http://www.fuyoshobo.co.jp

印刷・製本／モリモト印刷

ISBN978-4-8295-0854-1

【芙蓉書房出版の本】

OSS(戦略情報局)の全貌　　太田　茂著　本体 2,700円
CIAの前身となった諜報機関の光と影

最盛期3万人を擁したOSS〔Office of Strategic Services〕の設立から、世界各地での諜報工作や破壊工作の実情、そして戦後解体されてCIA（中央情報局）が生まれるまで、情報機関の視点からの第二次大戦裏面史！

陸軍中野学校の光と影　　スティーブン・C・マルカード著
インテリジェンス・スクール全史　　秋場涼太訳　本体 2,700円

1938年～1945年までの7年間、秘密戦の研究開発、整備、運用を行っていた陸軍中野学校の巧みなプロパガンダや「謀略工作」の実像を総合的な視点で描く。

日米戦争の起点をつくった外交官
ポール・S・ラインシュ著　田中秀雄訳　本体 2,700円

在中華民国初代公使は北京での6年間(1913-19)に何を見たのか？　北京寄りの立場で動き、日本の中国政策を厳しく批判したラインシュの回想録 *An American Diplomat in China*(1922) の本邦初訳。日米対立、開戦への起点はここにあると言って良い。

日中和平工作秘史　　太田　茂著　本体 2,700円
繆斌工作は真実だった

「繆斌工作」が実現していればヒロシマ・ナガサキもソ連の満州・北方領土侵略もなく戦争は終結していた！　日中和平工作史上最大の謎であり、今も真偽の論争がある繆斌工作の真実性を解明する。

新考・近衛文麿論　　太田　茂著　本体 2,500円
「悲劇の宰相、最後の公家」の戦争責任と和平工作

毀誉褒貶が激しく評価が定まっていない近衛文麿。近衛が敗戦直前まで試みた様々な和平工作の詳細と、それが成功しなかった原因を徹底検証する。